LE TRÔNE DE FER **8**
Les noces pourpres

Du même auteur
aux Éditions J'ai lu

GEORGE R.R. MARTIN

LE TRÔNE DE FER 8

Les noces pourpres

Traduit de l'américain
par Jean Sola

Titre original :

A SONG OF ICE AND FIRE
A STORM OF SWORDS
(troisième partie)

PRINCIPAUX PERSONNAGES

Maison Targaryen (le dragon)

Le prince Viserys, héritier « légitime » des Sept Couronnes, tué par le *khal* dothraki Drogo, son beau-frère.

La princesse Daenerys, sa sœur, veuve de Drogo, « mère des Dragons », prétendante au Trône de Fer.

Maison Baratheon (le cerf couronné)

Le roi Robert, dit l'Usurpateur, mort d'un « accident de chasse » organisé par sa femme, Cersei Lannister.

Le roi Joffrey, leur fils putatif, issu comme ses puînés Tommen et Myrcella de l'inceste de Cersei avec son jumeau Jaime.

Lord Stannis, seigneur de Peyredragon, et lord Renly, seigneur d'Accalmie, tous deux frères de Robert et prétendants au trône, le second assassiné par l'intermédiaire de la prêtresse rouge Mélisandre d'Asshaï, âme damnée du premier.

Maison Stark (le loup-garou)

Lord Eddard (Ned), seigneur de Winterfell, ami personnel et Main du roi Robert, décapité sous l'inculpation de félonie par le roi Joffrey.

Lady Catelyn (Cat), née Tully de Vivesaigues, sa femme

Robb, leur fils aîné, devenu, du fait de la guerre civile, roi du Nord et du Conflans.

Brandon (Bran) et Rickard (Rickon), ses cadets, présumés assassinés de la main de Theon Greyjoy.

Sansa, sa sœur, retenue en otage à Port-Réal comme « fiancée » du roi Joffrey.

Arya, son autre sœur, qui n'est parvenue à s'échapper que pour courir désespérément les routes du royaume.

Benjen (Ben), chef des patrouilles de la Garde de Nuit, réputé disparu au-delà du Mur, frère d'Eddard.

Jon le Bâtard (Snow), fils illégitime officiel de lord Stark et d'une inconnue, expédié au Mur et devenu là aide de camp du lord Commandant Mormont.

Maison Lannister (le lion)

Lord Tywin, seigneur de Castral Roc, Main du roi Joffrey

Kevan, son frère (et acolyte en toutes choses).

Jaime, dit le Régicide, membre de la Garde Royale et amant de sa sœur Cersei, Tyrion le nain, dit le Lutin, ses fils.

Maison Tully (la truite)

Lord Hoster, seigneur de Vivesaigues, mourant depuis de longs mois.

Brynden, dit le Silure, son frère.

Edmure, Catelyn (Stark) et Lysa (Arryn), ses enfants.

Maison Tyrell (la rose)

Lady Olenna Tyrell (dite la reine des Épines), mère de lord Mace.

Lord Mace Tyrell, sire de Hautjardin, passé dans le camp Lannister après la mort de Renly Baratheon.

Lady Alerie Tyrell, sa femme.

Willos, Garlan (dit le Preux), Loras (dit le chevalier des Fleurs, et membre de la Garde Royale), leurs fils.

Margaery, veuve de Renly Baratheon et nouvelle fiancée du roi Joffrey, leur fille.

Maison Greyjoy (la seiche)

Lord Balon Greyjoy, sire de Pyk, autoproclamé roi des îles de Fer et du Nord après la chute de Winterfell.

Asha, sa fille.

Theon, son fils, ancien pupille de lord Eddard, preneur de Winterfell et « meurtrier » de Bran et Rickon Stark.

Euron (dit le Choucas), Victarion, Aeron (dit Tifs-trempes), frères puînés de lord Balon.

Maison Bolton (l'écorché)

Lord Roose Bolton, sire de Fort-Terreur, vassal de Winterfell, veuf sans descendance et remarié récemment à une Frey.

Ramsay, son bâtard, alias Schlingue, responsable, entre autres forfaits, de l'incendie de Winterfell.

Maison Mervault

Davos Mervault, dit le chevalier Oignon, ancien contrebandier repenti puis passé au service de Stannis Baratheon et plus ou moins devenu son homme de confiance, sa « conscience » et son conseiller officieux.

Dale, Blurd, Matthos et Maric (disparus durant la bataille de la Néra), Devan, écuyer de Stannis, les petits Stannis et Steffon, ses fils.

Maison Tarly

Lord Randyll Tarly, sire de Corcolline, vassal de Hautjardin, allié de lord Renly puis des Lannister.

Samwell, dit Sam, son fils aîné, froussard et obèse, déshérité en faveur du cadet et expédié à la Garde de Nuit, où il est devenu l'adjoint de mestre Aemon (Targaryen), avant de suivre l'expédition de lord Mormont contre les sauvageons.

JON

Encore détrempé par les dernières pluies, le tapis de feuilles mortes et d'aiguilles de pin qui jonchaient le sol de vert et de brun cédait sous leurs pieds avec un bruit spongieux. Des hordes de pins plantons émergeaient tout autour d'énormes chênes dénudés et de gigantesques vigiers. Au sommet d'une colline se distinguait, séculaire et vacante, une autre tour ronde que submergeait presque jusqu'aux créneaux la luxuriante crudité des mousses. « Qui c'est qu'a construit ça, demanda Ygrid, que c'est tout en pierre ? Un roi ?

— Non. Simplement les hommes qui vivaient là.

— Et il leur est arrivé quoi, qu'y en a plus ?

— De mourir ou de s'en aller. » Après avoir été cultivé durant des milliers d'années, le Don de Brandon avait, au fur et à mesure que déclinait la Garde de Nuit, tellement vu se raréfier les bras susceptibles de labourer les champs, soigner les abeilles, entretenir les vergers que la nature s'y était ressaisie de mainte terre et maint habitat. Quant aux villages et manoirs du Neufdon qui, grâce à des contributions payées en fournitures et main-d'œuvre, procuraient jadis vêtements et vivres aux frères noirs, ils n'étaient plus guère eux-mêmes qu'un souvenir.

« Fallait qu'y soyent idiots pour abandonner un pareil château, fit-elle.

— Ce n'est qu'une tour de guet, rectifia Jon. Elle a dû abriter, dans le temps, la famille d'un mince hobereau, plus une pincée d'hommes liges. Quand d'aventure survenaient des pillards, on allumait des feux d'alerte sur la terrasse. Winterfell a des tours trois fois plus élevées. »

Elle prit manifestement cette assertion pour un gros bobard. « Et y feraient comment, des humains, dis, pour construire à ces hauteurs-là, sans géants pour leur monter les pierres ? »

Selon la légende, Brandon le Bâtisseur s'était *effectivement* fait aider de géants pour bâtir Winterfell, mais Jon préféra ne pas compliquer les choses. « Les humains sont capables de construire infiniment plus haut que ça. À Villevieille, il y a une tour plus haute que le Mur. » Il la vit incrédule, une fois de plus. *Que ne puis-je, hélas, lui montrer Winterfell..., lui offrir une fleur des jardins de verre, la festoyer dans la grand-salle et lui faire admirer les rois de pierre sur leurs trônes. Nous pourrions alors nous baigner dans les bassins d'eau chaude et nous aimer sous l'arbre-cœur, veillés tout du long par les anciens dieux.*

C'était un rêve délicieux, mais ce n'était qu'un rêve, il ne posséderait jamais Winterfell pour le lui montrer. Winterfell était à son frère, le roi du Nord. Lui n'était qu'un Snow, pas un Stark. *Bâtard, parjure et tourne-casaque...*

« On pourrait peut-être, après, revenir ici vivre dans cette tour, nous, suggéra-t-elle. Ça te dirait, Jon Snow ? Après ? »

Après... Le mot lui fit l'effet d'un coup de pique. *Après la guerre. Après la conquête. Après la rupture du Mur par les sauvageons...*

Le seigneur son père avait un jour soulevé devant lui l'idée d'ériger les domaines des anciens forts abandonnés en seigneuries nouvelles afin de parer au danger sauvageon. Plan chimérique si la Garde ne renonçait à une grande partie du Don, mais Oncle Benjen croyait tout à fait possible d'y rallier le lord Commandant, dès lors que les impôts des bénéficiaires alimenteraient Châteaunoir et pas Winterfell. « Un songe, hélas, avait conclu lord Eddard, tout juste bon pour le printemps. En période d'hiver venant, la promesse de terres elle-même n'attirerait pas foule au nord. »

Si l'hiver était survenu puis passé plus vite et le printemps venu à son tour, j'aurais pu me trouver choisi pour tenir telle ou telle de ces maisons fortes au nom de mon père. Seulement, voilà, lord Eddard mort et son frère Benjen disparu, jamais ne serait forgé contre les razzias le bouclier dont ils rêvaient ensemble. « Ces terres appartiennent à la Garde », répondit-il.

Les narines d'Ygrid se dilatèrent. « Y a personne qu'habite ici.

— Vos pillards ont fait fuir les gens.

— C'est que c'étaient que des lâches, alors. S'y voulaient la terre, y-z-avaient qu'à se battre et qu'à pas bouger.

— Ils en avaient peut-être marre, de se battre. Marre, de barricader leur porte chaque soir et de se demander si Clinquefrac ou l'un de ses pareils n'allait pas venir la défoncer pour leur enlever leur femme. Marre, de se voir voler leurs récoltes et les quelques objets de valeur qu'ils pouvaient avoir. À force, il finit par devenir moins accablant de se soustraire une fois pour toutes aux incursions que d'y demeurer constamment exposé. » *Mais que flanche le Mur, et c'est le Nord dans son intégralité qui s'y trouvera sans relâche exposé.*

« T'y connais rien, Jon Snow. C'est leurs filles

qu'on prend, pas leurs femmes. Puis c'est *vous*, les voleurs. Vous avez mis la main sur tout l'univers, et vous avez construit le Mur pour être bien sûrs que le peuple libre reste en dehors.

— Nous avons fait ça, nous ? » Il lui arrivait çà et là d'oublier à quel point elle était barbare, et elle saisissait le premier prétexte venu pour le forcer à s'en souvenir. « Ça s'est produit comment ?

— Les dieux ont créé la terre en partage pour tous les hommes. Seulement, les rois, quand y vinrent avec leurs épées d'acier, leurs couronnes et tout, les rois se la revendiquèrent pour eux tout seuls. *Mes arbres*, y dirent, *vous pouvez pas leur manger les pommes. Ma rivière, vous pouvez pas y pêcher dedans. Mon bois, c'est pas à vous d'y chasser dedans. Ma terre, mon eau, mon château, ma fille, bas les pattes, ou je vous les coupe, mais si je vous vois à genoux, devant moi, là, peut-être bien que je vous permettrai l'odeur, humer un brin, quoi.* Vous nous traitez de voleurs, mais un voleur, au moins, faut que ça soye brave et rapide et futé. Alors qu'un lèche-cul, ç'a besoin que de s'agenouiller.

— Harma et le Ballot d'Os, ce n'est pas pour razzier des pommes et du poisson qu'ils viennent. C'est pour voler des haches et des épées. Des épices et des fourrures et des soieries. Ils raflent tout l'argent qu'ils peuvent, et le moindre anneau, la moindre coupe ornée de pierreries, plus des barriques de vin, l'été, et des barils de bœuf salé, l'hiver ; et les femmes, c'est en toute saison qu'ils les enlèvent pour les emmener au-delà du Mur.

— Et quand bien même ils le feraient ? Ça me plairait toujours plus, à moi, me faire emballer par un gars costaud que me laisser livrer par mon père à une mauviette de gringalet.

12

— Facile à dire, mais qu'en sais-tu ? Que dirais-tu, si ton ravisseur était un type que tu détestais ?

— Faudrait qu'y soye bien vif et brave et malin pour *me* ravir. Et alors ça ferait que ses fils seraient pareil solides et dégourdis pareil. Pourquoi que je détesterais un type comme ça ?

— Il pourrait ne jamais se laver, puer, tiens, comme un ours.

— Alors, je te le flanquerais dans le premier ruisseau, ou j'y viderais sur la tronche tout un baquet d'eau. Et puis d'abord, les hommes, ç'a pas à sentir la fleur.

— Tu as quelque chose contre les fleurs ?

— Comme abeille, rien. Mais au lit, moi, c'est un de ces trucs-là que j'veux. » Elle fit mine de lui empoigner les chausses.

Il lui attrapa le poignet au vol. « Et si ton ravisseur buvait comme un trou ? insista-t-il. S'il se montrait cruel ou brutal ? » Il resserra l'étreinte, à titre d'échantillon. « S'il était beaucoup beaucoup plus costaud que toi et se plaisait à te battre au sang ?

— J'y trancherais la gorge au moment qu'y dort. T'y connais rien, Jon Snow. » Elle se tortilla comme une anguille et finit par se libérer.

Je sais toujours une chose, c'est que tu es une sauvageonne jusqu'à la moelle. Les occasions n'étaient pourtant que trop fréquentes d'omettre ce détail-là. Échanger des baisers, rire ensemble y suffisait. Mais il suffisait également d'un mot, d'un geste ou d'une attitude, et de sa part à elle ou de sa part à lui, pour que Jon reprenne brusquement conscience du mur qui se dressait entre leurs mondes respectifs.

« Un homme peut avoir une femme, un homme peut avoir un poignard, reprit-elle, mais y a pas d'homme qui peut avoir les deux à la fois. Les petites filles apprennent toutes ça de leur mère. » Le menton dressé d'un air de défi, elle secoua sa crinière rouge. « Et les gens peuvent pas avoir la terre, pas plus qu'ils peuvent avoir le ciel ou la mer. Vous autres, agenouillés, vous pensez que si, mais Mance va vous montrer que c'est pas comme ça. »

Pour ne manquer ni de panache ni de bravoure, sa fanfaronnade rendait un son creux. Jon s'assura d'un coup d'œil par-dessus l'épaule que le Magnar ne risquait pas de surprendre leur conversation. Errok, Gros Cloque et Chanvrot Dan marchaient quelques pas derrière, mais sans leur prêter la moindre attention. Cloque se plaignait d'en avoir plein le cul. « Écoute, Ygrid..., souffla Jon tout bas, Mance ne saurait absolument pas gagner cette guerre.

— Bien sûr que si ! s'emporta-t-elle. T'y connais rien, Jon Snow. Tu l'as jamais vu se battre, le peuple libre ! »

Que les sauvageons se battissent, ainsi que le voulait l'optique de vos divers interlocuteurs, comme des diables ou comme des héros ne changeait finalement rien à l'affaire. *Ils se battent avec d'autant plus de témérité qu'ils sont tous obsédés par leur propre gloire.* « Votre courage à tous, je n'en dispute pas, mais, une fois sur le champ de bataille, c'est invariablement la discipline qui l'emporte à la longue sur la valeur. Mance échouera tôt ou tard comme échouèrent avant lui tous les rois d'au-delà du Mur. Et son échec sera votre mort. Votre mort à tous. »

La colère flamba dans les yeux d'Ygrid, et il crut qu'elle allait le frapper. « *Notre* mort à tous, lança-t-elle. La tienne aussi. T'es plus un corbac, maintenant, Jon Snow. J'ai juré que tu l'étais plus, et tu feras bien de plus l'être. » Elle le plaqua violemment contre un arbre et l'embrassa à pleine bouche, au beau milieu, là, de la colonne effilochée. Il entendit Grigg la Bique jeter un : « Hardi, petite ! », et quelqu'un d'autre s'esclaffer, mais cela ne l'empêcha pas de rendre le baiser. Au dénoué de leur étreinte, Ygrid rayonnait. « T'es à moi, murmura-t-elle. À moi comme je suis à toi. Et si on meurt, ben, on mourra. Faut tous que ça meure, les humains, Jon Snow. Mais d'abord, on va vivre, nous.

— Oui. » Sa voix s'étrangla. « D'abord, on va vivre, nous. »

Le large sourire dont elle accueillit son consentement dénuda les dents crochues qu'il en était venu, sans trop savoir comme, à aimer. *Sauvageonne jusqu'à la moelle*, songea-t-il une fois de plus, non sans une pointe attristée de marasme au creux de l'estomac. Tout en faisant jouer les doigts de sa main d'épée, il se demanda comment réagirait Ygrid si elle connaissait le fond de son cœur. Le trahirait-elle si, tête à tête, il lui avouait demeurer le fils de Ned Stark et un homme de la Garde de Nuit ? Il espérait que non mais n'osait en prendre le risque. Trop de vies dépendaient de son ferme propos d'atteindre coûte que coûte Châteaunoir avant le Magnar..., si tant est que la moindre chance de fausser compagnie aux sauvageons se présentât jamais.

On avait descendu la face méridionale du Mur à Griposte, abandonné depuis quelque deux siècles. Tout un pan du prodigieux escalier de pierre avait eu beau s'effondrer une centaine d'années plus tôt, la descente n'en avait pas moins été autrement facile que l'escalade. De là, Styr s'était empressé d'entraîner sa troupe au fin fond du Don, de manière à ne pas tomber sur les patrouilles habituelles de la Garde. Sous la conduite de Grigg la Bique, on avait passé les quelques villages déserts encore visibles dans la région. Brandies de loin en loin vers le ciel tels des doigts de pierre, seules des tours rondes attestaient encore, sans âme qui vive, la main de l'homme. Et c'est ni vu ni repéré que l'on parcourait des plaines battues de bise et des collines grelottantes d'humidité.

Quoi qu'ils exigent, avait ordonné Mimain, *tu ne devras pas barguigner. Marche avec eux, mange avec eux, bats-toi dans leurs rangs aussi longtemps qu'il le faudra.* Or, après s'être tapé en leur compagnie des lieues et des lieues à cheval et davantage encore à pied, après avoir partagé leur pain et leur sel, et les couvertures d'Ygrid en plus, avait-il si peu que ce fût désarmé leur méfiance ? Les Thenns le tenaient à l'œil jour et nuit, guettant le moindre indice de félonie. S'esquiver lui était impossible, et, bientôt, il serait trop tard.

Bats-toi dans leurs rangs, avait ordonné Mimain, juste avant de soumettre sa propre existence au fer de Grand-Griffe..., mais les choses n'en étaient pas arrivées là, pas encore. *Que je verse le sang d'un seul de mes frères, et je serai perdu. C'est pour de bon, dès lors, que j'aurai franchi le Mur, et ce sera sans espoir de retour.*

Au terme de chaque journée de marche, le Magnar le convoquait pour le harceler de questions chafouines et pointues sur Châteaunoir, ses défenses et sa garnison. Quitte à se risquer à mentir sur certains détails et à feindre parfois l'ignorance, Jon se voyait contraint à la plus grande circonspection, car les interrogatoires se déroulaient en présence d'Errok et de Grigg la Bique, lesquels en savaient assez pour n'être pas dupes, s'il forçait tant soit peu la note.

En fait, la vérité pure était effarante. Abstraction faite des défenses afférentes au Mur proprement dit, Châteaunoir lui-même en était entièrement dépourvu. Il ne possédait pas seulement de remblais de terre ou de palissades en bois. Le *château* n'était rien d'autre, au bout du compte, qu'un conglomérat de tours et de forts aux deux tiers en ruine. Quant à sa garnison, le Vieil Ours l'avait amputée de quelque deux cents hommes pour l'expédition. En était-il revenu aucun ? Impossible de le savoir. Et des quatre cents que la place comptait peut-être actuellement, la plupart relevaient du Génie ou de l'Intendance et non des corps de combat.

Guerriers endurcis pour leur part, les Thenns se montraient plus disciplinés que le commun des sauvageons, et c'est sans nul doute pour cette raison que Mance les avait choisis. Contre eux, qu'aligneraient les défenseurs de Châteaunoir ? Mestre Aemon, aveugle, et son Clydas de factotum, aveugle à demi ; Donal Noye, manchot ; septon Cellador, ivrogne ; Hobb le cuistot, trois doigts ; ser Wynton Stout, une antiquité ; puis Albett et Pyp et Crapaud et Halder et le reste des gars avec qui Jon s'était entraîné naguère. Et pour les commander, qui ? Ce rubicond bouffi de Bowen Marsh, le lord Intendant qu'on avait bombardé gouverneur en l'absence de lord Mormont. Ce même Marsh qu'Edd-la-Douleur appelait parfois « la Vieille Pomme granate », sobriquet non moins pertinent que celui de « Vieil Ours » pour Mormont. « Exactement le type que t'as besoin en première ligne quand les ennemis se déploient devant, précisait Edd avec son ton morne immuable. Au poil près qu'y te les dénombre. Un vrai démon de la comptabilité, le gus. »

Si le Magnar tombe à l'improviste sur Châteaunoir, il y fera un carnage, et, avant même de se douter de l'assaut, les gamins se retrouveront égorgés dans leurs draps. Il fallait à tout prix les prévenir, mais comment s'y prendre ? On ne l'expédiait jamais chasser ni fourrager, jamais on ne le laissait monter seul la garde. Et le sort d'Ygrid le tourmentait aussi. Il lui était impossible de l'emmener mais, s'il la laissait, le Magnar ne la rendrait-il pas responsable, elle, de sa défection à lui ? *Deux cœurs qui battent comme un seul...*

Ils couchaient chaque nuit sous les mêmes fourrures, et, lorsqu'il s'endormait, la tête aux cheveux rouges blottie contre sa poitrine lui chatouillait le menton. La senteur qu'exhalaient ceux-ci s'était faite une part de lui-même. Ces dents crochues qu'elle avait, la sensation que procurait son sein quand il le cueillait dans sa main, la saveur de sa bouche..., il puisait là sa joie comme sa détresse. Que de nuits consacrées, elle toute chaude à ses côtés, à se demander dans le noir si, quelque genre de femme qu'elle eût été, sa propre mère avait inspiré au seigneur son père autant de sentiments contradictoires. *Ygrid a dressé le piège, et Mance Rayder m'a fourré dedans.*

Chacune des journées passées parmi les sauvageons lui rendait plus ardu ce qu'il considérait comme son devoir. Il allait lui falloir découvrir un biais pour trahir ces gens, et ce biais-là signifierait leur perte. Leur amitié, il n'en voulait pas, pas plus qu'il ne voulait de l'amour d'Ygrid. Seulement... Les Thenns, eux, bon, parlaient la vieille langue et ne lui adressaient pour ainsi dire jamais la parole, mais avec les hommes de Jarl, ceux-là mêmes qui avaient escaladé le Mur, tout autres étaient ses relations. Il en venait à les connaître, à son corps défendant. Errok l'émacié, laconique, et le sociable Grigg la Bique, et les adolescents Quort et Sabraque, ainsi que Chanvrot Dan, le tresseur de cordes. Le pire de la bande étant Del, un gars à face chevaline et qui, peu ou prou de l'âge de Jon, évoquait, rêveur, la sauvageonne qu'il comptait ravir. « C'est une chanceuse, comme ton Ygrid. Les baisers du feu, tu sais, elle aussi. »

À défaut de mieux, Jon se mordait la langue. Il n'avait aucune envie de s'appesantir sur la dulcinée de Del, ni sur la mère de Sabraque, ni sur le coin près de la mer d'où venait Henk l'Heaume, ni sur le désir fou qu'avait Grigg de se rendre dans l'île aux Faces auprès des hommes verts, ni sur la fois où, talonné par un orignac, Doigt-de-pied s'était juché tout en haut d'un arbre. Le furoncle au cul de Gros Cloque, il n'avait aucune envie d'en entendre parler, pas plus que du nombre de pintes que Pouces-en-pierre était capable d'ingurgiter, ni de l'insistance avec laquelle son petit frère avait supplié Quort de ne pas accompagner Jarl. Et que lui importait aussi qu'en dépit de ses quatorze ans, Quort se fût déjà ravi une épouse et en attendît un morveux ? Qu'il se gargarisât : « Peut-être y va naître dans un château » ? Cette candeur. « Dans un château, là, comme un lord ! » Ça l'avait complètement époustouflé, ce mioche, les « châteaux » aperçus en route, alors qu'il ne s'agissait que de tours de guet...

Où pouvait bien se trouver Fantôme, à présent, voilà qui préoccupait aussi Jon. Était-il parti pour Châteaunoir, ou bien courait-il les bois avec quelque meute ? Du loup-garou, il n'avait pas la moindre perception, fût-ce en rêve. Et cela lui faisait l'effet d'une espèce de mutilation. La présence même d'Ygrid dormant contre son flanc ne l'empêchait pas de se sentir seul. Et l'idée de mourir seul lui faisait horreur.

Au cours de cet après-midi-là, les taillis s'étaient progressivement éclaircis, et l'on avançait vers l'est au travers de plaines au charme onduleux. L'herbe vous montait là-dedans jusqu'à la ceinture, et le vent faisait par intermittence s'incliner avec grâce des flaques de blé sauvage, mais le temps s'était montré beau et chaud presque tout le jour. Aux abords du crépuscule, toutefois, des nuées menaçantes apparues vers l'ouest engloutirent bientôt le soleil orange, et Lenn en augura la survenue d'un vilain orage. Et comme il était le fils d'une sorcière de la forêt, les pillards s'accordaient à lui reconnaître un don pour prédire ce genre de choses. « Y a un village, pas loin d'ici, dit Grigg la Bique au Magnar. À deux milles ou trois. On pourrait s'y abriter. » Styr acquiesça d'emblée.

Il faisait pis que sombre, et l'orage rugissait déjà quand on atteignit les lieux. Sis auprès d'un lac, le village était abandonné depuis si longtemps que la plupart de ses maisons s'étaient écroulées. Il n'était jusqu'à sa modeste auberge à colombages, dont la vue avait dû jadis réconforter bien des voyageurs, qui ne se trouvât réduite à quelques décombres dépourvus de toit. *Piètre abri que nous aurons là*, songea Jon avec consternation. Pour peu qu'un éclair zébrât les ténèbres, il discernait bien une tour de pierre dressée sur une île au milieu du lac, mais le moyen de s'y réfugier, puisqu'on n'avait pas de barques ?

Alors qu'Errok et Del avaient pris les devants pour se faufiler dans les ruines en éclaireurs, le second reparut presque sur-le-champ. Styr stoppa la colonne puis expédia au trot, piques au poing, une douzaine de ses Thenns. Entre-temps, Jon avait lui aussi repéré la lueur : celle d'un feu qui rougeoyait dans l'âtre de l'auberge. *Nous ne sommes pas seuls.* La peur s'insinua dans ses tripes comme une couleuvre. Il entendit le hennissement d'un cheval puis, brusquement, des clameurs. *Marche avec eux, mange avec eux, bats-toi dans leurs rangs*, lui avait dit Qhorin Mimain.

Mais il n'était déjà plus question de combat. « Y en avait qu'un seul, fit Errok en ressurgissant. Un vioque avec un canasson. »

Le Magnar gueula des ordres en vieille langue, et une vingtaine des siens se déployèrent pour cerner le village, pendant que d'autres se coulaient de maison en maison pour s'assurer que personne ne se cachait parmi les ronces ou les monceaux de gravats. Le restant de la troupe alla s'empiler pêle-mêle dans l'auberge et s'y bouscula pour s'établir le plus près possible du foyer. Les branchages que le vieil homme avait mis à brûler répandaient apparemment plus de fumée que de chaleur, mais le moindre semblant de tiédeur était le bienvenu par une nuit aussi violemment pluvieuse que celle-ci. Deux des Thenns avaient jeté l'homme à terre et farfouillaient dans ses effets. Sa monture, un troisième la maintenait, tandis que pas moins de trois autres en pillaient les fontes.

Jon s'éloigna. Une pomme pourrie s'écrabouilla sous son talon. *Styr va le tuer.* Le Magnar l'avait bien assez rabâché à Griposte, tout agenouillé que l'on croiserait devrait être abattu sur-le-champ, pour éviter qu'il n'aille donner l'alarme. *Marche avec eux, mange avec eux, bats-toi dans leurs rangs.* Soit, mais cela l'obligeait-il aussi à demeurer là, impuissant et muet, pendant qu'eux trancheraient la gorge d'un pauvre vieillard ?

Il se dirigea vers le lac et découvrit, au pied du mur de torchis branlant d'une chaumière délabrée jusqu'à n'être plus guère que vagues vestiges, un petit coin à peu près sec où poser ses fesses. C'est là qu'Ygrid finit par le dénicher, les yeux perdus sur les flots que fouettait l'averse. « Je connais cet endroit, fit-il quand elle eut pris place à ses côtés. La tour, là-bas..., regardes-en le faîte à la faveur du prochain éclair, et dis-moi ce que tu vois.

— Si ça te fait plaisir, bon », grommela-t-elle, et puis : « Y a des Thenns qui disent qu'y-z-ont entendu des bruits qu'en sortaient. Des cris, qu'y disent.

— La foudre.

— Y disent des cris. Peut-être que c'est des fantômes. »

Tel qu'il apparaissait là, silhouette noire se découpant dans la tempête sur son îlot rocheux que battait le lac flagellé de pluie, le fortin ne laissait pas, en effet, d'avoir l'aspect lugubre d'un séjour hanté. « Si on allait y faire un tour, pour voir ? suggéra-t-il. Ça ne nous tremperait pas beaucoup plus que nous ne le sommes, j'ai l'impression.

— À la nage ? Avec cet orage ? » L'idée la fit glousser. « C'est un truc pour me foutre à poil, Jon Snow ?

— J'ai besoin d'un truc pour ça, maintenant ? taquina-t-il. Serait pas plutôt que tu es incapable de faire une brasse ? » Pour y avoir été initié tout gamin dans la grande douve de Winterfell, il était quant à lui un nageur de première force.

Le poing d'Ygrid lui bourra le bras. « T'y connais rien, Jon Snow. Je suis à moitié poisson, je me charge de te l'apprendre.

— À moitié poisson, moitié chèvre, moitié cheval..., tu as trop de moitiés, Ygrid. » Il secoua la tête. « Nous n'aurions pas besoin de nager, si c'est bien l'endroit que je crois. Nous pourrions nous y rendre à pied. »

Elle sursauta, lui jeta un regard en coin. « À pied sur l'eau ? C'est une de vos sorcelleries du sud, ou quoi ?

— Aucune sor... », commença-t-il, mais un formidable coup de foudre, ébranlant le ciel, s'abattit au même instant sur les eaux. Durant un clin d'œil, le monde eut l'éclat de midi, dans un vacarme si assourdissant qu'Ygrid en perdit le souffle et se couvrit les oreilles.

« Tu as regardé ? demanda Jon, quand, les ténèbres refermées, se furent amenuisés au loin les roulements du tonnerre. Tu as vu ?

— Du jaune, dit-elle. C'est ça que tu voulais dire ? Y a des pierres dressées tout en haut qu'étaient jaunes.

— Des merlons, nous les appelons. Ils étaient dorés, voilà très longtemps. C'est Reine-Couronne que tu as sous les yeux. »

Sur le lac, la tour était redevenue une forme noire, à peine distincte dans le noir de poix. « Une reine a vécu là ? demanda Ygrid.

— Une reine y a séjourné, une nuit. » L'histoire, il la tenait de Vieille Nan, mais mestre Luwin l'avait presque entièrement confirmée. « Alysanne, l'épouse du roi Jaehaerys le Conciliateur. Celui qu'on nomme le Vieux Roi, en raison de son très long règne, bien qu'il fût tout jeune quand il accéda au Trône de Fer. Dans ces jours lointains, il avait pour habitude de parcourir le royaume en tous sens. Lorsqu'il vint à Winterfell, il s'y fit suivre de sa reine, de six dragons et de la moitié de sa cour. Or, il avait tant de questions à débattre avec son gouverneur du Nord que la reine en vint à s'ennuyer mortellement. Aussi enfourcha-t-elle son dragon personnel, Vif-argent, et s'envola-t-elle vers le Mur qu'elle brûlait de voir. Ce village-ci fut l'une de ses étapes. En mémoire de quoi les gens du coin peignirent le faîte de leur fort à l'effigie de la couronne qu'elle portait lors de sa brève halte au milieu d'eux.

— J'ai jamais vu un dragon.

— Aucun d'entre nous non plus. Les derniers dragons sont morts il y a cent ans, voire davantage. Mais cela se passait avant.

— La reine Alysanne, tu dis ?

— La bonne reine Alysanne, ainsi la qualifia-t-on par la suite. L'un des châteaux du Mur perpétue également son souvenir. Celui de Porte Reine. Qui s'appelait, avant sa visite, Porte Névé.

— Si elle avait été si bonne que ça, ta reine, elle aurait pas manqué de flanquer par terre votre maudit Mur. »

Non, répliqua-t-il en son for. *Le Mur protège le royaume. Contre les Autres... et aussi contre toi-même et contre ton engeance, ma chère âme.* « Un autre de mes amis rêvait de dragons. Un nain. Il m'a raconté qu'il...

— *JON SNOW !* » L'un des Thenns les toisait d'un air renfrogné. « Magnar veut. » Jon crut reconnaître en lui celui-là même qu'on lui avait dépêché pour lui faire regagner la grotte, la veille de l'escalade du Mur, mais il n'aurait juré de rien. Il se releva. Ygrid lui emboîta le pas, ce qui avait le don d'horripiler Styr, et ce d'autant plus qu'elle le rembarrait vertement, pour peu qu'il essayât de la congédier, en rappelant qu'étant une femme du peuple libre, et pas une agenouillée, elle allait et venait à sa guise.

Ils trouvèrent le Magnar campé sous l'arbre qui usurpait l'ancienne salle commune. Épées de bronze et piques de bois encerclaient son captif, à genoux devant le foyer. Sans mot dire, il fixa Jon qui s'approchait. La pluie ruisselait le long des murs et tambourinait sur le peu de feuillage encore accroché au pommier, le feu fumait à gros tourbillons.

« Faut qu'il meure, décréta Styr le Magnar. Tue-le, corbac. »

Le vieillard n'ouvrit pas la bouche. Il se contenta de dévisager Jon, debout, là, parmi les sauvageons. Eu égard à la pluie, la fumée, l'éclairage chiche du feu, il pouvait ne pas s'être aperçu que Jon était, exception faite du manteau en peau de mouton, entièrement vêtu de noir. *S'en est-il aperçu quand même ?*

Jon dégaina Grand-Griffe. La pluie pourlécha l'acier, et le reflet du feu fit courir sur le fil une sinistre lueur orange. *Un feu si chétif, le payer de sa vie...* Le souvenir l'assaillit des paroles prononcées par Qhorin Mimain tandis que chacun scrutait le halo du feu allumé là-haut, dans le col Museux. *Le feu, c'est la vie, là-haut,* leur avait-il dit, *mais ça peut être aussi la mort.* Seulement, cela se passait au fin fond des Crocgivre, au-delà du Mur, en plein désert d'une sauvagerie sans foi ni loi. Ici, c'était le Don, le Don placé sous la protection de la Garde de Nuit, le Don couvert par la puissance de Winterfell. Tout homme aurait dû pouvoir, ici, faire librement du feu sans risquer d'encourir la mort.

« Pourquoi tu hésites ? cracha le Magnar. Fais-le, et c'est tout. »

Même alors, le captif demeura muet. « Grâce », il aurait pu dire, ou bien : « Vous m'avez déjà pris mon cheval, mon argent et mes provisions, laissez-moi du moins conserver la vie », ou encore : « Non, par pitié, je ne vous ai rien fait. » Il aurait aussi bien pu dire mille autres choses, il aurait pu pleurer, pu invoquer ses dieux. Sauf qu'aucun mot ne l'aurait sauvé, désormais. Peut-être le savait-il. Aussi tenait-il sa langue, dardant seulement sur Jon un regard accusateur et suppliant.

Quoi qu'ils exigent, tu ne devras pas barguigner. Marche avec eux, mange avec eux, bats-toi dans leurs rangs... Mais ce pauvre vieux n'avait opposé aucune résistance. Il avait joué de malchance, un point c'est tout. Qui il était, d'où il venait, où il comptait se rendre sur sa pitoyable haridelle éreintée..., bagatelles que tout cela.

Il est vieux, s'encouragea-t-il. *Dans les cinquante, et peut-être même soixante. Il a vécu plus longuement que la plupart. Les Thenns le tueront de toute manière, et j'aurai beau dire ou faire, rien ne le sauvera.* Grand-Griffe se faisait plus pesante que plomb, trop pesante pour qu'il la soulève. L'homme persistait à darder sur lui des yeux aussi vastes et noirs qu'un puits. *Je vais tomber dans ces yeux-là et m'y noyer.* Ceux du Magnar ne le lâchaient pas davantage, avec une défiance quasi palpable. *Cet homme est un homme mort. Qu'importe si c'est de ma propre main qu'il périt ?* Un coup, un seul, et l'affaire serait réglée, vite et proprement. Grand-Griffe était en acier valyrien. *Comme Glace.* Jon se ressouvint d'une autre exécution ; le déserteur agenouillé, sa tête roulant, la neige empourprée..., l'épée de Père, les propos de Père, la physionomie de Père...

« Fais-le, Jon Snow, le pressa Ygrid. Tu dois. Pour prouver que t'es pas corbac mais un homme du peuple libre.

— Un vieux, peinard, au coin du feu ?

— Orell aussi était peinard au coin du feu. T'as pas tardé à le tuer. » Son regard se durcit brusquement. « Même que tu voulais me tuer aussi. Avant de voir que je suis une femme. Quoique je dormais.

— C'était différent. Vous étiez des soldats... des sentinelles.

— Mouais, et vous autres, corbacs, vous vouliez pas être vus. Pas plus qu'on veut être vus, nous, maintenant. C'est tout à fait pareil. Tue-le. »

Il tourna le dos au bonhomme. « Non. »

26

Le Magnar s'avança sur lui, dangereux, glacial, carrure impressionnante. « Si, je dis. C'est moi qui commande, ici.

— Vous commandez les Thenns, riposta Jon, pas le peuple libre.

— Le peuple libre, j'en vois pas. Je vois qu'un corbac et une femelle corbac.

— Je suis pas une femelle corbac ! » Ygrid arracha vivement son poignard du fourreau. Trois foulées furieuses, et, empoignant le vieillard aux cheveux pour lui rejeter la tête en arrière, elle lui trancha la gorge d'une oreille à l'autre. La mort elle-même n'arracha pas un cri au captif. « T'y connais *rien*, Jon Snow ! » glapit-elle en lui balançant aux pieds l'arme ensanglantée.

Le Magnar dit quelque chose en vieille langue. L'ordre à ses Thenns, probablement, d'abattre Jon sur place, mais il n'eut pas le loisir d'en vérifier l'exécution. Un éclair vertical ravagea la nuit d'une incandescence bleuâtre, la foudre frappa la tour au milieu du lac avec une fureur qui empestait le soufre, et, quand éclata là-dessus le fracas du tonnerre, tous eurent l'impression que les ténèbres chancelaient.

Et la mort fut d'un bond sur eux.

Malgré la semi-cécité dont l'affectait l'éblouissement de l'éclair, Jon entr'aperçut fuser l'ombre un battement de cœur avant que n'explose le hurlement. Le premier Thenn mourut de la même mort que le vieux, le gosier béant sur des flots de sang. Puis l'illumination s'éteignit comme l'ombre, en grondant, s'esquivait par une pirouette, et, dans le noir, un nouvel homme s'affala. Des jurons retentirent, et des coups de gueule, des cris de douleur. Jon vit Gros Cloque tituber vers l'arrière et, ce faisant, flanquer par terre trois types collés dans son dos. *Fantôme*, songea-t-il dans un instant d'aberration, *Fantôme a sauté le Mur.* Mais, à la faveur d'un nouvel éclair faisant de la nuit le jour, il vit distinctement le loup juché sur le torse de Del et ses babines dégouttantes de sang noir. *Gris. Il est gris.*

Un coup de tonnerre, et les ténèbres se reployèrent instantanément. Les Thenns dardaient leurs piques au petit bonheur, tandis que le loup se ruait entre eux. L'odeur du carnage affola la jument du vieux qui, cabrée, se mit à labourer l'espace avec ses sabots. Grand-Griffe encore au poing, Jon comprit sur-le-champ que le sort lui offrait enfin l'occasion rêvée.

Il pourfendit son premier homme comme celui-ci pivotait pour s'en prendre au loup, culbuta un deuxième au passage, en tailla un troisième. Du fond de la démence générale, il entendit quelqu'un crier son nom, mais était-ce Ygrid ? Était-ce le Magnar ? Il lui fut impossible de le démêler. Le Thenn qui se débattait pour maîtriser la jument ne le vit même pas. Grand-Griffe avait la légèreté d'une plume. Il en cingla par-derrière le mollet du type et la sentit s'y glisser jusqu'à l'os. La chute du sauvageon permit à la bête de détaler, mais la main libre de Jon se débrouilla pour lui agripper la crinière et, d'un bond, le hisser sur son dos. Des doigts se refermant sur sa cheville, il hacha à tours de bras et vit la face de Sabraque se dissoudre en un bain de sang. Le cheval se cabra, rua. Un Thenn écopa, *crrrac*, d'un sabot dans la tempe, et puis...

... et puis voilà, triple galop. Sans que Jon se donne le moindre mal pour guider sa monture. C'en était déjà bien assez que de conserver son assiette, alors que le cheval fonçait éperdument dans la boue, la pluie, le tonnerre. L'herbe détrempée flagellait son visage, et une lance lui frôla l'oreille en sifflant. *S'il trébuche et se casse une jambe, mon*

28

compte est bon, songea-t-il, mais les anciens dieux prirent son parti, et la jument ne trébucha point. Des éclairs continuaient à lézarder la coupole noire du ciel, les roulements du tonnerre à ébranler les plaines, et les clameurs s'estompaient, derrière, puis s'éteignirent enfin.

Au bout de ce qui lui parut d'interminables heures, la pluie s'interrompit. Il se trouvait seul au milieu d'une mer de hautes herbes noires. Subitement conscient de lancinements dans sa cuisse droite, il eut la stupeur, en l'examinant, de constater qu'une flèche était venue s'y ficher derrière. *Quand diable m'a-t-elle atteint ?* Il empoigna la hampe et, d'une saccade, essaya de l'extirper, mais le fer était enfoui trop profond dans la chair, et la moindre traction dessus déchaînait des douleurs atroces. Il s'efforça de repenser à l'auberge en folie, mais la seule image nette qui se présenta fut celle du fauve – décharné, gris, terrible. *De trop grande taille pour n'être qu'un loup commun. Un loup-garou, alors. Forcément.* Jamais il n'avait vu d'animal se mouvoir de manière aussi fulgurante. *Comme un vent gris...* Se pouvait-il que Robb eût regagné le nord ?

Il secoua la tête. Il n'était que questions sans réponses. Le loup, le vieux, Ygrid, tout ça..., non, c'était trop pénible de le ressasser...

Il se laissa gauchement glisser à bas de la jument. Sa jambe blessée se gondola sous lui, et il dut ravaler un cri. *Ça va être un régal.* Mais il fallait coûte que coûte retirer la flèche, retarder l'épreuve n'arrangerait rien. Il reploya ses doigts autour de l'empennage, prit un grand bol d'air, et poussa le trait plus avant. Un grognement lui échappa, puis un juron. C'était si douloureux qu'il dut s'arrêter. *Je pisse le sang comme un porc égorgé*, songea-t-il, mais il ne servait à rien de s'en préoccuper tant que la flèche n'était pas sortie. Avec une grimace, il essaya de nouveau... mais de nouveau s'arrêta bientôt, pantelant. *Encore une fois.* Il se mit à gueuler, pour le coup, mais, lorsqu'il reprit son souffle, la pointe de flèche émergeait par-devant. Il rabattit ses braies sanglantes pour s'assurer une meilleure prise et, lentement, fit remonter toute la hampe à travers sa cuisse. Et cela demeura toujours un mystère pour lui que d'en être venu à bout sans s'évanouir.

La chose achevée, il s'étendit à terre, le poing crispé sur sa conquête et, trop épuisé pour bouger, s'abandonna à l'hémorragie. Au bout d'un moment, toutefois, la conscience lui vint que, s'il ne se *forçait* à remuer, il risquait de mourir vidé de son sang. Il se traîna en rampant vers le ruisseau où la jument était en train de s'abreuver, nettoya sa cuisse dans l'eau glacée, lacéra son manteau pour s'en faire un garrot serré. La flèche, il la lava aussi, en la tournant et la retournant à deux mains. Était-il gris, l'empennage, ou blanc ? Ygrid empennait ses flèches avec des plumes d'oie gris clair. *Est-ce elle qui, me voyant fuir, m'a décoché ça ?* Il aurait été mal venu de le lui reprocher. Il se demandait si c'était lui qu'elle avait visé, lui ou la jument. La jument se serait abattue, c'en était fait de lui. « Une chance, que ma jambe se soit trouvée sur la trajectoire », grommela-t-il.

Il se reposa un moment pour laisser la jument brouter. Elle ne s'éloigna guère. Une bonne chose. Avec sa patte folle, il n'aurait jamais pu la rattraper, clopin-clopant. Et ce lui fut même un exploit que de se contraindre à se relever puis à l'enfourcher. *Comment diable y suis-je jamais parvenu, là-bas, sans étriers ni selle, et l'épée m'encombrant une main ?* Une question de plus, toujours sans réponse.

Le tonnerre maugréait au loin, mais le plafond de nuages commençait à se désagréger. Jon fouilla le ciel en quête du Dragon de Glace et, l'ayant repéré, tourna sa monture face au nord, en direction du Mur et de Châteaunoir. Les élancements de sa cuisse le firent grimacer lorsqu'il pressa des talons les flancs de la jument du vieux. *Je rentre chez moi*, se dit-il. Mais si c'était la vérité vraie, d'où venait, alors, qu'il se sentait si vide ?

Il chevaucha jusqu'à l'aurore, sous les étoiles qui semblaient, telles des myriades d'yeux, se pencher pour l'observer d'un air attentif.

DAENERYS

En dépit du rapport que lui avaient fait ses éclaireurs dothrakis, elle tint à se rendre compte par elle-même. Ser Jorah Mormont lui fit traverser une forêt de bouleaux puis gravir le versant d'une crête en grès. « Plus très loin », prévint-il comme ils abordaient le sommet.

Daenerys tira sur les rênes et porta son regard, par-delà les champs, vers l'endroit où l'armée de Yunkaï s'était établie pour lui barrer la route. Barbe-Blanche lui avait appris à évaluer au plus juste l'importance de forces ennemies. « Cinq mille, dit-elle au bout d'un moment.

— Mon avis aussi. » Il tendit l'index. « Là, sur les flancs, ce sont des mercenaires. Lanciers et archers à cheval, munis de haches et d'épées spéciales pour le corps à corps. À l'aile gauche, les Puînés. Les Corbeaux Tornade à la droite. Quelque cinq centaines, respectivement. Voyez les bannières ? »

Au lieu de chaînes, la harpie de Yunkaï tenait dans ses serres un collier de fer et un fouet. Mais les mercenaires arboraient leur propre étendard sous celui de la ville qui les soldait : à droite, quatre corbeaux dans les intervalles définis par le zigzag d'éclairs croisés ; à gauche, un glaive brisé. « Les Yunkaïis se sont réservé le centre », observa-t-elle. De loin, leurs officiers semblaient identiques à ceux d'Astapor : grands heaumes étincelants, manteaux tapissés de disques de cuivre rutilants. « Les soldats qu'ils mènent sont des esclaves ?

— En grande partie. Mais ils ne valent pas les Immaculés. Yunkaï doit sa notoriété au dressage d'esclaves non pas militaires mais concubins.

— Qu'en dites-vous ? Nous pouvons défaire cette armée ?

— Sans mal, affirma-t-il.

— Mais pas sans effusion de sang. » De sang s'étaient gorgées les briques d'Astapor, lorsqu'elle s'était emparée de la ville, mais d'un sang qui n'était guère le sien ni celui des siens. « Nous remporterions la bataille, à la rigueur, mais en la payant si cher qu'il nous serait dès lors impossible de prendre la ville.

— Un risque permanent, *Khaleesi*. Son excès de confiance rendait Astapor vulnérable. Yunkaï, elle, est prévenue. »

Daenerys réfléchit. Si mince que parût l'ost négrier en termes de nombre, il bénéficiait de reîtres montés. Elle avait trop longtemps chevauché avec les Dothrakis pour ne pas apprécier à sa juste valeur l'efficacité de la cavalerie contre les fantassins. *Les Immaculés soutiendraient peut-être les charges, mais mes affranchis se feront massacrer.* « Les négriers adorent les parlotes, lâcha-t-elle enfin. Mandez-leur que je leur donnerai audience, ce soir, sous ma tente. Et invitez les capitaines des compagnies mercenaires à venir aussi m'y trouver. Mais séparément. Les Corbeaux Tornade à midi, les Puînés deux heures plus tard.

— Vos vœux sont des ordres, dit ser Jorah. Mais s'ils ne viennent pas...

— Ils viendront. Ils seront curieux de lorgner les dragons et d'entendre ce que je puis bien avoir à dire. Et les plus malins verront là l'aubaine de jauger mes forces. » Elle fit volter l'argenté. « Je les attendrai dans mon pavillon. »

Les nues étaient d'ardoise et les vents frisquets lorsqu'elle atteignit les abords du camp. Le fossé profond qui devait le ceindre se trouvait déjà à demi creusé, et les bois grouillaient d'Immaculés en train d'ébrancher les bouleaux et de tailler des pieux pointus. À en croire Ver Gris, les eunuques ne pouvaient dormir qu'à l'abri de fortifications. Il était posté là, surveillant le travail. Elle s'arrêta un moment pour causer avec lui. « Yunkaï à sorti ses atours belliqueux.

— À la bonne heure, Votre Grâce. Ceux que voici sont altérés de sang. »

Lorsqu'elle avait ordonné aux Immaculés de choisir des officiers dans leurs propres rangs, c'est à une écrasante majorité qu'ils avaient désigné Ver Gris pour le plus haut grade. Chargé par elle d'exercer le jeune homme au commandement, ser Jorah le trouvait jusque-là sévère mais juste, prompt à apprendre, infatigable et, d'une manière littéralement inflexible, sourcilleux sur les moindres détails.

« Leurs Excellences négrières ont constitué une armée d'esclaves pour nous affronter.

— À Yunkaï, un esclave se voit enseigner la méthode des sept soupirs et les seize postures d'extase, Votre Grâce. Les Immaculés sont initiés au maniement des trois piques, eux. Votre Ver Gris n'aspire à rien tant qu'à vous montrer. »

L'une des premières mesures édictées par Daenerys après la chute d'Astapor avait été d'abolir l'usage imposant aux Immaculés de changer de nom chaque jour. La plupart de ceux qui étaient nés libres avaient aussitôt repris leur nom d'origine ; ceux du moins qui s'en souvenaient encore. Les autres s'étaient rebaptisés d'après des héros ou des dieux, voire d'après des armes, des gemmes ou même des fleurs…, moyennant quoi certains portaient des noms on ne peut plus extravagants pour des oreilles comme les siennes. Quant à Ver Gris, il avait préféré demeurer Ver Gris. Interrogé sur ses motifs, il expliqua : « C'est un nom qui porte bonheur. Maudit était au contraire le nom que portait à sa naissance celui que voici : c'est le nom qu'il portait quand il fut emmené comme esclave. Alors que Ver Gris est le nom qu'il avait tiré au sort le jour où Daenerys du Typhon lui rendit sa liberté.

— Si la bataille a lieu, puisse Ver Gris déployer autant de sagesse que de bravoure, dit Daenerys. Qu'il épargne tout esclave qui prend la fuite ou met bas les armes. Moins il y aura de victimes, plus nous rallierons de recrues, après.

— Celui-ci ne manquera pas de se souvenir.

— Je sais qu'il le fera. Sois à ma tente vers midi. Je veux t'y voir avec mes autres officiers lorsque je recevrai les capitaines mercenaires. » Et elle éperonna l'argenté pour regagner le camp.

À l'intérieur du périmètre établi par les Immaculés, les tentes se montaient en rangées régulières, le centre en étant occupé par son grand pavillon doré. À peu de distance au-delà du sien se trouvait un second campement ; cinq fois plus vaste, tentaculaire et chaotique, celui-là n'avait ni fossés ni tentes ni sentinelles ni chevaux alignés. Les gens qui possédaient des chevaux ou des mules couchaient à côté d'eux, de peur qu'on ne les leur vole. Des moutons, des chèvres et des chiens faméliques erraient à l'aventure parmi des nuées de femmes, d'enfants, de vieillards. Avant de quitter Astapor, Daenerys avait remis la ville entre les mains d'un conseil composé d'anciens esclaves et dirigé par un guérisseur, un prêtre et un érudit. Toutes personnes avisées, se flattait-elle, et pleines d'équité. Cela n'avait pourtant pas empêché des dizaines de milliers d'habitants de préférer la suivre à Yunkaï plutôt que de rester sur place. *Je leur ai fait don de la ville, et la plupart d'entre eux en avaient trop peur pour se l'adjuger.*

Quitte à faire paraître naine sa propre armée, cette cohue d'affranchis de bric et de broc était moins un avantage qu'un encombrement. Un sur cent peut-être disposait d'un âne, d'un chameau, d'un bœuf ; le plus grand nombre charriait des armes pillées dans l'arsenal de quelque négrier, mais à peine un sur dix était-il assez vigoureux pour se battre, et aucun n'avait reçu le moindre entraînement. Pour comble, ils tondaient à ras les régions que l'on traversait, telles des sauterelles en sandales. Et néanmoins, Daenerys ne pouvait se résoudre à les abandonner, comme l'en pressaient instamment ser Jorah et ses sang-coureurs. *Je leur ai dit qu'ils étaient libres. Je ne saurais leur dire à présent qu'ils ne sont pas libres de se joindre à moi.* Les yeux attachés sur la fumée qui s'élevait de leurs maigres feux, elle étouffa un soupir. Elle pouvait bien posséder les meilleurs fantassins du monde, elle possédait aussi les pires.

Arstan Barbe-Blanche se dressait à l'entrée du pavillon, tandis qu'assis en tailleur dans l'herbe, à deux pas, Belwas le Fort s'empiffrait de figues. C'est à eux deux que, durant la marche, incombait la tâche de veiller sur elle. Comme elle avait fait d'Aggo, de Jhogo et de Rakharo ses *kos*, sans préjudice de leurs attributions de sang-coureurs, ceux-ci lui étaient pour l'heure plus nécessaires à la tête des Dothrakis que comme gardes du corps. Son *khalasar* avait beau être dérisoire, puisqu'il ne comportait qu'une trentaine de guerriers – montés au surplus sur des rosses et, pour la plupart, trop jeunes pour porter la tresse ou passablement cacochymes –, à lui se réduisait sa cavalerie, et elle n'osait rien tenter sans lui. Même en admettant que les Immaculés fussent, ainsi que le clamait ser Jorah, la plus formidable infanterie du monde, elle n'en considérait pas moins comme indispensable d'avoir également des estafettes et des éclaireurs.

« Yunkaï veut la guerre », annonça-t-elle à Barbe-Blanche, une fois entrée dans le pavillon. Irri et Jhiqui en avaient jonché le sol de tapis, Missandei chassé les relents de poussière en allumant un bâtonnet d'encens. Rhaegal et Drogon dormaient, pelotonnés l'un contre l'autre, sur des amoncellements de coussins, mais Viserion veillait, perché sur le rebord de la baignoire vide. « Ces Yunkaïis vont utiliser devant moi quelle langue, Missandei ? Le valyrien ?

— Oui, Votre Grâce, répondit l'enfant. Un dialecte différent de celui d'Astapor, mais assez voisin pour qu'on le comprenne. Les négriers se reconnaissent sous l'appellation de "Judicieux".

— Judicieux ? » Daenerys s'installa jambes croisées sur un coussin, et, déployant ses ailes blanc et or, Viserion la rejoignit en deux battements. « Nous verrons bien jusqu'à quel point Leurs Excellences sont judicieuses », commenta-t-elle tout en grattant le crâne écailleux du dragon derrière les cornes.

Ser Jorah Mormont reparut une heure plus tard, escorté par trois capitaines des Corbeaux Tornade. Des plumes noires empanachaient leur heaume poli, et ils se présentèrent comme égaux en autorité comme en dignité. Daenerys les observa pendant qu'Irri et Jhiqui leur offraient du vin. Prendahl na Ghezn était un Ghiscari trapu à large face et cheveux noirs virant au gris. Une cicatrice en zigzag marquait la joue pâle de Sollir le Chauve, natif de Qarth. Quant au Tyroshi Daario Naharis, il tenait la gageure, si chamarrés que fussent ses compatriotes, de vous aveugler. Il avait la barbe taillée en fourche trifide et teinte en bleu, du même bleu que ses prunelles et que les cheveux bouclés qui lui cascadaient jusqu'au col. Ses moustaches en pointe étaient peintes en or. Ses vêtements épuisaient la palette du jaune ; des dentelles de Myr beurre frais lui moussaient aux manchettes et au décolleté, son doublet croulait sous des médaillons de cuivre en forme de pissenlits, et ses cuissardes en cuir sous un fouillis d'arabesques d'or. Des gants de suède couleur paille étaient fourrés dans sa ceinture d'anneaux dorés, et il avait les ongles émaillés de bleu.

Ce fut toutefois Prendahl na Ghezn qui prit la parole au nom des mercenaires. « Vous feriez mieux d'emmener votre bougraille ailleurs, dit-il. Vous avez pris Astapor par traîtrise, mais Yunkaï ne tombera pas si facilement.

— Cinq cents de vos Corbeaux Tornade, répondit-elle, contre dix mille de mes Immaculés. J'ai beau n'être qu'une jouvencelle et ne rien entendre aux voies de la guerre, vos chances m'ont l'air indigentes.

— Les Corbeaux Tornade ne tiennent pas le terrain tout seuls, objecta Prendahl.

— Les Corbeaux Tornade ne tiennent rien du tout. Ils s'envolent au premier murmure du tonnerre. Vous pourriez être bien inspirés de vous envoler tout de suite. Il m'est revenu aux oreilles que les mercenaires sont notoirement déloyaux. Que vous servira votre fermeté, quand les Puînés changeront de camp ?

— Cela ne se produira pas, affirma Prendahl, imperturbable. Et, si cela se produisait, cela n'aurait pas d'importance. Les Puînés ne sont rien. Nous combattons aux côtés des valeureux Yunkaïis.

— Vous combattez aux côtés de petits couche-toi-là affublés de piques. » Pour peu qu'elle bougeât la tête, les clochettes jumelles de sa tresse tintinnabulaient. « Une fois la bataille engagée, ne pensez plus à demander quartier. Mais ralliez-vous à moi dès à présent, et, tout en conservant l'or que vous ont déjà versé les Yunkaïis, vous aurez en plus droit à une part de butin, sans parler de récompenses plus fastueuses aussitôt que j'aurai recouvré mon royaume. Battez-vous pour les Judicieux, et c'est la mort que vous aurez pour gages. Vous figurez-vous que Yunkaï ouvrira ses portes quand vous vous ferez massacrer sous ses murs par mes Immaculés ?

— Tu brais comme un âne, femme, et tu ne dis que des âneries.

— *Femme ?* » Elle gloussa. « Comptiez-vous m'insulter par là ? Je vous retournerais la gifle, si je vous prenais pour un homme. » Elle affronta son regard. « Je suis Daenerys du Typhon, de la maison Targaryen, l'Imbrûlée, Mère des Dragons, *khaleesi* des cavaliers de Drogo et reine des Sept Couronnes de Westeros.

— Ce que tu es, riposta Prendahl na Ghezn, c'est la putain d'un seigneur du cheval. Quand nous vous aurons brisés, je te donnerai pour pâture à mon étalon. »

Belwas le Fort tira son *arakh*. « Belwas le Fort va donner sa vilaine langue à la petite reine, si elle a envie.

— Non, Belwas. Ils bénéficient tous trois de mon sauf-conduit. » Elle sourit. « Dites-moi, je vous prie – les Corbeaux Tornade sont esclaves ou libres ?

« — Nous sommes une fraternité d'hommes libres, intervint Sollir.

— Bon. » Elle se leva. « Dans ce cas, retournez auprès de vos frères et transmettez-leur mes propos. Il se pourrait que certains d'entre eux soupent plus volontiers d'or et de gloire que de mort. Je veux votre réponse demain matin. »

Les capitaines des Corbeaux Tornade se dressèrent comme un seul homme. « Notre réponse est non », déclara Prendahl na Ghezn. Ses compagnons lui emboîtèrent le pas pour quitter la tente..., mais Daario Naharis tourna la tête au moment de sortir et l'inclina poliment en guise d'adieu.

Deux heures après survint le commandant des Puînés – seul. Il se révéla être un géant de Braavos barbu d'or rouge en broussaille jusqu'à la ceinture et aux yeux vert pâle. Bien que son vrai nom fût Mero, lui-même se plaisait à se désigner sous l'appellation de Bâtard du Titan.

Il éclusa son vin cul sec, se torcha la bouche d'un revers de main, puis lorgna Daenerys d'un air libidineux. « Bien l'impression que j'ai baisé ta sœur jumelle dans une maison de plaisirs, chez moi. Ou bien c'était toi ?

— Je ne pense pas. Un homme aussi splendide, aucun doute, je me souviendrais.

— Ouais, sûr et certain. Une femme qu'aurait oublié le Bâtard du Titan, y a pas. Jamais eu. » Il tendit sa coupe à Jhiqui. « Te dirait pas, retirer ces frusques et venir un peu, là, t'asseoir sur mes genoux ? Fais-moi bien jouir, et y a rien d'impensable que les Puînés, je les apporte de ton côté.

— Ralliez-moi les Puînés, et il n'est pas impensable que je ne vous fasse pas châtrer. »

Le colosse éclata de rire. « Y a une autre femme, fillette, qu'a essayé de me châtrer avec les dents.

Elle a plus de dents, maintenant, tandis que mon braquemart a jamais été plus gros et plus long. Envie que je le sorte pour te montrer ?

— Inutile. Quand mes eunuques l'auront tranché, j'aurai tout loisir de l'examiner. » Elle sirota une gorgée de vin. « Je ne suis qu'une jouvencelle, c'est un fait, et je n'entends rien aux voies de la guerre. Expliquez-moi de quelle manière vous vous proposez, avec vos cinq cents, de déconfire dix mille Immaculés. Dans ma candeur, vos chances me semblent indigentes.

— Les Puînés se sont vus confrontés à des chances infiniment pires, et ils ont vaincu.

— Les Puînés se sont vus confrontés à des chances infiniment pires, et ils ont détalé. À Qohor, face à l'opiniâtreté des Trois Mille. Préféreriez-vous le nier ?

— Ça, c'était y a des tas d'années et plus, avant que les Puînés soient menés par le Bâtard du Titan.

— Ainsi, c'est de vous qu'ils tirent leur vaillance ? » Elle se tourna vers ser Jorah. « Dès le début des engagements, tuez-moi celui-ci en priorité. »

Le chevalier exilé se mit à sourire. « Avec joie, Votre Grâce.

— Naturellement, reprit-elle à l'adresse de Mero, libre à vous de détaler une fois de plus. Nous ne vous en empêcherons pas. Prenez votre or de Yunkaï et filez.

— T'aurais déjà vu le Titan de Braavos, tête de linotte, tu saurais qu'il a pas de queue à tourner.

— Dans ce cas, restez, et battez-vous pour moi.

— Tu vaux assez qu'on se batte pour, c'est vrai, répliqua-t-il, et je te laisserais volontiers me bécoter le braquemart, si j'étais disponible. Mais j'ai déjà empoché les sous de Yunkaï, et j'ai juré ma sainte foi.

— Cela peut se rendre, les sous, dit-elle. Je vous paierai autant et davantage. J'ai d'autres villes à conquérir, et tout un royaume qui m'attend à un demi-monde d'ici. Servez-moi fidèlement, et les Puînés n'auront plus que faire de chercher à louer leur bras. »

Le Braavi tirailla son rouge fourré de barbe. « Autant et davantage, et peut-être un bécot en plus, eh ? Ou plus qu'un bécot ? Ça mérite, un homme aussi splendide que moi.

— Peut-être.

— Va me plaire, le goût de ta langue, je suis d'avis. »

Elle percevait la rage de ser Jorah. *Mon ours noir adore ces jacasseries bécotières.* « Songez cette nuit à mes propositions. Puis-je escompter votre réponse pour demain matin ?

— Vous pouvez. » Le Bâtard du Titan sourit jusqu'aux oreilles. « Et moi, puis-je avoir une fiasque de ce nectar pour régaler mes capitaines ?

— Vous pouvez en avoir un fût. Il provient des caves de messeigneurs Leurs Bontés d'Astapor, et j'en possède de pleins fourgons.

— Alors, donnez-moi un fourgon. Comme gage de vos bienveillances à mon endroit.

— Vous avez des soifs colossales.

— Je suis colossal de partout. Et j'ai plein de frères. Le Bâtard du Titan ne boit pas tout seul, *Khaleesi.*

— Va pour un fourgon, si vous promettez de boire à ma santé.

— Topé ! tonitrua-t-il, et topé, topé ! Trois toasts, qu'on vous portera, et vous aurez une réponse au lever du soleil. »

Mais, après que Mero se fut retiré, Arstan Barbe-Blanche lâcha : « Celui-là... Il jouit d'une exécrable réputation, même à Westeros. Ne vous y méprenez pas, Votre Grâce. Il ne s'enverra trois toasts à votre santé cette nuit que pour mieux vous violer, le matin venu.

— Le vieux dit vrai, pour une fois, abonda ser Jorah. La compagnie des Puînés ne date pas d'hier et ne manque pas de valeur, mais elle a tourné sous Mero presque aussi mal que les Braves Compaings. C'est un individu aussi dangereux pour ses employeurs que pour ses ennemis. Sa présence ici ne s'explique pas autrement. Aucune des cités libres ne se risque plus à louer ses services.

— Ce n'est pas sa réputation que je veux, je veux ses cinq cents cavaliers. Et que diriez-vous des Corbeaux Tornade, s'il existe aucun espoir de ce côté-là ?

— Non, assena ser Jorah. Ce Prendahl est de sang ghiscari. Probable qu'il avait de la parentèle à Astapor.

— Dommage. Enfin, peut-être ne serons-nous pas forcés de nous battre. Attendons de voir ce que les Yunkaïis ont à dire. »

Le soleil déclinait quand survinrent les émissaires de Yunkaï : cinquante hommes montés sur de magnifiques coursiers noirs, plus un sur un gigantesque chameau blanc. De peur d'endommager les divers tortillages, effigies et tours bizarroïdes de leur coiffure enduite d'huile, ils portaient des heaumes deux fois plus hauts que leur tête. Leurs jupettes et tuniques de lin étaient teintes en un jaune intense, et leurs manteaux intégralement tapissés de disques de cuivre rouge.

L'homme au chameau blanc se présenta sous le nom de Grazdan mo Eraz. Maigre et dur, il arborait un sourire blanc tout à fait semblable à celui qu'arborait Kraznys jusqu'à ce que Drogon lui calcine la trogne. Effilés en défense de licorne, ses cheveux jaillissaient du front. Des dentelles dorées de Myr frangeaient son *tokar*. « Antique et glorieuse est Yunkaï, reine des cités, débuta-t-il lorsque Daenerys lui souhaita la bienvenue sous sa tente. Nos murs sont puissants, nos nobles farouches et fiers, intrépides nos gens du commun. Nôtre est le sang de l'ancienne Ghis, dont l'empire avait un âge vénérable quand Valyria n'en était encore qu'aux vagissements. Vous avez fait montre de sagesse en sollicitant, *Khaleesi*, cette séance de pourparlers. Vous ne trouverez pas ici de conquête aisée.

— Bon. Mes Immaculés se délecteront d'un brin d'escarmouche. » Elle consulta du regard Ver Gris, qui hocha du chef.

Grazdan haussa les épaules d'un air grandiose. « Si c'est du sang que vous souhaitez, que le sang coule à flots. Je me suis laissé dire que vous aviez affranchi vos eunuques. La liberté a autant de sens pour un Immaculé qu'un chapeau pour un églefin. » Il sourit à Ver Gris, mais Ver Gris réagit en statue de pierre. « Les survivants, nous les asservirons derechef, puis nous les utiliserons pour reprendre Astapor à la canaille. Vous risquez fort de finir vous-même esclave, n'en doutez point. Il est à Lys et à Tyrosh des maisons de plaisirs où les clients paieraient les yeux de la tête pour besogner la dernière des Targaryens.

— Il m'est agréable de constater que vous savez qui je suis, répondit-elle d'un ton doux.

— Je m'enorgueillis moi-même des connaissances que j'ai acquises sur cet absurde occident barbare. » Il ouvrit les mains en signe de conciliation. « Mais voyons, pourquoi devrions-nous nous parler de manière si agressive ? Il est vrai que vous avez commis des atrocités à Astapor, mais nous autres,

44

Yunkaïis, nous sommes on ne peut plus indulgents. Les différends de Votre Grâce ne nous concernent nullement. Pourquoi dilapider vos forces contre nos puissantes murailles, alors que vous aurez besoin du moindre de vos hommes pour reconquérir le trône de votre père en ce Westeros si lointain ? Yunkaï ne vous souhaite que des succès dans cette entreprise. Et, pour vous prouver la véracité de ses vœux, je vous ai apporté un présent. » Il frappa dans ses mains, et deux de ceux qui l'escortaient s'avancèrent, ployés sous le faix d'un coffre de cèdre bardé de bronze et d'or qu'ils déposèrent devant elle. « Cinquante mille marcs d'or, fit Grazdan, mielleux. Pour vous, en témoignage de l'amitié que vous portent les Judicieux de Yunkaï. L'or donné par pure libéralité vaut sûrement mieux, n'est-ce pas, que le saccage au prix du sang ? Croyez-m'en donc, Daenerys Targaryen, prenez ce coffre et allez-vous-en. »

D'un bout de menue babouche, elle releva le couvercle du coffre. Conformément aux dires de l'émissaire, il était plein de pièces d'or. Elle en saisit une poignée, les laissa ruisseler de ses doigts, cascader, rouler, rutilantes et, pour la plupart, nouvellement frappées, portant sur une face une pyramide à degrés, sur l'autre la harpie de Ghis. « Joli. Très joli. Qui sait combien de coffres identiques je trouverai dans votre ville après l'avoir prise... »

Il émit un gloussement. « Aucun, car jamais vous ne la prendrez.

— Moi aussi, j'ai un présent pour vous. » Elle rabattit sèchement le couvercle. « Trois jours. Le matin du troisième jour, faites sortir vos esclaves. Tous vos esclaves. Chaque homme, femme, enfant aura été doté d'une arme et d'autant de vivres, d'effets, d'argent, de biens qu'il ou elle en pourra porter. Toutes choses qu'il leur sera permis de choisir en toute liberté parmi les possessions de leurs maîtres, à titre de paiement pour leurs années de servitude. Après le départ de tous les esclaves, vous ouvrirez vos portes et laisserez entrer mes Immaculés pour qu'ils fouillent la ville et s'assurent que nul n'y demeure en servage. Agissez de la sorte, et Yunkaï ne sera ni brûlée ni pillée, personne de votre peuple molesté. Les Judicieux auront la paix qu'ils désirent, et ils auront administré la preuve qu'ils sont véritablement judicieux. Qu'en dites-vous ?

— Je dis que vous êtes folle.

— Ah bon ? » Elle haussa les épaules et articula : « *Dracarys.* »

Les dragons répondirent. Rhaegal en *sifflant* et fumant, Viserion par des claquements de mâchoires, Drogon en crachant un tourbillon de flammes rouge-noir. Celles-ci touchèrent le drapé du *tokar* de Grazdan, dont la soie s'embrasa en moins d'un clin d'œil. Des marcs d'or s'éparpillèrent sur les tapis quand l'émissaire trébucha contre le coffre, écumant de jurons, se battant le bras jusqu'à ce qu'enfin Barbe-Blanche l'inonde avec une carafe d'eau pour étouffer le feu. « Vous aviez juré que je bénéficierais d'un sauf-conduit ! pleurnicha-t-il.

— Tous les Yunkaïis sont-ils aussi geignards pour un simple *tokar* roussi ? Je vous en offrirai un neuf... – si vous libérez vos esclaves d'ici trois jours. Sinon, Drogon vous câlinera de manière plus chaleureuse. » Elle vrilla son nez. « Vous vous êtes souillé. Reprenez votre or et partez. Et faites en sorte que mon message soit entendu des Judicieux. »

Grazdan mo Eraz la pointa du doigt. « Tu vas te repentir de ton arrogance, putain. Ces lézardeaux ne te sauveront pas, je te le garantis. Nous farcirons l'air de flèches s'ils viennent à moins d'une lieue de

Yunkaï. Tu crois que c'est si difficile, de tuer un dragon ?

— Plus difficile que de tuer un négrier. Trois jours, Grazdan. Dites-leur. Au soir du troisième jour, je serai dans Yunkaï, que vous ouvriez vos portes ou pas. »

La nuit était tombée quand les délégués de Yunkaï quittèrent le camp. Une nuit qui promettait d'être sinistre ; sans lune, sans étoiles, et humide et froide, grâce aux bourrasques de vent d'ouest. *Une nuit noire à merveille*, songea Daenerys. Tout autour d'elle pétillaient des feux, menus astres orange émaillant plaines et collines. « Ser Jorah, dit-elle, convoquez-moi mes sang-coureurs. » En les attendant, elle rentra s'asseoir sur les amoncellements de coussins, parmi ses dragons. Une fois réuni tout son petit monde, elle déclara : « Une heure après minuit devrait assez bien convenir.

— Oui, *Khaleesi* », acquiesça Rakharo, avant de s'enquérir : « Convenir pour quoi ?

— Pour lancer notre attaque. »

Ser Jorah Mormont se renfrogna. « Mais vous avez dit aux mercenaires...

— ... que je voulais une réponse pour demain matin. Pour cette nuit, je ne me suis engagée à rien. Les Corbeaux Tornade seront en train de discuter mon offre. Les Puînés seront ivres du vin dont j'ai gratifié Mero. Et les Yunkaïis se figurent qu'ils ont trois jours. Nous leur tomberons dessus à la faveur de ce noir de poix.

— Ils vont avoir chargé des éclaireurs de nous surveiller.

— Et leurs éclaireurs ne verront dans ce noir que des centaines de feux de camp, rétorqua-t-elle. S'ils voient rien du tout.

— *Khaleesi*, dit Jhogo, je me chargerai de ces

éclaireurs. C'est pas des cavaliers, c'est que des négriers sur des chevaux.

— Tout juste, approuva-t-elle. Je pense que nous devrions attaquer de trois côtés. Tes Immaculés, Ver Gris, frapperont à droite et à gauche, pendant que mes *kos* formeront ma cavalerie en coin pour défoncer le centre. Des soldats serfs ne tiendront jamais, face à des Dothrakis montés. » Elle sourit. « Assurément, je ne suis qu'une jouvencelle, et je n'entends rien aux voies de la guerre. Votre avis, messires ?

— Je pense que vous êtes la sœur de Rhaegar Targaryen, prononça ser Jorah avec un demi-sourire mélancolique.

— Mouais, fit Arstan Barbe-Blanche, et une reine, par-dessus le marché. »

Cela prit une heure pour mettre au point tous les détails. *À présent débute la phase la plus périlleuse*, songea Daenerys quand ses capitaines se furent égaillés vers leurs commandements respectifs. Elle était désormais réduite pour sa part à prier que les ténèbres empêchent l'ennemi de discerner les préparatifs.

Vers minuit, elle eut un coup au cœur quand, bousculant Belwas le Fort, ser Jorah surgit en trombe : « Les Immaculés ont pincé l'un des reîtres alors qu'il essayait de se faufiler dans le camp !

— Un espion ? » La peur la saisit. Pour un de pris, combien d'autres avait-il pu s'en échapper ?

« Il se prétend porteur de présents. C'est l'histrion jaune à tignasse bleue. »

Daario Naharis. « Ah, celui-là... Soit, je le recevrai. »

En le voyant introduire par le chevalier proscrit, elle se demanda s'il s'était jamais trouvé deux êtres plus dissemblables. Le Tyroshi était aussi pâle que ser

Jorah basané ; aussi délié d'allure que tout en muscles celui-ci ; doté d'une chevelure aussi luxuriante
que se raréfiait celle du second ; la peau satinée
pourtant, quand le poil hérissait celle de Mormont.
Et quel contraste étourdissant faisait aussi la tenue
simple, unie de l'un, avec le plumage de l'autre,
auprès duquel les atours d'un paon eussent paru
tristes – et encore avait-il, en vue de sa visite, jeté
un long manteau noir sur les jaunes éclatants de ses
falbalas ! Il portait sur l'épaule un sac de toile assez
volumineux.

« *Khaleesi*, lança-t-il, je viens à vous porteur de
cadeaux et d'heureuses nouvelles. Vôtres sont les
Corbeaux Tornade. » Une dent d'or étincela dans
son sourire. « Et vôtre aussi Daario Naharis ! »

Elle en doutait fort. S'il était d'abord tout bonnement venu pour espionner, ces belles protestations
pouvaient bien n'être en fin de compte qu'une
manigance désespérée pour sauver sa tête. « Qu'en
disent Sollir et Prendahl na Ghezn ?

— Pas grand-chose. » Il retourna le sac, et les
têtes des deux capitaines s'éparpillèrent sur les
tapis. « Mes cadeaux pour la reine-dragon. »

Viserion flaira le sang qui suintait du col de Prendahl na Ghezn, puis une bouffée de flammes jaillit
en plein dans la face du mort et noircit, cloqua ses
joues exsangues. Le fumet de viande rôtie mit en
transe Rhaegal et Drogon.

« C'est vous qui avez fait ça ? demanda Daenerys,
au bord de la nausée.

— Nul autre. » Si les dragons lui causaient quelque désarroi, Daario Naharis le cachait à la perfection. Il ne leur prêtait pas plus d'attention que s'il
s'était agi de trois chatons jouant avec une souris.

« Pourquoi ?

— À cause de votre ineffable beauté. » Il avait les

mains vastes et fortes, et le bleu dur de ses prunelles autant que la courbure impressionnante de son nez n'étaient pas sans évoquer la férocité d'un magnifique oiseau de proie. « Prendahl parlait trop et disait trop peu. » Tout somptueux qu'il était, son accoutrement trahissait un long service ; des auréoles salées maculaient ses bottes, l'émail des ongles s'écaillait, la sueur imbibait les dentelles, et le manteau s'effilochait du bas. « Et Sollir se curait le nez comme si sa morve était de l'or. » Il se tenait mains croisées à hauteur des poignets, paumes reposant sur le pommeau de ses armes : *arakh* dothraki courbe sur la hanche gauche, stylet de Myr sur la droite ; d'or ciselé, leurs poignées assorties figuraient deux femmes, nues et dans des postures lubriques.

« Etes-vous habile à manier ces lames superbes ? demanda Daenerys.

— Si les morts conservaient l'usage de la parole, Prendahl et Sollir vous diraient que oui. Je compte comme non vécu tout jour où je n'ai aimé une femme, tué un adversaire et fait un repas fin..., et les jours où j'ai vécu sont aussi innombrables que les étoiles du firmament. Je fais du carnage une œuvre d'art, et nombre d'acrobates et de danseurs de feu ont repu les dieux de pleurnicheries pour obtenir d'eux la moitié de ma promptitude et le quart de ma grâce. Je vous nommerais volontiers tous les hommes que j'ai tués, mais je n'en aurais pas terminé que vos dragons auraient la grosseur d'un château, que des murs de Yunkaï ne subsisterait plus que poussière jaune et que l'hiver serait venu, passé et revenu. »

Daenerys éclata de rire. Il lui plaisait, ce Daario Naharis, avec ses manières de rodomont. « Tirez votre épée, et jurez de la consacrer à mon service. »

En un clin d'œil, l'*arakh* eut quitté le fourreau. La soumission de Daario fut aussi outrancière que l'ensemble de sa personne, un prodigieux plongeon qui mena sa figure jusqu'aux orteils de Daenerys. « Vôtre est mon épée. Vôtre est ma vie. Vôtre est mon amour. Mon sang, mon corps, mes chants, tout vous appartient. Un ordre de vous, belle reine, et je vis, je meurs.

— Vivez donc, dit-elle, et combattez cette nuit pour moi.

— La prudence ne le voudrait pas, ma reine. » Ser Jorah jeta sur Daario un regard glacial. « Placez-le plutôt sous bonne garde jusqu'à ce que la bataille ait été livrée et gagnée. »

Elle réfléchit un moment puis secoua la tête. « S'il est en mesure de nous donner les Corbeaux Tornade, l'effet de surprise est certain.

— Et, s'il vous trahit, l'effet de surprise est perdu. »

Elle abaissa de nouveau les yeux vers le reître. Le sourire qu'il lui adressa fut tel qu'elle s'empourpra, dut se détourner. « Il n'en fera rien.

— Comment pouvez-vous le savoir ? »

Elle désigna les pièces de viande saignante et noircie dont se gorgeaient, lichette après lichette, les dragons. « À mes yeux, cela seul suffirait à prouver sa sincérité. Daario Naharis, tenez vos Corbeaux Tornade prêts à frapper l'arrière des Yunkaïis aussitôt que mon attaque débutera. Vous est-il possible de regagner sain et sauf leur camp ?

— S'ils m'arrêtent, je dirai que j'étais sorti en éclaireur et que je n'ai rien vu. » Il se releva, s'inclina et sortit en coup de vent.

Ser Jorah Mormont s'attarda, lui. « Votre Grâce, dit-il, de façon trop brusque, c'est une bourde. Nous ne savons rien de cet individu, et...

— Nous savons qu'il est un prodigieux guerrier.

— Un prodigieux hâbleur, vous voulez dire.

— Il nous apporte les Corbeaux Tornade. » *Et il a des yeux bleus.*

« Cinq cents mercenaires de loyauté pour le moins douteuse.

— Toutes les loyautés sont pour le moins douteuses, dans une époque comme la nôtre », lui rappela-t-elle. *Et je serai encore trahie deux fois, l'une pour l'or, l'autre pour l'amour.*

« Daenerys, j'ai trois fois votre âge, reprit ser Jorah. Cela m'a permis de constater de mes propres yeux jusqu'où va la fausseté des hommes. Il en est très peu qui soient dignes de foi, et ce Daario Naharis n'est pas de ce nombre. Même la couleur de sa barbe est un artifice. »

Cette dernière remarque la fit bondir. « Tandis que votre barbe à vous est une barbe honnête, hein, c'est cela que vous m'insinuez ? Vous êtes l'unique homme à qui je devrais jamais me fier, n'est-ce pas ? »

Il se roidit. « Je n'ai rien dit de tel.

— Vous le dites à longueur de journée. Pyat Pree est un menteur, Xaro un intrigant, Belwas un matamore, Arstan un assassin…, me prenez-vous pour une oie blanche non déniaisée, dès lors incapable de percevoir les mots derrière les mots ?

— Votre Grâce… »

Elle s'acharna à le bouleverser : « J'ai trouvé en vous le meilleur ami que j'aie jamais eu, un meilleur frère que Viserys ne le fut jamais. Vous êtes le premier nommé de ma garde Régine, le chef suprême de mon armée, mon conseiller le plus estimé, ma précieuse main droite. Je vous honore, je vous respecte, je vous chéris – mais je ne vous désire pas, Jorah Mormont, et je suis lasse de vos manœuvres sempiternelles pour écarter de ma personne tout autre homme au monde, afin de me contraindre à devoir dépendre de vous, et de vous exclusivement. C'est là agir en pure perte, et vous n'y gagnerez jamais que je vous aime davantage. »

Si le début de ce discours avait fait rougir Mormont, la suite l'avait rendu blême. Il demeura d'abord comme pétrifié. « Si ma reine l'ordonne », lâcha-t-il enfin, froidement poli.

Daenerys était suffisamment échauffée pour deux. « Oui, fit-elle. Elle l'*ordonne*. À présent, ser, allez veiller à vos Immaculés. Vous avez à livrer une bataille et à la gagner. »

Après qu'il se fut retiré, Daenerys se jeta sur les coussins près de ses trois fauves. Non, ce n'était pas délibérément qu'elle venait de se montrer si brutale, mais parce qu'à force de suspicion Mormont avait réveillé le dragon en elle.

Il me pardonnera, se dit-elle. *Je suis sa suzeraine.* Elle se surprit à se demander s'il ne voyait pas juste à propos de Daario. Elle se sentait tout à coup terriblement seule. Mirri Maz Duur lui avait affirmé qu'elle ne porterait jamais d'enfant vivant. *La maison Targaryen périra avec moi.* La perspective l'affligea. « Il vous incombe d'être mes enfants, dit-elle aux dragons, mes trois formidables enfants. Puisque Arstan assure que les dragons vivent plus longtemps que les hommes, votre carrière se poursuivra quand j'aurai achevé la mienne. »

Drogon ploya son col en épingle à cheveux pour lui mordiller la main. Bien qu'il eût les dents extrêmement pointues, jamais il ne lui entamait la peau lorsqu'ils batifolaient ainsi. Elle se mit à rire et le fit rouler cul par-dessus tête jusqu'à ce qu'il pousse des rugissements, la queue battante comme un fouet. *Elle s'est beaucoup allongée*, remarqua-t-elle,

et elle deviendra au fil des jours encore plus longue.
Ils grandissent vite, à présent, et, quand ils seront
adultes, j'aurai mes ailes. Une fois qu'elle aurait un
dragon pour monture, il lui serait possible de
conduire en personne ses troupes au combat. Pour
l'heure, ils étaient encore, hélas, trop petits pour la
porter.

Un silence absolu régnait dans le camp lorsque
minuit vint, passa. Daenerys demeura sous sa tente
en compagnie de ses camérières, tandis qu'Arstan
Barbe-Blanche et Belwas le Fort montaient la garde
à l'extérieur. *Attendre est le plus pénible des rôles.*
À rester assise dedans, là, mains oisives, alors qu'au-
dehors se livrait, sans elle, sa bataille, elle avait
comme l'impression de n'être plus que la fillette
d'autrefois.

Les heures se traînèrent à pas de tortue. Lors
même que Jhiqui lui eut massé les épaules pour les
dénouer, elle se trouva trop nerveuse pour fermer
l'œil. Missandei s'offrit à lui fredonner une berceuse
des Pacifiques, mais elle secoua la tête. « Fais venir
Arstan », dit-elle.

Lorsqu'il se présenta, elle s'était pelotonnée dans
la fourrure de *hrakkar* dont l'odeur musquée lui rappelait invinciblement Drogo. « Je ne saurais dormir
quand des hommes meurent pour moi, Barbe-
Blanche, confia-t-elle. Contez-m'en davantage sur
Rhaegar, mon frère, si vous voulez bien. J'ai bien
aimé votre histoire du bateau, vous savez ? celle sur
l'éclosion subite de sa vocation de guerrier.

— Votre Grâce est trop bonne.

— D'après Viserys, il avait remporté maints tournois. »

Arstan inclina respecueusement sa tête chenue.
« Il serait malséant à moi de démentir les assertions
de Son Altesse...

— Mais ? coupa-t-elle vertement. Parlez. C'est un ordre.

— La prouesse du prince Rhaegar était incontestée, mais il la déploya rarement en lice. Il était loin d'éprouver pour le chant des épées la passion d'un Robert ou d'un Jaime Lannister. Il s'y livrait comme à un devoir, à une besogne que le monde lui imposait. Il y excellait, parce qu'il excellait en tout. Telle était sa nature. Mais il n'y prenait point de joie. Il aimait, disait-on, sa harpe infiniment plus que sa lance.

— Il dut néanmoins gagner *quelques* tournois, fit-elle, dépitée.

— Durant sa jeunesse, il courut brillamment un tournoi qui se donnait à Accalmie, défaisant tour à tour lord Steffon Baratheon, lord Jason Mallister, la Vipère Rouge de Dorne et un chevalier mystérieux qui se révéla n'être autre que Simon Tignac, le trop fameux chef de bandits des forêts royales. Il ne rompit pas moins de douze lances, ce jour-là, contre ser Arthur Dayne.

— Et, finalement, ce fut lui, le champion ?

— Non, Votre Grâce. Cet honneur échut à un chevalier de la Garde qui démonta le prince Rhaegar au cours de la dernière joute. »

Daenerys n'avait pas la moindre envie de laisser désarçonner son frère plus avant. « Mais quels tournois *gagna*-t-il, enfin !

— Votre Grâce. » Le vieil homme hésita. « Il gagna le plus extraordinaire de tous.

— Lequel ? demanda-t-elle.

— Le tournoi qu'organisa lord Whent à Harrenhal, au bord de l'fildieu, l'année du printemps fallacieux. Un événement. En plus des joutes, il comportait une mêlée dans le style ancien, disputée par sept équipes de chevaliers, ainsi qu'un concours de tir à l'arc et de lancer de hache, une course hippique, une compétition de chant, des mimes et force divertissements, festins. Lord Whent était aussi libéral que riche. Les prix fastueux qu'il promettait drainèrent des centaines de concurrents. Même votre royal père vint à Harrenhal, alors qu'il n'avait pas quitté le Donjon Rouge depuis des années. Les plus grands seigneurs et les champions les plus redoutables des Sept Couronnes s'affrontèrent dans ce tournoi, et le prince de Peyredragon les surpassa tous.

— Mais ce fut aussi le tournoi où il couronna Lyanna Stark reine d'amour et de beauté ! s'exclama Daenerys. Bien que la princesse Elia, sa femme, fût présente, mon frère n'en décerna pas moins la couronne à la jeune Stark, avant de la ravir à son fiancé. Comment put-il se comporter de la sorte ? La Dornienne le traitait si mal ?

— Il n'appartient pas à un homme de mon espèce de se prononcer sur les motifs que pouvait avoir le prince Rhaegar au fond de son cœur, Votre Grâce. La princesse Elia était une dame et bonne et gracieuse, mais elle avait une santé des plus délicates. »

Daenerys resserra la peau de lion autour de ses épaules. « Viserys a dit un jour que c'était ma faute, parce que j'étais née trop tard. » Elle l'avait nié avec véhémence, se souvenait-elle, allant jusqu'à répliquer que c'était au contraire sa faute à lui, parce qu'il n'avait pas été une fille. Insolence qu'il lui fit payer en la battant cruellement. « Si j'étais née à temps, prétendait-il, c'est moi que Rhaegar aurait épousée, pas Elia, et tout aurait tourné différemment. Doté d'une épouse susceptible de le rendre heureux, Rhaegar n'aurait eu que faire de la jeune Stark.

— Il se peut, en effet, Votre Grâce. » Barbe-Blanche marqua une brève pause. « Mais je ne suis pas convaincu que Rhaegar eût une aptitude au bonheur.

— Un bilieux, à vous entendre ! s'insurgea-t-elle.

— Bilieux, non, pas bilieux..., mais le prince Rhaegar était affecté d'une espèce de mélancolie, de quelque chose comme, comme un sens... » Il renâclait à nouveau.

« Dites-le, s'impatienta-t-elle. Un sens... ?

— ... de la catastrophe. Il était né dans le deuil, ma reine, et cette ombre a pesé sur lui chacun des jours qu'il a vécu. »

Viserys n'avait évoqué la naissance de Rhaegar qu'une seule fois. Peut-être ce chapitre l'affligeait-il trop. « C'est l'ombre de Lestival qui le hantait, n'est-ce pas ?

— Oui. Et pourtant, Lestival était sa résidence favorite. Il s'y rendait de temps à autre avec sa seule harpe pour compagnie. Les chevaliers de la Garde eux-mêmes en étaient exclus. Il se plaisait à coucher dans la salle en ruine, à la belle étoile, et il rapportait de chaque séjour une chanson nouvelle. Il vous suffisait de l'entendre pincer les cordes d'argent de sa grande harpe et chanter les pleurs et les crépuscules et la mort des dieux pour percevoir que c'était lui-même et ses êtres chers qu'il chantait.

— Et l'Usurpateur ? Lui aussi jouait des mélopées tristes ? »

Arstan ne put s'empêcher de pouffer. « Robert ? Robert aimait les chansons qui le faisaient rire, avec une prédilection nette pour les plus paillardes. Il ne chantait que s'il était ivre, et alors, vous pouviez vous attendre à *Baril de bière*, *Cinquante-quatre tonneaux* ou *La Belle et l'Ours*. Robert avait trop de... »

Dressant la tête comme un seul, les dragons venaient de rugir.

« Des chevaux ! » Daenerys bondit sur ses pieds, les poings crispés sur la peau de lion. Du dehors parvinrent les aboiements confus de Belwas le Fort, puis des voix mêlées, le tapage de nombreux chevaux. « Irri, va voir qui... »

La portière de la tente se souleva, et ser Jorah Mormont parut. Couvert de poussière, éclaboussé de sang mais, à cela près, indemne. Il ploya le genou devant Daenerys avant d'annoncer : « C'est la victoire que j'apporte à Votre Grâce. Les Corbeaux Tornade ont viré de bord, les esclaves pris la fuite, et les Puînés s'étaient trop bien soûlés pour combattre, exactement comme vous l'aviez prédit. Deux cents morts, yunkaïis pour l'essentiel. Les mercenaires se sont rendus, les autres ont jeté leurs piques pour déguerpir. Nous tenons plusieurs milliers de prisonniers.

— Nos propres pertes ?

— Une douzaine d'hommes. Au pire. »

Elle ne se permit de sourire qu'alors. « Relevez-vous, mon brave bon ours. A-t-on pris Grazdan ? Ou bien le Bâtard du Titan ?

— Grazdan avait regagné Yunkaï pour y transmettre vos conditions. » Ser Jorah se leva. « Sitôt informé de la défection des Corbeaux Tornade, Mero a filé. J'ai lancé des hommes à ses trousses. Ils ne devraient guère tarder à le rattraper.

— Parfait, dit-elle. Esclave ou reître, épargnez quiconque me vouera sa foi. Si suffisamment de Puînés se rallient à nous, veuillez ne pas dissoudre la compagnie. »

Le jour suivant leur vit parcourir les trois dernières lieues qui les séparaient de Yunkaï. La ville était bâtie de briques non pas rouges, cette fois, mais jaunes ; à ce détail près, elle rappelait Astapor en tous points : mêmes murs croulants, mêmes pyramides à degrés, harpie similaire au-dessus des portes. Remparts et tours grouillaient de frondeurs et d'arbalétriers. Tandis que ser Jorah et Ver Gris déployaient les troupes, Irri et Jhiqui dressèrent le pavillon, et Daenerys s'y installa pour attendre les événements.

Au matin du troisième jour, les portes de la ville s'ouvrirent à deux battants, une file d'esclaves entreprit de sortir. Daenerys enfourcha son argenté pour leur souhaiter la bienvenue. Au fur et à mesure qu'ils s'écoulaient vers la liberté, la petite Missandei les avisait qu'ils devaient celle-ci à Daenerys du Typhon, l'Imbrûlée, reine des Sept Couronnes de Westeros et Mère des Dragons.

« *Mhysa !* » cria soudain un homme au teint basané. Il portait un enfant sur l'épaule, une petite fille qui se mit elle-même à piailler de sa voix ténue : « *Mhysa ! Mhysa !* »

Daenerys se tourna vers Missandei. « Que disent-ils là ?

— C'est du ghiscari, la vieille langue pure. Cela signifie "mère". »

Daenerys sentit s'alléger son sein. *Je ne porterai jamais d'enfant vivant*, se rappela-t-elle. Sa main tremblait quand elle la leva. Peut-être souriait-elle. Elle aurait dû, parce que l'homme, épanoui, lançait à nouveau son cri, que d'autres l'entonnaient aussi. « *Mhysa !* reprenaient-ils, *Mhysa ! MHYSA !* » Tous lui souriaient, leurs mains se tendaient, ils s'agenouillaient devant elle. « *Maela* », lui jetaient certains, d'autres « *Aelalla* », « *Qathei* » ou « *Tato* », mais, de quelque idiome qu'il s'agît, le sens était le même. *Mère. Ils m'appellent « Mère ».*

Le chant crût, s'étendit, s'enfla. S'enfla si fort que la jument s'en effraya, recula, démena sa tête et fouetta l'air de sa queue d'argent. Il s'enfla au point qu'en parurent tout secoués les remparts jaunes de Yunkaï. Et, comme les portes n'arrêtaient pas de déverser de nouveaux flots d'esclaves, il enflait toujours, incessamment grossi. À présent, la foule courait vers elle en se bousculant, trébuchant, dans le désir fou de toucher sa main, lui baiser les pieds, caresser la crinière de sa monture. Les malheureux sang-coureurs ne pouvaient la garantir de tous, et Belwas le Fort lui-même grognait et grondait, en plein désarroi.

Or, en dépit des instances de ser Jorah, Daenerys refusait de se dérober, toute au souvenir du rêve qu'elle avait fait dans la maison des Nonmourants. « Ils ne me feront pas de mal, lui objecta-t-elle. Ils sont mes enfants, Jorah. » Et, rieuse, de talonner son cheval pour se porter au-devant d'eux, les clochettes de sa chevelure lui carillonnant sa douce victoire. Au petit trot puis au grand trot et finalement au galop, sa tresse flottant derrière elle. La marée d'affranchis s'ouvrait sur son passage. « Mère », s'égosillaient-ils à cent, mille, dix mille. « Mère », chantaient-ils, effleurant au vol ses jambes d'innombrables doigts. « Mère, Mère, Mère ! »

ARYA

En distinguant au loin le profil d'un grand escarpement que dorait le soleil de l'après-midi, elle le reconnut aussitôt. C'était à Noblecœur que les ramenaient finalement leurs courses.

Ils en atteignirent le faîte au crépuscule, assurés d'y camper en toute quiétude. Après avoir flâné en compagnie de l'écuyer de lord Béric, Ned, tout autour du cercle formé par les souches de barrals, Arya et lui se perchèrent sur l'une d'entre elles pour regarder peu à peu s'éteindre les dernières lueurs du couchant. La hauteur des lieux permettait de voir qu'une tempête sévissait au nord, mais Noblecœur planait *au-dessus* des pluies. Mais pas au-dessus des vents ; les rafales étaient si violentes que ça te donnait l'impression que quelqu'un se trouvait dans ton dos, qui te tiraillait le manteau. Seulement, quand tu te retournais, bernique, il n'y avait personne.

Fantômes, se rappela-t-elle. *Noblecœur est hanté*.

Après que l'on eut allumé un grand feu, Thoros de Myr s'assit en tailleur devant puis scruta les flammes avec autant d'intensité que s'il n'avait rien existé d'autre au monde.

« Qu'est-ce qu'il fabrique ? demanda-t-elle à Ned.

— Y a des fois qu'il voit des choses dans les flammes, répondit-il. Le passé. L'avenir. Des trucs qui se passent au diable. »

Elle écarquilla les yeux dans l'espoir de voir ce que voyait le prêtre rouge, mais sans autre fruit que de se mettre à larmoyer, si bien qu'elle ne fut pas longue à se détourner du feu. Gendry observait aussi le manège du prêtre rouge. « Vous pouvez vraiment voir l'avenir, là-dedans ? » questionna-t-elle brusquement.

Avec un soupir, Thoros cessa de sonder les flammes. « Ici, non. Pas en ce moment. Mais certains jours, oui, le Maître de la Lumière m'accorde des visions. »

Gendry ne cacha pas son scepticisme. « Mon maître disait que vous êtes un poivrot et un tricheur, le plus mauvais prêtre qu'y a jamais eu.

— Ce n'était pas gentil. » Thoros eut un petit rire. « C'était vrai mais pas gentil. C'était qui, ton maître ? Nous nous sommes déjà rencontrés, toi et moi, mon gars ?

— J'étais placé en apprentissage chez le maître armurier Tobho Mott, rue de l'Acier. C'est à lui que vous achetiez vos épées.

— Exact. Il me les faisait payer deux fois plus cher qu'elles ne valaient, puis il me blâmait d'y mettre le feu. » Il se mit à rire. « Ton maître avait raison. Je n'étais pas un très saint prêtre. Comme j'étais le dernier-né de huit, mon père me fourgua au Temple Rouge, mais telle n'était pas la route que j'aurais spontanément choisie. Bon, je disais les prières et je prononçais les formules magiques, mais je montais également volontiers des raids contre les cuisines, et, par-ci par-là, on découvrait des filles dans mon lit. Mais quelles coquines, aussi, je n'ai jamais su comment elles s'y fourraient.

» J'avais le don des langues, à part ça. Et, lorsque je scrutais les flammes, eh bien, je voyais des choses, de temps en temps. Malgré quoi je donnais plus de tracas que de satisfactions. Aussi finit-on par m'expédier à Port-Réal révéler la lumière du Maître aux entichés des Sept. Le roi Aerys aimait le feu si passionnément qu'on croyait possible de le convertir. Mais ses pyromants connaissaient, hélas, des tours plus affriolants que les miens.

» En revanche, le roi Robert m'avait à la bonne. La première fois où je disputai une mêlée muni d'une épée de feu, le cheval de Kevan Lannister se cabra, le flanquant par terre, et Sa Majesté fut prise d'un tel fou rire que je craignis de La voir succomber à une attaque d'apoplexie. » Ce souvenir le fit sourire. « Mais ce sont des manières inadmissibles, avec une lame, ton maître avait raison, à cet égard aussi.

— Le feu consume. » Lord Béric se tenait derrière eux, et il y avait dans son intonation quelque chose qui réduisit Thoros au silence instantanément. « Il *consume*, et, son œuvre achevée, plus rien ne subsiste. *Rien.*

— Béric. Doux ami. » Le prêtre toucha l'avant-bras du seigneur la Foudre. « Que dites-vous là ?

— Rien que je n'aie déjà dit. Six fois, Thoros ? Six fois, c'est trop. » Et il s'éloigna brusquement.

Le vent hurla, cette nuit-là, presque à la façon d'un loup. De vrais loups lui serinaient au demeurant la leçon, quelque part vers l'ouest. C'était au tour d'Anguy, de Coche et du Merrit de Lunebourg de monter la garde. Gendry, Ned et beaucoup d'autres dormaient à poings fermés lorsque Arya entrevit se glisser derrière les chevaux, voûtée sur sa canne crochue, la minuscule forme pâle au sillage tumultueux de fins cheveux blancs. Elle pouvait n'avoir pas plus de trois pieds de haut. Le reflet du feu faisait miroiter ses prunelles du même écarlate que celles du loup de Jon. *Lui aussi était un fantôme.*

Arya se rapprocha subrepticement puis se tassa pour épier.

Thoros et Lim se trouvaient avec lord Béric quand, sans qu'ils l'y eussent invitée, la naine s'assit près du feu. Elle loucha vers eux. Ses yeux avaient l'air de charbons ardents. « La Braise et le Limon me font à nouveau l'honneur d'une visite, ainsi que Sa Seigneurie le sire des Macchabées.

— Un nom de mauvais présage. Je t'ai déjà priée de n'en pas user.

— Ouais, c'est vrai. Mais une odeur fraîche de mort flotte autour de vous, milord. » Il ne lui restait qu'une seule dent. « Donnez-moi du vin, ou je m'en irai. Mes os sont âgés. Mes jointures souffrent quand les vents soufflent, et, sur les hauts d'ici, les vents soufflent toujours.

— Un cerf d'argent pour vos prophéties, madame, dit lord Béric avec une courtoisie pleine de solennité. Un autre pour des nouvelles, si vous en avez qui nous intéressent.

— Je peux pas plus manger de cerf d'argent qu'en chevaucher un. Une gourde de vin pour mes rêves et, pour mes nouvelles, un patin du grand balourd au manteau jaune. » Elle ricana. « Ouais, un patin gluant, que j'aie ma gorgée de langue. Ça fait trop longtemps, trop longtemps. Va avoir, sa lippe, goût de limons, moi, la mienne, d'os. Trop vieille, je suis.

— Ouais, gémit Lim. Trop vieille pour le pinard et pour les patins. Le plat de ma lame, sorcière, c'est tout ce que t'auras de moi.

— Mes cheveux partent par poignées, et ça fait mille ans que personne m'a embrassée. C'est dur, être si âgée. Enfin, j'aurai une chanson, alors. Pour mes nouvelles. Une chanson de Tom des Sept.

— Ta chanson, tu l'auras de Tom », promit lord Béric. Il lui remit en personne la gourde de vin.

La naine y but si goulûment que du vin lui dégoulina le long du menton. Enfin, la gourde abaissée, elle se torcha la bouche d'un revers de main raviné puis dit : « À vin suri, sures nouvelles, y aurait quoi de plus assorti ? Le roi est mort, c'est assez sur pour vous ? »

Le cœur d'Arya bondit obstruer sa gorge.

« *Quel* foutu roi qu'est mort, sorcière ? demanda Lim.

— L'humide. Le roi seiche, m'seigneurs. Je l'ai rêvé mort, il est mort, et, maintenant, les encornets de fer s'en prennent les uns aux autres. Ah, puis lord Hoster Tully, il est mort aussi, mais vous savez ça, non ? Dans la salle des rois, la chèvre trône toute seule, fiévreuse, pendant que l'énorme chien fond sur elle. » La pressant à deux mains, la vieille éleva la gourde jusqu'à ses lèvres et s'envoya une longue rasade supplémentaire.

L'énorme chien... Cela voulait-il dire le Limier ? Ou bien son frère, la Montagne-en-marche ? Difficile de décider. Tous deux portaient les mêmes armes, trois chiens noirs sur champ jaune. La moitié des hommes dont Arya réclamait la mort dans ses prières appartenaient à ser Gregor Clegane : Polliver, Dunsen, Raff Tout-miel, Titilleur. Sans omettre ser Gregor lui-même. *Lord Béric finira peut-être par les pendre tous.*

« J'ai rêvé d'un loup qui hurlait sous la pluie, mais personne entendait son deuil, ajouta cependant la naine. J'ai rêvé d'un boucan si fort que ma tête allait éclater, j'ai cru, des tambours et des cors et des binious, des cris, mais le plus triste était le tintement des menues clochettes. J'ai rêvé d'une fille à un festin qu'avait dans les cheveux des serpents violets aux crocs dégouttants de venin. Et après, j'ai rêvé de nouveau de cette fille, tuant un géant féroce dans un château tout bâti en neige. » Elle tourna tout à coup la tête et sourit à travers les ténèbres, en plein sur Arya. « Tu peux pas te cacher de moi, petite. Viens çà, maintenant. »

Des doigts glacés dévalèrent l'échine d'Arya. *La peur est plus tranchante qu'aucune épée*, se remémora-t-elle. Elle se leva et s'approcha du feu, prudente et légère comme une plume sur le bout des pieds, prête à détaler.

Les sinistres prunelles rouges de la naine l'examinèrent. « Je te vois, souffla-t-elle. Je te vois, rejeton de loup. Rejeton du sang. Je croyais que c'était messire qui sentait la mort... » Elle se mit à sangloter, sa mince carcasse toute secouée. « C'est cruel à toi de venir me relancer jusque sur ma colline, affreusement cruel. La douleur, à Lestival, j'en ai eu mon soûl, les tiennes, j'ai pas besoin. Pas besoin d'aucune. Hors d'ici, cœur sombre. *Hors d'ici !* »

Sa voix vibrait d'une telle terreur qu'Arya recula d'un pas, se demandant si la vieille n'était pas démente. « N'effraie pas cette enfant, protesta Thoros. Elle n'a aucune espèce de méchanceté. »

L'index de Lim Limonbure se porta sur son nez cassé. « En soyez pas si foutrement certain.

— Elle s'en ira demain matin – avec nous, assura lord Béric à la naine. Nous l'emmenons à Vivesaigues, auprès de sa mère.

— Que nenni, rétorqua-t-elle. Vous le ferez pas. Le silure tient les rivières, à présent. Si c'est sa mère que vous voulez, allez la chercher aux Jumeaux, plutôt. Parce que va y avoir des *noces*, là-bas. » Son ricanement lui revint. « Regarde dans tes feux, prêtre rose, et tu verras ce que tu verras. Pas maintenant, quoique, pas ici, ici, t'y verras que du feu. Ici, ça appartient aux anciens dieux encore..., ils s'y attardent comme moi, faiblards, rabougris, mais toujours pas morts. Les flammes, ils aiment pas non plus. Car le chêne se souvient du gland, le gland rêve du chêne, et la souche vit en tous deux. Et c'est pas demain la veille qu'y vont oublier le jour où les Premiers Hommes sont arrivés, la torche au poing. » Elle acheva de vider le vin en quatre longs traits, jeta la gourde de côté, puis pointa sa canne sur lord Béric. « À vous de payer, maintenant. La chanson que vous m'avez promise. »

Et c'est ainsi que Lim s'en fut tirer Tom Septcordes de sous ses fourrures et le ramena, bâillant à se décrocher la mâchoire, avec sa harpe, au coin du feu. « La même chanson qu'avant ? demanda-t-il.

— Oh ouais. La chanson de ma Jenny. Y en a une autre ? »

Et c'est ainsi que Tom chanta, pendant que la naine, les yeux fermés, se balançait lentement d'avant en arrière et se murmurait les paroles en pleurant. Thoros empoigna fermement Arya par la main et l'entraîna plus loin. « Laissons-la savourer en paix sa chanson, dit-il. C'est tout ce qui lui reste. »

Mais je n'avais pas du tout l'intention de la lui gâcher ! riposta-t-elle mentalement. « Qu'est-ce qu'elle a voulu dire avec les Jumeaux ? Ma mère se trouve bien à Vivesaigues, n'est-ce pas ?

— Elle s'y trouvait. » Le prêtre rouge se gratta le menton. « Des noces, dit-elle... Nous verrons bien. Où que soit ta mère, lord Béric saura la retrouver, de toute façon. »

Peu après, le ciel se déchira. Des éclairs crépitèrent et, tandis que roulait le tonnerre de toutes parts, la pluie s'abattit en nappes aveuglantes. Alors que la naine s'évanouissait aussi soudainement qu'elle était apparue, les brigands se mirent à collecter des branches pour improviser des abris rudimentaires.

La pluie ne cessa de la nuit, et, le matin venu, Ned, Lim et Watty le Meunier se réveillèrent mal en point. Watty ne put garder son déjeuner, et le petit Ned, la peau moite au toucher, oscillait entre grelotte et fébrilité. À une demi-journée de cheval vers le nord se trouvait un village abandonné, signala Coche à lord Béric ; on y serait plus à couvert pour attendre que soit passé le pire de ce déluge, promit-il. Chacun se hissa donc en selle et pressa sa monture dans la descente abrupte de la colline.

Saucé sans relâche, on parcourut des bois, des champs, franchit à gué des ruisseaux en crue dont les flots torrentueux battaient les chevaux jusqu'au ventre. Arya releva sa capuche et se recroquevilla de son mieux, trempée jusqu'aux os, frissonnante mais résolue à ne pas flancher. Bientôt, Merrit et Mudge toussèrent aussi salement que Watty, et chaque mille aggravait manifestement la misère du pauvre Ned. « Si je garde mon heaume, se désolat-il, le martèlement de la pluie sur l'acier me fiche la migraine, et, si je l'enlève, je me prends la douche, et mes cheveux se collent sur ma figure, et j'en ai plein la bouche.

— T'as un couteau, suggéra Gendry. Si ta tignasse t'embête autant, t'as qu'à te raser le crâne. »

Il n'aime pas Ned. Arya trouvait l'écuyer plutôt à son goût ; peut-être un peu timide, mais foncièrement gentil. Alors qu'elle avait toujours entendu dire que les Dorniens étaient petits, basanés, le poil noir et l'œil noir en vrille, Ned avait de grands yeux bleus, et d'un bleu si sombre qu'ils semblaient presque violets. Et il était blond, blond clair, plutôt blond cendré que blond miel.

« Ça fait longtemps que tu sers d'écuyer à lord Béric ? demanda-t-elle, afin de lui faire oublier sa misère un moment.

— Il m'a pris pour page lorsqu'il s'est fiancé avec ma tante. » Une quinte le secoua. « J'avais sept ans, mais il m'a élevé à la dignité d'écuyer quand j'en ai eu dix. Une fois, j'ai remporté le prix, en courant la bague.

— Je ne sais pas manier la lance, on ne m'a pas appris, mais, à l'épée, je pourrais te battre, dit-elle. Tu as déjà tué quelqu'un ? »

Il eut l'air sidéré. « Je n'ai que douze ans. »

J'en avais huit quand j'ai tué un gars, faillit-elle dire, mais il lui sembla préférable de s'abstenir. « Tu as pris part à des batailles, cependant...

— Oui. » À l'entendre, il n'en tirait pas grande fierté. « Je me trouvais au Gué-Cabot. Quand lord Béric est tombé dans la rivière, je l'ai traîné jusqu'à la berge pour qu'il ne se noie pas, puis je suis resté près de lui pour le protéger. Mais je n'ai pas eu à me servir de mon épée. Comme il avait une lance au travers du corps, on nous a laissés tranquilles. Au moment du regroupement, Vert Gergen m'a aidé à hisser Sa Seigneurie sur le dos d'un cheval. »

Le garçon d'écurie de Port-Réal remontait à la surface. Après lui, ç'avait été ce garde d'Harrenhal dont elle avait tranché la gorge, sans parler des hommes de ser Amory, d'abord, dans ce fort au bord du lac. Et Weese, et Chiswyck, ils comptaient, ou pas ? Et ceux qui étaient morts à cause de la soupe de belette ? Elle se sentit, tout à coup, terriblement triste... « Mon père aussi s'appelait Ned, dit-elle.

— Je sais. Je l'ai aperçu, au tournoi de la Main. Je mourais d'envie d'aller lui parler, mais je n'ai rien trouvé à lui dire dans ma cervelle. » Il eut un accès de tremblote sous son long manteau mauve détrempé. « Tu t'y trouvais, à ce tournoi, toi ? J'y ai vu ta sœur. Ser Loras Tyrell lui donna une rose.

— Elle me l'a dit. » Tout cela semblait tellement lointain. « Son amie Jeyne Poole y était tombée amoureuse de ton lord Béric.

— Il est engagé à ma tante. » Une expression de malaise affecta sa physionomie. « Mais c'était avant, ça. Avant qu'il... »

... meure ? songea-t-elle, tandis que la voix de Ned s'effilochait vers un silence timoré. Les sabots de leurs chevaux s'arrachaient de la glaise avec des bruits dégoûtants de succion.

« Madame ? reprit Ned enfin. Vous avez bien un frère illégitime, n'est-ce pas..., Jon Snow ?

— Il est à la Garde de Nuit, sur le Mur. » *Peut-être devrais-je me rendre au Mur plutôt qu'à Vivesaigues. Jon s'en ficherait éperdument, lui, qui j'ai tué, ou si je me suis brossé les cheveux...* « Jon me ressemble, tout bâtard qu'il est. Il m'ébouriffait les cheveux et m'appelait "sœurette". » Jon lui manquait plus que tout au monde. Le seul fait d'avoir prononcé son nom lui chavira le cœur. « Comment connais-tu son existence ?

— Il est mon frère de lait.

— Frère ? » Elle n'y comprenait rien. « Mais tu es de Dorne. Comment pourriez-vous être du même sang, toi et Jon ?

— Frères *de lait*. Pas de sang. Madame ma mère n'ayant pas de lait, quand j'étais petit, c'est Wylla qui a dû me donner le sein. »

Arya s'y perdait. « C'est qui, Wylla ?

— La mère de Jon Snow. Il ne t'a jamais dit ? Elle est restée à notre service pendant des années et des années. Elle s'y trouvait dès avant ma propre naissance.

70

— Jon n'a jamais connu sa mère. Même pas son nom. » Elle lui jeta un regard rétif. « Tu la connais, toi ? Vraiment ? » *Serait-il en train de se moquer de moi ?* « Si tu mens, je te casse la figure.

— Wylla était ma nourrice, maintint-il d'un ton solennel. Je le jure, sur l'honneur de ma maison.

— Tu as une maison ? » Une question stupide. Puisqu'il était écuyer, naturellement qu'il avait une maison. « Qui *es*-tu donc ?

— Madame ? » Il prit un air embarrassé. « Je suis Edric Dayne, le... – le sire des Météores. »

Dans leur dos, Gendry poussa un grognement. « Des beaux sires et des gentes dames ! » s'exclamat-il d'un ton écœuré. Arya rafla au vol sur une branche basse une pomme sauvage toute racornie et l'en bombarda. Le fruit rebondit sur son mufle épais de taureau. « Aïe ! cria-t-il, fait mal... » Il tâta sa pommette. « Quel genre t'es de gente dame pour lancer comme ça des pommes à la tête des gens ?

— Le vilain genre », dit-elle, soudain contrite. Et, s'adressant de nouveau à Ned : « Je suis navrée de n'avoir pas su qui vous étiez, messire.

— La faute en est à moi, madame. » Il était extrêmement poli.

Jon a une mère. Une mère qui s'appelle Wylla. Il fallait à tout prix qu'elle se rappelle, *Wylla*, pour pouvoir lui dire, la prochaine fois qu'elle le verrait. L'appellerait-il toujours « sœurette », au fait ? *Je ne suis plus si petite que ça. Il faudrait qu'il me trouve quelque chose d'autre.* Une fois rendue à Vivesaigues, elle n'aurait peut-être qu'à lui écrire une lettre pour l'aviser des propos tenus par Ned Dayne. « Dayne..., mais il y a eu un Arthur Dayne, se souvint-elle en sursaut. Celui que l'on surnommait "l'Épée du Matin".

— Mon père était le frère aîné de ser Arthur. Lady Ashara était ma tante. Mais je ne l'ai pas connue. Je n'étais pas né quand elle s'est précipitée dans la mer du haut de la Sabrecaux.

— Pourquoi a-t-elle fait une chose pareille ? » dit Arya, suffoquée.

Il parut hésitant. Peut-être craignait-il qu'elle ne lui jette quelque chose à la tête aussi. « Messire votre père ne vous a jamais parlé d'elle ? demanda-t-il. Lady Ashara Dayne, des Météores, non ?

— Non. Il la connaissait ?

— Robert n'était pas encore roi. Elle a rencontré votre père et ses frères à Harrenhal, l'année du printemps fallacieux.

— Ah. » Tout ce qu'elle trouva à dire. « Mais pourquoi sauter dans la mer ?

— Elle avait le cœur brisé. »

Là, Sansa se serait fendue d'un gros soupir et d'une larme en l'honneur du véritable amour, mais Arya jugea ça tout bonnement stupide. Il était toutefois malséant de le dire à Ned, puisqu'il s'agissait de sa propre tante. « Quelqu'un le lui avait brisé ? »

Il renâcla. « Ce n'est peut-être pas à moi de...

— *Parle.* »

Il lui lança un coup d'œil gêné. « D'après Tante Allyria, votre père et lady Ashara s'étaient épris l'un de l'autre, à Harrenhal, et...

— Cela n'est pas. Il aimait madame ma mère.

— J'en suis persuadé, madame, et cependant...

— Elle est *la seule* qu'il ait aimée.

— C'est sous une feuille de chou qu'il a dû se trouver ce bâtard, alors », commenta Gendry derrière eux.

Que n'avait-elle une autre pomme pour l'assommer... ! « Mon père avait *de l'honneur*, répliqua-t-elle avec colère. Et puis d'abord nous ne *te* parlions pas.

Pourquoi ne pas plutôt retourner à Pierremoûtier sonner les stupides cloches de cette fille ? »

Gendry dédaigna la pointe. « Au moins ton père, lui, il a *élevé* son bâtard, c'est pas comme le mien. Je sais même pas le nom de mon père. Un poivrot puant, je parie, comme les autres que ma mère ramenait du boui-boui chez nous. Chaque fois qu'elle entrait en rogne avec moi, le refrain, c'était : "Si ton père était là, tu verrais la trempe qu'il te filerait." Voilà tout ce que je sais de lui. » Il cracha. « Eh bien, tiens, moi, il serait là, maintenant, ben, c'est peut-être *lui* qui la prendrait, sa trempe. Mais il est mort, je suppose, et comme ton père est mort lui aussi, qu'est-ce que ça peut foutre, qui a couché avec ? »

Ça faisait beaucoup, pour Arya, tout incapable qu'elle aurait été d'expliquer pourquoi. En la voyant bouleversée, Ned se confondit en excuses, mais elle n'eut pas envie de les subir et, piquant des deux, les planta là, lui et Gendry. Anguy l'Archer chevauchait pas très loin devant. Une fois à sa hauteur, elle demanda : « C'est menteur, les Dorniens, non ?

— Ils sont célèbres pour cela. » Il eut un large sourire. « De nous, les Marchiens, ils disent évidemment la même chose, et pourtant te voilà. Qu'est-ce qui te tracasse, à présent ? Ned est un bon gosse...

— Il n'est qu'un stupide menteur. » Au mépris des clameurs que poussaient les brigands derrière elle, Arya quitta le sentier, sauta un tronc pourri, franchit un ruisseau dans des gerbes d'éclaboussures. *Ils veulent juste me débiter de nouveaux mensonges, et c'est tout.* Elle fut tentée d'essayer de leur fausser compagnie, mais ils étaient trop nombreux, et ils connaissaient trop bien la région. À quoi bon s'enfuir, si c'était pour se faire finalement rattraper ?

C'est Harwin qui, finalement, se porta près d'elle. « Où comptez-vous aller, madame ? Vous ne devriez pas filer comme ça. Il y a des loups, dans ces bois, et des choses pires.

— Je n'ai pas peur, fit-elle. Ce mioche de Ned prétend...

— Il m'a dit ça, ouais. Lady Ashara Dayne. C'est une vieille histoire, ça. Je l'ai entendu conter moi-même à Winterfell, dans le temps, quand je n'étais pas plus âgé que vous. » Il empoigna fermement la bride et fit faire demi-tour au cheval. « Je la crois dépourvue du moindre fondement. Mais en aurait-elle un, et alors ? Quand Ned rencontra cette dame dornienne, Brandon, son frère, était encore en vie, et c'était lui, le promis de lady Catelyn, si bien que rien n'entache là l'honneur de votre père. Il n'y a rien de tel qu'un tournoi pour vous échauffer le sang ; alors, il se peut qu'une nuit, sous la tente, aient été chuchotées certaines paroles, qui sait ? Des paroles et des baisers, voire davantage, mais quel mal y a-t-il à cela ? Le printemps était arrivé, du moins le croyaient-ils, et aucun des deux n'avait encore engagé sa foi.

— Elle s'est tuée, cependant, dit-elle d'un ton mal assuré. D'après Ned, elle s'est jetée dans la mer du haut d'une tour.

— En effet, reconnut Harwin tout en la ramenant vers la bande, mais par chagrin, je parierais. Elle venait de perdre l'un de ses frères, l'Épée du Matin. » Il secoua la tête. « Laissez reposer cette histoire, madame. Ils sont morts, tous. Laissez-la reposer..., et, s'il vous plaît, n'en touchez mot à votre mère quand nous atteindrons Vivesaigues. »

Le village se trouvait tout juste où Coche avait garanti qu'on le trouverait. On s'abrita dans une étable de pierre grise. Elle n'avait plus que la moitié du toit, mais c'était moitié plus que n'en offrait aucun des autres bâtiments de tout le patelin. *Ce n'est pas un village, ce n'est qu'un amas de pierres noires et de vieux os.* « Les Lannister ont tué les gens qui vivaient ici ? questionna-t-elle, comme elle aidait Anguy à sécher les chevaux.

— Non. » Il tendit le doigt. « Regarde comme la mousse est épaisse sur les décombres. Belle lurette que personne n'y a farfouillé. Et un arbre a poussé dans le mur, là, vois ? On a incendié cette place voilà bien longtemps.

— Qui ça, alors ? demanda Gendry.

— Hoster Tully. » Maigre et voûté sous ses cheveux gris, Coche était né dans le coin. « Le village appartenait à lord Bonru. Quand Vivesaigues se déclara en faveur de Robert, Bonru demeura fidèle au roi, de sorte que lord Tully lui fondit dessus, fer et torche au poing. Après le Trident, le fils de Bonru fit sa paix avec Robert et avec lord Hoster, mais les morts, eux, ça leur faisait une belle jambe. »

Un silence tomba. Après un coup d'œil bizarre du côté d'Arya, Gendry parut s'absorber dans l'étrillage de son cheval. À l'extérieur, la pluie tombait, tombait, tombait. « Un feu ne serait pas du luxe, je prétends, déclara Thoros. La nuit est sombre et pleine de terreurs. Et terriblement humide, hein ? Si terriblement humide... »

Jack-bonne-chance débita le bois sec d'une ancienne stalle, pendant que Coche et Merrit ramassaient de la paille en guise de sarments. Après que Thoros eut en personne battu le briquet, Lim se servit de son grand manteau jaune pour attiser les flammes jusqu'à ce qu'elles vrombissent en tourbillonnant, et il fit bientôt presque chaud dans l'étable. Le prêtre rouge s'assit en tailleur devant elles et se mit, tout à fait comme à Noblecœur, à les dévorer des yeux. Arya ne le lâchait pas du regard, elle vit une fois ses lèvres bouger, crut même l'entendre marmonner « Vivesaigues ». Lim ne cessait d'aller et venir en toussant, singé pas pour pas par une ombre démesurée, tandis que Tom des Sept retirait ses bottes et se massait les pieds. « Je dois être dingue pour revenir à Vivesaigues, soliloquait-il d'un ton geignard. Les Tully n'ont jamais porté chance au vieux Tom. C'est leur Lysa qui m'avait lancé sur la grand-route, la fois où les types de la lune m'ont piqué mon or et mon cheval et tous mes vêtements, en plus. Il y a dans le Val des chevaliers qui racontent encore mon arrivée là-haut, à la Porte Sanglante, avec rien que ma harpe pour préserver ma pudicité. Ils m'obligèrent à chanter *Le Roi sans vaillance* et *En costume de nouveau-né* avant de m'ouvrir leur satanée porte. Ma seule consolation fut d'en voir trois crever de rire. Je n'ai pas remis les pieds aux Eyrié depuis, et jamais plus je ne chanterai *Le Roi sans vaillance*, dût-on pour cela m'offrir tout l'or de Castral...

— *Lannister*, fit Thoros. Rugissant rouge et or. » Il se leva d'un bond pour aller trouver lord Béric. Lim et Tom les rejoignirent sans perdre une seconde. Arya ne percevait pas leurs propos, mais le chanteur n'arrêtait pas de lui décocher des coups d'œil furtifs, et Lim, une fois, fut pris d'une telle rogne qu'il en bourra le mur de coups de poing. Et puis lord Béric la convia d'un geste à se rapprocher. La dernière chose dont elle eût envie, mais Harwin lui appliqua la main au bas des reins et, d'une poussée, la fit avancer. Au bout de deux pas, elle balança, prise de panique. « Messire. » Qu'avait à lui annoncer lord Béric ? Elle attendit.

« Dis-lui, Thoros », ordonna le seigneur la Foudre.

Le prêtre rouge s'accroupit près d'elle. « Madame, dit-il, le Maître vient de m'octroyer une vision de Vivesaigues. Telle une île au milieu d'une mer de feu. Les flammes étaient des lions bondissants à longues griffes écarlates. Et comme elles rugissaient ! Une mer de Lannister, madame. Vivesaigues va être bientôt attaqué. »

Elle eut l'impression qu'il venait de la frapper au creux de l'estomac. « *Non !*

— Si, ma douce, reprit-il, si. Les flammes ne mentent pas. Parfois, je les lis de travers, en aveugle idiot que je suis. Mais pas ce coup-ci, je pense. Les Lannister assiégeront Vivesaigues sous peu.

— Robb les battra. » Son visage se buta. « Il les battra comme il l'a déjà fait.

— Ton frère est peut-être parti, dit Thoros. Et ta mère aussi. Je ne les ai pas aperçus dans les flammes. Ces noces dont parlait la vieille, des noces aux Jumeaux..., elle a des moyens à elle pour savoir des choses, celle-là. Les barrals lui chuchotent à l'oreille, durant son sommeil. Si elle affirme que ta mère s'est rendue aux Jumeaux... »

Arya déchargea sa hargne sur Lim et Tom. « Vous ne m'auriez pas capturée, j'y *serais* ! je serais *chez moi* ! »

Lord Béric ne tint aucun compte de son explosion. « Madame, intervint-il d'un ton las et courtois, se ferait-il que vous connaissiez de vue le frère de votre grand-père ? Ser Brynden Tully, qu'on appelle aussi le Silure ? Vous connaîtrait-il, d'aventure, lui ? »

Arya fit un signe piteux de dénégation. Elle avait certes entendu sa mère parler de ser Brynden le Silure mais, à supposer qu'elle l'eût jamais rencontré, elle devait être trop petite à l'époque pour en conserver le moindre souvenir.

« Guère de chance que le Silure verse un bon prix pour une gamine inconnue de lui, grinça Tom. Ces Tully n'étant qu'une clique d'aigres soupçonneux, il va sûrement croire que nous cherchons à lui vendre du frelaté.

— On le convaincra, se targua Lim Limonbure. *Elle* le fera, ou Harwin. C'est Vivesaigues, le plus près. Y a qu'à l'emmener là-bas, je dis, et empocher l'or, et on sera putain débarrassés d'elle une fois pour toutes.

— Et si les Lannister nous piègent dans le château ? fit Tom. Ils n'auraient pas de plus grand bonheur que de suspendre Sa Seigneurie dans une cage en haut de leur Castral Roc.

— Je n'entends pas me laisser capturer », déclara lord Béric. Le terme décisif flotta, implicite, sur l'assistance. *Vivant*. Tous le perçurent, même Arya, bien qu'il le gardât soigneusement par-devers lui. « Toujours est-il qu'en l'occurrence il serait téméraire à nous de procéder à l'aveuglette. Je veux savoir où se trouvent les armées, celle des loups comme celle des lions. Sherna saura bien quelque chose, et le mestre de lord Vance davantage encore. La Glandée n'est pas loin. Lady Petibois nous hébergera quelque temps, le temps qu'il faudra à nos éclaireurs pour apprendre... »

Les propos qu'il tenait battaient les tympans d'Arya comme des martèlements de tambour et, brusquement, c'en fut plus qu'elle ne pouvait supporter. Elle voulait Vivesaigues, pas La Glandée, elle voulait sa mère et son frère Robb, pas lady Petibois ou un oncle qu'elle n'avait jamais vu. En trombe, elle se rua vers la porte et, lorsque Harwin essaya d'agripper son bras, elle l'esquiva d'une pirouette, preste comme un serpent.

Dehors, la pluie s'acharnait, de lointains éclairs zébraient l'ouest. Arya courait de toutes ses forces. Elle ignorait où elle allait, elle ne savait qu'une chose, c'est qu'elle avait envie d'être seule, au diable de toutes ces voix, au diable de leurs mots creux, de leurs promesses bafouées. *Je ne voulais rien d'autre, moi, qu'aller à Vivesaigues.* Mais c'était sa faute, aussi, sa faute à elle, jamais elle n'aurait dû emmener d'Harrenhal Tourte-chaude et Gendry. Elle se serait bien mieux débrouillée, toute seule. Si elle avait été toute seule, jamais les brigands ne l'auraient capturée, et elle serait à présent avec Robb et avec sa mère. *Ils n'ont jamais été ma meute. S'ils l'avaient été, jamais ils ne m'auraient abandonnée.* Elle pataugea au galop dans une mare d'eau boueuse. Il y avait quelqu'un qui gueulait son nom, Harwin sans doute, ou bien Gendry, mais le tonnerre noya tout en roulant à travers les monts, moins d'une seconde après un éclair. *Le seigneur la Foudre !* songea-t-elle avec rage. Peut-être bien qu'il ne pouvait mourir, mais mentir, ça, il savait le faire.

Quelque part sur sa gauche, un cheval hennit. Elle ne devait pas se trouver à plus de cent pas des étables, et elle était déjà trempée jusqu'à l'os. Elle tourna vivement le coin de l'une des maisons en ruine, dans l'espoir que les murs moussus la protégeraient de la pluie, et elle faillit bouler droit dans l'une des sentinelles. Une main tapissée de maille se referma durement sur son bras.

« Vous me faites *mal* ! protesta-t-elle en se tortillant dans l'étau. *Lâchez*-moi, j'allais revenir, je...

— Revenir ? » Le rire de Sandor Clegane était aussi grinçant que le fer sous la pierre. « T'en foutrai, fille loup ! À moi que tu *reviens*... » Il n'eut besoin que d'une main pour l'arracher de terre et l'emporter, ruant des quatre fers, en direction de sa monture. La pluie glacée qui les cinglait tous deux noyait les cris d'Arya qui, dans sa cervelle, ne trouva rien d'autre que la question qu'il lui avait posée naguère : *Tu sais, les chiens, ce qu'ils font aux loups ?*

JAIME

Malgré l'opiniâtreté de la fièvre à se cramponner, le moignon se cicatrisait proprement, et Qyburn prétendait que le bras ne courait plus aucun danger. Jaime n'aspirait à rien tant qu'à voir des lieues et des lieues rejeter loin derrière Harrenhal et les Pitres Sanglants et Brienne de Torth. Au Donjon Rouge, une femme, une vraie, se languissait de lui.

« Je vous fais accompagner par Qyburn, expliqua Roose Bolton le matin du départ, afin qu'il veille constamment sur vous jusqu'à Port-Réal. Son plus cher espoir est qu'en témoignage de gratitude votre père obligera la Citadelle à lui restituer sa chaîne.

— Des plus chers espoirs, nous en avons tous. S'il me repousse une main, mon père le fera Grand Mestre. »

Walton Jarret-d'acier commandait l'escorte ; abrupt, brusque et brutal, simple soldat jusqu'au trognon. Son service avait conduit Jaime à pratiquer depuis toujours cet acabit-là. Les pareils de Walton tuaient au doigt et à l'œil, violaient après que la bataille avait mis leur sang en ébullition, pillaient partout où c'était possible et puis, la guerre achevée, chacun regagnait son petit chez-soi, troquait la pique contre la houe, se mariait avec la fille du voisin, élevait sa tripotée de braillards merdeux. Ils obéissaient sans poser de questions, mais la perversité, le sadisme insondables des Braves Compaings leur étaient foncièrement étrangers.

Deux troupes quittaient Harrenhal de conserve ce matin-là, sous un ciel gris et froid qui promettait la pluie. Ser Aenys Frey l'ayant précédé de trois jours pour gagner la route Royale au nord-est, Bolton entendait lui emboîter le pas dès à présent. « Le Trident est en crue, dit-il à Jaime. Même au gué des rubis, sa traversée sera difficile. Vous voudrez bien transmettre à votre père mes chaleureuses salutations, n'est-ce pas ?

— Dans la mesure où vous transmettrez les miennes à Robb Stark.

— Je n'y manquerai pas. »

Une poignée de Braves Compaings s'étaient regroupés dans la cour pour assister à leur départ. Jaime trotta jusqu'à eux. « Zollo. Trop aimable à toi de t'être dérangé. Pyg. Timeon. Vais-je vous manquer ? Pas de dernière blague à m'offrir, le Louf ? Pour m'illuminer le trajet ? Et toi, Rorge, c'est un baiser d'adieu que tu veux me donner ?

— Va te faire foutre, estropié, fit Rorge.

— Si tu insistes. Mais, rassure-toi, je reviendrai. Un Lannister paie toujours ses dettes. » Il fit volter son cheval et rejoignit Walton Jarret-d'acier qui patientait avec ses deux cents hommes.

Préférant ignorer la main disparue qui rendait burlesque un équipage aussi martial, Roose Bolton l'avait accoutré en chevalier. Flamberge et dague au ceinturon, heaume et bouclier suspendus à la selle, Jaime allait revêtu de maille et d'un surcot brun sombre. De là à afficher sur ses armes le lion Lannister ou, quelque droit qu'il y eût en sa qualité de frère juré, les neiges immaculées de la Garde, pas si fou. Il s'était déniché dans l'armurerie une vieillerie cabossée, balafrée d'écu dont la peinture écaillée laissait encore discerner la grande chauve-souris noire sur champ or et argent de la maison Lothston. Prédécesseurs des Whent à Harrenhal, les Lothston avaient été en leur temps de puissants seigneurs, mais il y avait tant de lustres que leur lignée s'était éteinte qu'usurper leurs armes n'exposait guère aux objections. Sous leur couvert, il ne serait le cousin de personne, l'ennemi de personne, l'épée lige de personne..., personne, en un mot.

Ils sortirent d'Harrenhal par la petite poterne de l'est et ne prirent définitivement congé de Roose Bolton et de son armée que six milles au-delà, pour suivre en direction du sud un bout du chemin qui longeait le lac. Walton avait l'intention d'éviter par prudence aussi longtemps que possible la route Royale et de privilégier les pistes rustiques et autres sentes à gibier.

« La grand-route serait plus rapide. » Jaime brûlait de retrouver Cersei le plus tôt possible. À condition qu'on se dépêche, il lui serait même possible d'arriver à temps pour assister aux noces de Joffrey.

« J'veux pas d'ennuis, lui opposa Jarret-d'acier. Y a que les dieux qui savent sur quoi on tomberait le long de la route Royale.

— Personne que vous ayez à redouter, sans doute ? Vous avez deux cents hommes...

— Ouais. Mais les autres pourraient avoir plus. M'sire a dit de vous rapporter sain et sauf à votre seigneur père, et c'est ce que je compte faire. »

Je suis déjà passé par là, se dit Jaime quelques lieues plus loin, comme on dépassait un moulin désert près du lac. L'herbe folle occupait désormais les lieux où, jadis, lui avait timidement souri la fille du meunier, tandis que le père lui criait : « Le tournoi, vous y tournez le dos, ser ! » *Comme si je ne l'avais pas su...*

Du grand spectacle, son investiture, voilà ce qu'en avait fait le roi Aerys. Il se revit prononcer ses vœux devant le pavillon royal, s'agenouiller sur l'herbe verte en grand arroi blanc, tandis que la moitié du royaume attachait son regard sur lui. Quand ser Gerold Hightower le releva pour lui draper les épaules du grand manteau blanc, quelles clameurs, que d'ovations, il les avait encore dans l'oreille, tant d'années après. Mais, dès le soir de ce même jour, Aerys avait viré à l'aigre et déclaré qu'il n'avait que faire à Harrenhal de *sept* membres de la Garde. Et Jaime s'était vu commander de retourner à Port-Réal veiller sur la reine et le petit prince Viserys, demeurés là-bas. Et, lors même que le Taureau Blanc s'était offert à assumer la tâche en ses lieu et place pour le laisser prendre part au tournoi, Aerys avait refusé, disant : « Il ne s'acquerra nulle gloire ici. Il est à moi, dorénavant, pas à Tywin. Il servira comme je juge qu'il convient. Je suis le roi. J'exige, et il obéira. »

Il avait alors compris tout à coup. Ce n'était pas son adresse à la lance et l'épée qui lui avait valu son fameux manteau blanc, pas plus que les exploits qu'il avait accomplis contre la Fraternité Bois-du-Roi. Aerys ne l'avait choisi qu'afin d'ulcérer son père en le dépossédant de son héritier.

Même à présent, tant d'années après, le coup gardait un goût saumâtre. Et, ce jour-là, comme il chevauchait vers le sud dans son manteau blanc tout neuf pour aller monter la garde dans un château vide, il avait bien cru ne pouvoir l'encaisser. Il aurait volontiers lacéré son manteau toutes affaires cessantes s'il l'avait pu, mais c'était trop tard. Il avait prononcé les formules sacramentelles au vu et au su de la moitié du royaume, et c'était à vie que servaient les gardes personnels du roi...

Qyburn vint se porter à sa hauteur. « Est-ce votre main qui vous tourmente ?

— C'est son absence qui me tourmente. » Le plus dur était le matin. Dans ses rêves, Jaime était un homme entier, et, dans le demi-sommeil de l'aube, il sentait toujours se mouvoir ses doigts. *C'était un cauchemar*, chuchotait une partie de lui qui refusait d'admettre, même maintenant, *rien qu'un cauchemar*. Mais, sur ce, il ouvrait les yeux.

« Je me suis laissé dire que vous aviez eu de la visite, la nuit dernière, reprit Qyburn. J'espère qu'elle vous a fait plaisir ? »

Jaime lui jeta un regard froid. « Elle n'a pas dit qui la dépêchait. »

Le mestre sourit avec modestie. « Votre fièvre ayant quasiment disparu, j'ai pensé qu'un rien d'exercice vous réjouirait. Pia est des plus habiles, iriez-vous en disconvenir ? Et elle y met tant de... de bonne volonté. »

À cet égard, rien à redire, effectivement. Elle s'était si prestement glissée dans la chambre et déshabillée qu'il l'avait d'abord prise pour un simple songe.

Pour n'émerger de sa torpeur que lorsque, la sentant se faufiler sous les couvertures, il avait découvert un sein au creux de sa main valide. *Un friand morceau, la mignonne, aussi.* « J'étais qu'une môme quand t'es venu au tournoi de lord Whent et que le roi t'a donné ton manteau, confessa-t-elle. C'que t'étais beau, tout en blanc ! Puis c'était qu'un cri que t'étais le brave chevalier. Y a des fois qu'avec certains types je ferme les yeux pour me figurer que c'est toi que j'ai, dessus moi, ta peau douce et tes boucles d'or. Mais jamais j'avais cru, ça non, que je finirais par t'avoir. »

Après un pareil préambule, la renvoyer n'avait pas été bien facile, mais il y était quand même parvenu. *En fait de femme, je suis pourvu*, se rappela-t-il. « Des filles, vous en expédiez à tous ceux que vous soumettez aux sangsues ? s'enquit-il.

— C'est plutôt lord Varshé qui m'en expédie, d'habitude. Il aime bien que je les examine, avant..., bref, disons simplement qu'une imprudence l'ayant échaudé il ne désire pas récidiver. Mais ne craignez rien, Pia est parfaitement saine. Autant que peut l'être votre petite merveille de Torth. »

Jaime lui jeta un regard acéré. « Brienne ?

— Oui. Une force de la nature, celle-là. Et son pucelage toujours intact. Au moins jusqu'à la nuit dernière. » Il émit un gloussement.

« Il vous l'a fait examiner ?

— Pardi. C'est un... scrupuleux, dirons-nous ?

— La procédure avait-elle un rapport quelconque avec la rançon ? s'enquit Jaime. Le père exigerait-il la preuve qu'elle est toujours vierge ?

— Vous n'êtes donc pas au courant ? » Qyburn fit un haussement d'épaules. « Il nous est arrivé un oiseau de lord Selwyn. En réponse au mien. L'Étoile du Soir offre trois cents dragons pour récupérer sa fille saine et sauve. J'avais averti lord Varshé qu'il n'y avait pas de saphirs à Torth, mais il se refuse à l'entendre. Il est convaincu que l'Étoile du Soir cherche à le flouer.

— Trois cents dragons, c'est une coquette rançon, pour un chevalier. La chèvre ferait bien de la brouter vite.

— La chèvre est sire d'Harrenhal, et le sire d'Harrenhal ne chipote point. »

La nouvelle irrita Jaime, encore qu'il eût dû s'y attendre, tout bien réfléchi. *Le mensonge t'a préservée quelque temps, fillette. Rends au moins grâces pour le délai.* « Si son pucelage est aussi coriace que le reste de sa personne, la chèvre se rompra la couette en essayant de se la farcir », blagua-t-il. Brienne avait le cuir suffisamment épais pour survivre à quelques viols, estima-t-il, mais qu'elle opposât une résistance trop vigoureuse, et le Varshé Hèvre risquait de se mettre à lui débiter les pieds et les mains. *Et quand bien même il le ferait, que me chaut ? J'aurais encore ma main, si cette buse n'avait à tout prix voulu me reprendre l'épée du cousin.* Il s'en était fallu de rien que la jolie botte qu'il lui avait lui-même d'abord portée ne la prive d'un jambonneau, mais c'était elle, après, qui lui avait donné plus que son content de fil à retordre... *Hèvre ne se doute pas forcément des muscles monstrueux qu'elle a. Il a intérêt à faire gaffe, ou elle lui tordra net son cou de poulet, voilà-t-il pas qui serait charmant ?*

La compagnie de Qyburn lui étant pesante, il piqua un trot vers la tête de la colonne. Aussi replet qu'une tique, un petit bonhomme du Nord, un certain Nage, marchait devant Jarret-d'acier, brandissant la bannière blanche – une bannière en fait à rayures arc-en-ciel, munie de sept longues basques, et dont la hampe était surmontée d'une étoile à sept branches. « Ne devriez-vous pas, vous autres, nordiers, en arborer une toute différente ? jeta-t-il à Walton en la désignant. Que vous sont les Sept, à vous ?

— Des dieux sudiers, répondit l'autre. Mais c'est d'une paix sudière qu'on a besoin pour vous rendre à votre père sain et sauf. »

Mon père. Lord Tywin avait-il reçu la demande de rançon de la chèvre, accompagnée ou pas de la main pourrie ? *Que vaut un homme d'épée, sans sa main d'épée ? La moitié de l'or de Castral Roc ? Trois cents dragons ? Ou pas un liard ?* Jamais Père ne s'était laissé outre mesure ballotter par les sentiments. Son propre père, lord Tytos, ayant un jour fait incarcérer un banneret rétif, lord Tarbeck, la redoutable lady Tarbeck avait riposté par la capture de trois Lannister, du petit Stafford, notamment, dont la sœur était promise à son cousin Tywin. « Rendez-moi mon bien-aimé sire, ou bien, manda la dame à Castral Roc, tous trois répondront du moindre mal qui lui sera fait. » Tout jeune qu'il était, Tywin suggéra à son père d'obliger l'épouse en lui retournant son précieux sire en trois morceaux. Mais, comme lord Tytos était un lion d'un genre plus gracieux, lady Tarbeck obtint un sursis de quelques années pour sa tête de veau favorite, et Stafford n'eut que trop loisir de convoler, procréer, commettre bourde sur bourde jusqu'à Croixbœuf. Tandis que perdurait, lui, Tywin Lannister, aussi éternel que le Roc. *Et voici qu'en plus d'un nain vous échoit pour fils un estropié, messire. Comme vous allez détester cela...*

Leur itinéraire les amena à traverser un village incendié. Cela faisait un an, voire davantage, qu'on y avait mis le feu. Les masures noircies n'avaient plus de toit, la mauvaise herbe vous montait jusqu'à la ceinture dans tous les champs environnants. Jarret-d'acier fit faire halte, le temps pour chacun d'abreuver son cheval. *Ce coin aussi, je le connais,* songea Jaime en faisant la queue près du puits. De la modeste auberge où il était jadis entré boire un coup de bière ne subsistaient plus que quelques pierres des fondations et une cheminée. Une fille à l'œil noir lui avait servi du fromage et des pommes, mais le tenancier refusé qu'il paie son écot. « C'est un honneur, avoir un chevalier de la Garde sous mon toit, ser, avait-il dit. Et puis quelque chose que je raconterai à mes petits-enfants, d'abord. » En contemplant la cheminée qu'assaillait la végétation, Jaime se demanda si l'homme les avait jamais eus, ces petits-enfants. *Leur racontait-il que le Régicide avait une fois sifflé sa bière et croqué son fromage et ses pommes, ou la honte l'empêchait-elle même de reconnaître avoir hébergé un client tel que moi ?* La réponse, il ne la connaîtrait jamais. Quels qu'eussent été les incendiaires de l'auberge, ils avaient aussi très probablement massacré les petits-enfants.

Il sentit très distinctement ses doigts fantômes se serrer. Et, lorsque Jarret-d'acier suggéra qu'il ne serait peut-être pas si mal de faire du feu pour manger un morceau, il secoua la tête. « Cet endroit me déplaît. Nous continuons. »

Le jour déclinait lorsque, ayant quitté les bords du lac, ils empruntèrent un chemin défoncé dans des sous-bois de chênes et d'ormes. Son moignon lancinait salement Jaime quand Jarret-d'acier décida qu'on dresserait le camp. Qyburn avait emporté, par bonheur, une provision de vinsonge. Pendant que Walton établissait les tours de garde, Jaime s'étendit près du feu, la nuque étayée par une peau d'ours roulée en boule sur une souche. La fillette n'aurait pas manqué de le chapitrer pour qu'il se restaure avant de dormir, afin de mieux récupérer, mais il était plus vanné qu'affamé. Il ferma les paupières, espérant rêver de Cersei. La fièvre donnait aux rêves tant de crudité... !

Des ennemis le cernaient, seul et nu comme un ver, et de toutes parts l'enserraient des parois de pierre. *Le Roc*, se rendit-il compte. Il en sentait peser sur lui la masse prodigieuse. Chez lui, il était chez lui, et entier.

Il brandit bien haut sa main droite et fit jouer ses doigts pour en éprouver la vigueur. C'était aussi voluptueux que de baiser. Aussi voluptueux que de manier l'épée. *Un pouce et quatre doigts.* Il avait rêvé qu'il était mutilé, mais il n'en était rien. La tête lui tournait, de soulagement. *Ma main, ma bonne main.* Rien ne pouvait l'atteindre, aussi longtemps qu'il était entier.

Autour de lui se dressaient une douzaine de grandes silhouettes sombres dont les robes à coule cachaient les traits. Dans leurs mains se trouvaient des piques. « Qui êtes-vous ? les interpella-t-il. Que diable venez-vous faire à Castral Roc ? »

Pour toute réponse, ils se contentèrent de le taquiner avec la pointe de leurs piques. Il n'avait d'autre solution que de descendre. Un passage sinueux s'ouvrait devant lui pour ce faire, et qui le mena, par d'étroites marches taillées à vif dans la roche, plus bas, plus bas, toujours plus bas. *Il faut que je monte*, se dit-il. *Il me faut aller vers le haut, pas vers le bas. Pourquoi vais-je vers le bas ?* Là-dessous, dans les entrailles de la terre, l'attendait sa perte, il le savait avec la certitude que donnent les rêves ; là-dessous se trouvait tapi quelque chose de sombre et d'effroyable, quelque chose qui le voulait. Il tenta bien de s'arrêter, mais les piques le relancèrent en le taquinant. *Si seulement j'avais mon épée, il ne pourrait dès lors rien m'arriver.*

Brusquement, les marches s'interrompirent en faveur de ténèbres pleines d'échos. Jaime en perçut l'immensité. Il se pétrifia en sursaut, vacillant au bord du néant. Une pique lui asticota le bas des reins et le propulsa dans l'abîme. Il poussa un grand cri, mais la chute fut brève. Il atterrit à quatre pattes sur le sable fin d'un vague creux d'eau. Des grottes inondées, il y en avait bien, dans les entrailles de Castral Roc, mais celle-ci ne lui disait absolument rien. « Quel est ce lieu ?

— Ton lieu. » La voix se répercuta d'écho en écho, se fit cent voix, mille, et puis les voix de tous les Lannister, depuis Lann le Futé qui vivait à l'aube des temps. Mais c'était surtout la voix de son père, et auprès de lui se tenait Cersei, belle et pâle, une torche ardente à la main. Et Joffrey aussi se trouvait là, le fils de leurs œuvres, et, derrière eux, une autre douzaine de silhouettes sombres à chevelure d'or.

« Sœur, pourquoi Père nous a-t-il donc fait venir ici ?

— Nous ? C'est ton lieu, frère. Ce sont tes ténèbres. » Sa torche était l'unique lumière de la caverne. Sa torche était l'unique lumière de l'univers. Elle fit mine de partir.

« Restez avec moi, supplia-t-il. Ne me laissez pas seul ici. » Ils se retiraient tout de même. « *Ne me laissez pas dans le noir !* » Quelque chose d'effroyable y vivait tapi. « Donnez-moi une épée, au moins !

— Je t'ai donné une épée », déclara lord Tywin.

Elle était à ses pieds. Jaime tâtonna sous l'eau jusqu'à ce que sa main se referme sur la poignée. *Rien ne peut m'arriver, puisque j'ai une épée.* Comme il relevait l'épée, une flamme d'un doigt de long clignota sur la pointe et, remontant le fil, s'immobilisa à moins d'une main de la garde. Elle prit la couleur de l'acier lui-même, et la lueur bleu argent qu'elle émettait fit reculer le noir. Accroupi, tout ouïe, Jaime décrivit un mouvement circulaire, prêt à accueillir quoi que ce fût qui viendrait à surgir des ténèbres. L'eau, méchamment glacée, ruisselait dans ses bottes et lui montait à la cheville. *Prends garde à elle*, se dit-il. *Pourrait y avoir des créatures vivant dedans, des abysses dissimulés...*

De l'arrière vint un gros *plouf.* Jaime pivota vivement vers le bruit..., mais la lumière chiche ne lui révéla rien d'autre que Brienne de Torth, poings entravés par de lourdes chaînes. « J'ai juré d'assurer votre sécurité, fit-elle de son air buté. J'en ai fait le serment. » Elle était toute nue. Lui tendit les mains. « Ser. De grâce. Si ce n'est trop réclamer de votre bonté. »

Les anneaux d'acier se déchirèrent comme soie. « Une épée », conjura Brienne, et l'épée advint, le fourreau, le ceinturon, tout. Elle en ceignit sa taille épaisse. À peine Jaime la discernait-il, tant la lumière était faiblarde, malgré le peu de pas qui les séparait. *Dans cette pénombre, elle pourrait presque passer pour une beauté*, songea-t-il. *Dans cette pénombre, elle pourrait presque passer pour un chevalier*. À son tour, l'épée de Brienne s'enflamma d'une menue flamme bleu argent. Les ténèbres battirent en retraite un tout petit peu plus.

« Les flammes brûleront aussi longtemps que vous vivrez, lança la voix de Cersei. Qu'elles meurent, et c'en sera fait de vous.

— *Sœur !* hurla-t-il, reste avec moi..., *reste !* » Seul répondit le bruit feutré de pas qui s'éloignaient.

Les yeux fixés sur les scintillements mouvants de la flamme argentée, Brienne imprima des oscillations d'avant en arrière à sa longue épée. À ses pieds, la lame ardente se reflétait dans le miroir lisse d'eau noire. Bien que Brienne fût aussi grande et forte qu'il se la rappelait, Jaime avait néanmoins l'impression qu'elle était à présent moins hommasse d'aspect.

« Y aurait-il un ours en captivité, par ici ? » Brienne se mettait en mouvement, lente et circonspecte, lame au poing ; un pas dans un sens, un dans l'autre, et l'oreille tendue. Chacun de ses pas faisait un léger bruit d'éclaboussures. « Un lion des cavernes ? Un loup-garou ? Quelque ours ? Dites-moi, Jaime. Qu'est-ce qui vit ici ? Qu'est-ce qui vit dans ces ténèbres ?

— La mort. » *Pas d'ours.* Il le savait pertinemment. *Pas de lion.* « Seulement la mort. »

La froide lueur bleu argent des épées conférait à la grande bringue une pâleur farouche. « Cet endroit me déplaît.

— Je n'en suis pas fou, moi non plus. » Leurs deux lames faisaient un îlot de lumière, mais tout autour d'eux s'étendait une mer de ténèbres sans bornes. « J'ai les pieds trempés.

— Il nous serait possible de repartir par où on nous a amenés. Si vous grimpiez sur mes épaules, vous n'auriez aucun mal à atteindre l'entrée du tunnel. »

Et ça me permettrait de suivre Cersei... Se sentant entrer en érection à cette seule idée, il se détourna pour empêcher Brienne de le remarquer.

« Écoutez. » Elle lui mit une main sur l'épaule, et ce contact soudain le fit frissonner. *Elle est chaude.* « Quelque chose vient. » Brienne leva son épée, la pointa vers la gauche. « Là. »

Il scruta les ténèbres et finit par l'y discerner aussi. Quelque chose y bougeait, qu'il ne réussissait pas vraiment à identifier...

« Un homme à cheval. Non, deux. Deux cavaliers, côte à côte.

— Ici ? Dans les entrailles du Roc ? » C'était absurde. Et pourtant survenaient bel et bien des cavaliers, deux, montés sur des chevaux blêmes, et tous, hommes et bêtes, bardés d'armures. Au petit pas, les destriers émergèrent de la noirceur. *Ils ne font aucun bruit*, réalisa Jaime. *Ni de sabots ni d'éclaboussures ni de ferraillement.* Il se ressouvint d'Eddard Stark remontant à cheval tout du long la salle du trône d'Aerys dans un silence suffocant. De ses yeux qui seuls parlaient. Des yeux de seigneur, gris, froids, jugeant sans appel.

« Est-ce toi, Stark ? apostropha Jaime. Viens çà. Je ne t'ai jamais craint de ton vivant, je ne te crains pas, mort. »

Brienne lui toucha le bras. « D'autres. »

Il les vit aussi. Ils étaient tout armés de neige, lui sembla-t-il, et à leurs épaules ondoyaient des rubans de brume. La visière abaissée des heaumes occultait leurs traits, mais il n'avait que faire de ceux-ci pour les reconnaître.

Cinq d'entre eux avaient été ses frères. Oswell Whent et Jon Darry. Lewyn Martell, prince de Dorne. Le Taureau Blanc, Gerold Hightower. Ser Arthur Dayne, l'Épée du Matin. Et à leurs côtés, couronné de brume et de deuil, chevauchait, ses longs cheveux flottant derrière lui, Rhaegar Targaryen, prince de Peyredragon, légitime héritier du Trône de Fer.

« Vous ne me faites pas peur », lança-t-il en les défiant tour à tour du regard tandis qu'ils se scindaient vers ses flancs. Il ne savait auxquels faire face. « Je vous combattrai un par un ou tous à la fois. Mais pour le duel avec la fillette, qui répond présent ? Elle se met en colère, quand on la laisse en dehors du coup.

— J'ai juré d'assurer sa sécurité, déclara-t-elle à l'ombre de Rhaegar. J'en ai fait le serment sacré.

— Nous avons tous fait des serments », dit tristement, si tristement..., ser Arthur Dayne.

Les ombres se glissèrent à bas des chevaux fantômes. Leurs épées sortirent du fourreau sans le moindre bruit. « Il allait incendier la ville, plaida Jaime. Pour ne laisser que des cendres à Robert.

— Il était ton roi, dit Darry.

— Tu avais juré d'assurer sa sécurité, ajoute Whent.

— Ainsi que celle des enfants », renchérit le prince Lewyn.

En brûlant, le prince Rhaegar émettait une lumière froide, tantôt blanche, tantôt rouge, tantôt noire. « J'avais remis entre tes mains ma femme et mes enfants.

— Jamais je n'ai pensé qu'il leur ferait du mal. » Désormais, son épée luisait plus faiblement. « J'étais avec le roi...

— En train d'assassiner le roi, dit ser Arthur.

— De lui trancher la gorge, précisa le prince Lewyn.

— Le roi pour lequel tu avais juré de mourir », conclut le Taureau Blanc.

Les flammes qui couraient le long de la lame tremblotaient, tout près de s'éteindre, et Jaime se souvint de ce que Cersei avait annoncé. *Non.* La terreur lui empoigna la gorge. Et puis son épée devint toute noire, seule persistant à brûler celle de Brienne, tandis que sur lui se ruaient les spectres.

« Non, fit-il, non, non, non. *Noooooooooon !* »

Le cœur battant, il se réveilla en sursaut, pour se retrouver dans des ténèbres criblées d'étoiles, avec des arbres tout autour. Il avait dans la bouche le goût de la bile, et il grelottait, trempé de sueur, à la fois brûlant et glacé. Son regard s'abaissa vers sa main d'épée, le poignet s'achevait sur du cuir, du tissu langeant douillettement un moignon hideux. Il sentit des larmes lui brouiller subitement la vue. *Je l'ai perçu, j'ai perçu la vigueur de mes doigts, tout comme la rugosité du cuir sur la poignée de l'épée. Ma main...*

« Messire. » Qyburn s'agenouilla près de lui. L'inquiétude gaufrait sa figure paterne. « Que se passe-t-il ? Je vous ai entendu crier... »

Walton Jarret-d'acier vint les dominer de toute sa hauteur, maussade. « Que se passe-t-il ? Pourquoi vous avez gueulé comme ça ?

« — Un rêve..., rien qu'un rêve. » Il considéra le camp, tout autour, avec un peu d'égarement. « Je me trouvais dans le noir, mais j'avais de nouveau ma main. » Il jeta un coup d'œil au moignon, et il en fut malade une fois de plus, malade à crever. *Il n'existe pas d'endroit comme celui-là, sous le Roc*, songea-t-il. Son estomac vide avait des aigreurs, et la migraine le martelait juste au point où sur l'oreiller de fortune reposait son crâne.

Qyburn lui palpa le front. « Vous avez encore une pincée de fièvre.

— Un rêve fiévreux. » Jaime tendit sa main valide. « Aidez-moi. » Jarret-d'acier la saisit et, d'une traction, le remit sur ses pieds.

« Une autre coupe de vinsonge ? proposa Qyburn.

— Non. Assez songé, pour cette nuit. » Il se demanda combien de temps le séparait encore de l'aube. Il savait de toute façon que, s'il fermait seulement un œil, il replongerait dans les mêmes ténèbres humides et glacées.

« Du lait de pavot, alors ? Et quelque chose contre votre fièvre ? Vous n'êtes pas encore bien gaillard, messire. Vous avez besoin de dormir. De vous reposer. »

C'est bien la dernière chose que j'entends faire. Le clair de lune barbouillait de lait la souche qui lui avait servi d'appuie-tête. Il ne l'avait pas remarqué jusque-là, tant était épaisse la mousse qui la tapissait, mais il le voyait à présent, les bois étaient tout blancs. Cela lui remémora Winterfell, avec l'arbre-cœur de Ned Stark. *Ce n'était pas Ned*, se dit-il. *Ce n'a jamais été lui.* Du reste, la souche était morte, aussi morte que l'était Stark et que l'étaient les autres, le prince Rhaegar et ser Arthur et les mioches, tous. *Et Aerys. Aerys est le plus mort de tous.*

« Vous croyez aux fantômes, mestre ? » demanda-t-il.

Une expression bizarre affecta les traits de Qyburn. « Un jour, à la Citadelle, je pénétrai dans une pièce vide et vis un siège vide. Cependant, je savais qu'une femme s'était trouvée là, peu d'instants avant. Le coussin gardait l'empreinte de son séant, le tissu en était tiède encore, et son parfum flottait dans l'air. Si nous laissons trace de nos odeurs lorsque nous quittons une pièce, forcément quelque chose de nos âmes doit subsister quand nous quittons cette vie, non ? » Il ouvrit ses mains. « Les archimestres n'appréciaient pas mon point de vue, toutefois. Enfin, Marwyn, si, mais il était le seul. »

Jaime se passa les doigts dans les cheveux. « Walton, dit-il, faites seller les chevaux. Je veux rebrousser chemin.

— Rebrousser chemin ? » Jarret-d'acier le regarda comme s'il n'en croyait pas ses oreilles.

Il pense que je perds la boule. Pas si faux, peut-être. « J'ai laissé quelque chose à Harrenhal.

— C'est lord Varshé qui tient désormais le château. Lui et ses Pitres Sanglants.

— Vous avez deux fois plus d'hommes que lui.

— Si je ne vous délivre pas à votre père comme ordonné, lord Bolton me fera la peau. On continue vers Port-Réal. »

Avant, Jaime aurait peut-être riposté par une menace assortie d'un sourire, mais les manchots sont mal à même d'inspirer la peur. Il se demanda comment s'y prendrait Tyrion. *Lui trouverait un biais.* « Les Lannister mentent, Jarret-d'acier. Lord Bolton ne t'a pas prévenu ? »

L'autre fronça un sourcil soupçonneux. « Et même que s'il l'aurait fait ?

— À moins que tu ne me ramènes à Harrenhal, la chanson que je chanterai à mon père risque fort d'être une chanson que le sire de Fort-Terreur ne serait pas ravi d'entendre. Je pourrais aller jusqu'à dire que c'est sur un ordre exprès de Bolton qu'on m'a tranché la main et, le cas échéant, que c'est Walton Jarret-d'acier qui s'est chargé de la besogne. »

Walton en resta pantois. « C'est pas vrai.

— Non, mais qui mon père en croira-t-il ? » Jaime se força à sourire comme il souriait du temps où rien au monde n'était capable de l'effrayer. « Tout serait tellement plus simple, si nous rebroussions d'abord notre petit bout de chemin. Cela ne nous retarderait guère, et je chanterais à Port-Réal, ensuite, une chanson tellement suave que tu n'en reviendrais pas. Et, en plus d'embarquer la fille, tu empocherais une jolie bourse toute dodue d'or à titre de remerciement.

— D'or ? » Walton ne boudait pas franchement l'idée. « Combien d'or ? »

Je le tiens. « Eh bien, combien voudrais-tu ? »

Et c'est ainsi qu'au lever du soleil on se trouvait à mi-chemin déjà d'Harrenhal.

Jaime poussait son cheval beaucoup plus vivement qu'il n'avait fait la veille, et Jarret-d'acier se voyait, tout autant que ses subordonnés, contraint à soutenir l'allure. En dépit de quoi il était midi lorsqu'on atteignit le château. Sous le ciel de plus en plus sombre et lourd de menaces, les immenses murs et les cinq tours géantes avaient des noirceurs sinistres. *L'air tellement mort.* Déserts étaient les chemins de ronde, closes et barricadées les portes. Au-dessus de la barbacane pendouillait néanmoins, flasque, une bannière, une seule. *La chèvre noire de Qohor*, gagea-t-il sans risque d'erreur. Main et moignon en porte-voix, il cria : « Hé, vous, là-dedans ! Ouvrez vos portes, ou je les démolis à coups de pied ! »

Il fallut néanmoins que Qyburn et Jarret-d'acier fassent chorus pour qu'une tête finisse par apparaî-tre aux créneaux puis par disparaître, non sans s'être d'abord fort écarquillée de stupéfaction. Et l'on entendit peu après la herse se relever. Là-dessus, les portes s'ouvrirent à grand fracas, et Jaime Lannister piqua des deux pour franchir l'enceinte, avec à peine un coup d'œil vers les assommoirs de la voûte. Il avait redouté que la chèvre leur refusât l'entrée mais, apparemment, les Braves Compaings les pre-naient encore pour des alliés. *Crétins.*

Le poste extérieur était à l'abandon ; les seuls signes de vie provenaient des longues écuries cou-vertes d'ardoise, et, pour l'instant, Jaime se souciait de chevaux comme d'une guigne. Il tira sur les rênes et jeta un regard circulaire. De vagues bruits lui parvenaient de quelque part derrière la tour des Spectres, et des vociférations en six ou sept langues. Qyburn et Jarret-d'acier vinrent le flanquer. « Prenez ce que vous êtes venu chercher, et puis on se tire, dit Walton. Je veux pas d'emmerdes avec les Pitres.

— Dis à tes hommes de se tenir constamment prêts à dégainer, et les Pitres ne voudront pas davan-tage d'emmerdes avec toi. Deux contre un, te sou-viens ? » Un rugissement lointain, féroce quoique étouffé, lui fit brusquement pivoter la tête. Les échos des murs d'Harrenhal le répercutèrent, et le rire enfla comme un raz de marée. Ce qui se passait, il le comprit tout à coup. *Serions-nous arrivés trop tard ?* Son estomac fit une embardée. Enfonçant ses éperons dans les flancs du cheval, il traversa au galop le poste, passa sous l'arche d'un pont de pierre, contourna la tour Plaintive et enfila la cour aux Laves.

Ils l'avaient flanquée dans la fosse à l'ours.

Le roi Harren le Noir s'était offert la fantaisie de bâtir en style pompeux jusqu'à son arène de combat. Large de dix pas et profonde de cinq, la fosse, à parois de pierre et piste sablée, était encerclée par six rangées de bancs en marbre. Les Braves Compaings n'occupaient qu'un quart des gradins, nota Jaime, tout en sautant gauchement à bas de sa monture. Ils étaient d'ailleurs si fascinés par le spectacle en contrebas que seuls ceux qui se trouvaient assis juste à l'opposé remarquèrent les arrivants.

Brienne était affublée de la même robe catastrophique que lors du souper avec Roose Bolton. Pas de bouclier, pas de corselet de plates, pas de maille, pas même de cuir bouilli, rien de plus que du satin rose et de la dentelle de Myr. La chèvre devait la trouver plus marrante en atours de femme. La moitié de sa défroque pendait en lambeaux, et le sang dégouttait à force de son bras gauche zébré de griffures.

Du moins lui ont-ils donné une épée. Elle la tenait d'une seule main et, se déplaçant latéralement, faisait de son mieux pour maintenir un peu d'intervalle entre elle et l'ours. *Mauvaise méthode, le cercle est trop étroit.* Elle aurait dû attaquer, mettre au plus tôt le point final. Du bel et bon acier pouvait avoir raison de n'importe quel ours. Mais elle appréhendait, semblait-il, le combat rapproché. Les Pitres dégorgeaient sur elle injures et suggestions obscènes.

« C'est pas nos oignons, prévint Jarret-d'acier. Lord Bolton a dit que la fillette est à eux, pour en faire ce qu'ils voudront.

— Son nom est Brienne. » Jaime descendit l'escalier des gradins, dépassa deux poignées de reîtres. Varshé Hèvre s'était arrogé la loge seigneuriale, dans le rang du bas. « Lord Varshé ! » l'interpella-t-il, par-dessus les folles clameurs.

Le Qohorik faillit en renverser son vin. « *Réziçide ?* » Un bandage des plus grossiers boursouflait le côté gauche de son minois. À l'emplacement de l'oreille, il était imbibé de sang.

« Tire-la de là.

— Te mêle pas de ça, Réziçide, çauf çi tu feux un moignon de pluç. » Il balaya l'air de sa coupe. « Ta çirène m'a trançé l'oreille. Pas çurprenant que çon père feut pas me payer ça rançon de çaphirs, à çette monçtreçe-là. »

Le rugissement fit se retourner Jaime. L'ours avait huit pieds de haut. *Gregor Clegane avec une fourrure*, songea-t-il, *mais plus malin, probablement*. Cela dit, le fauve était très loin de posséder l'allonge scélérate dont la Montagne, avec son estramaçon de titan, ne profitait que trop.

Dans sa folle fureur, l'ours ouvrit une gueule hérissée d'énormes dents jaunes et, retombant à quatre pattes, alla droit sur Brienne. *La voilà, ta chance ! frappe ! maintenant !*

Mais elle, au lieu de l'écouter, tisonna vainement de la pointe. L'ours recula puis avança de nouveau, grondant. Brienne se coula vers la gauche et, une fois de plus, tisonna le mufle de l'ours qui, pour le coup, leva une patte afin d'écarter la lame.

Il se méfie, réalisa Jaime. *Il s'est déjà frotté aux humains. Il sait que les piques et les épées peuvent le blesser. Mais ça ne l'empêchera pas de se jeter sur elle, et sous peu.* « Tuez-le ! » hurla-t-il, mais sa voix se perdit dans les hurlements des Compaings. Si Brienne entendit, ce fut sans le manifester. Elle tournait tout autour de la fosse, le dos constamment au mur. *Trop près. S'il vient à l'y épingler...*

Le fauve tournait gauchement, mais trop loin, trop vite. Preste comme un chat, Brienne changea de sens. *Voilà bien la fillette de mes souvenirs.* Un bond lui permit de tailler l'arrière-train de l'ours qui, avec un rugissement, se dressa de nouveau sur ses postérieurs. À reculons, Brienne se déroba précipitamment. *Il ne saigne pas ?* Comprenant tout à coup, Jaime prit Hèvre à partie : « Tu lui as donné une épée de tournoi. »

L'autre explosa de rire, l'aspergeant de pinard et de postillons. « Bien çûr.

— *Je* paierai sa foutue rançon. En or, en saphirs, n'importe, ce que tu voudras. Tire-la de là.

— La feux ? Fa te la çerçer. »

Et ainsi fit Jaime.

Plaquant sa main valide sur le marbre du garde-corps, il sauta par-dessus dans l'arène et roula sur lui-même en y atterrissant. Le *pouf* fit se retourner l'ours qui, reniflant à pleins naseaux, considéra le nouvel intrus d'un air circonspect. Jaime se ramassa dare-dare sur un genou. *Eh bien, je fais quoi, maintenant, par les sept enfers ?* Il rafla une poignée de sable. « Régicide ? » entendit-il Brienne s'ahurir.

« Jaime. » D'une détente, il expédia le sable au museau de l'ours. L'ours déchiqueta l'air en poussant des rugissements de damné.

« Que diable *faites*-vous ici ?

— Quelque chose d'inepte. Placez-vous derrière moi. » Il décrivit un cercle pour la rejoindre en s'interposant entre elle et l'ours.

« *Vous* derrière. C'est moi qui ai l'épée.

— Une épée sans tranchant ni pointe. *Placez-vous derrière moi !* » Il aperçut quelque chose, à demi enfoui dans le sable, et le ramassa vivement de sa main valide. Cela se révéla être un maxillaire humain ; des lambeaux verdâtres de barbaque y

101

adhéraient encore, grouillants d'asticots. *Charmant*, songea-t-il, en se demandant de qui il tenait les reliefs. Comme l'ours commençait à se rapprocher, il fit mouliner sa main puis lui balança à la gueule os et barbaque et asticots..., le ratant d'un bon pas. *Vu les services qu'elle me rend, j'aurais dû me trancher aussi la main gauche.*

Brienne essaya de filer, mais il lui fit un croc-en-jambe, et elle alla s'aplatir dans le sable, sans pour autant lâcher sa dérisoire épée. Jaime se campa au-dessus d'elle, jambes écartées, et le fauve chargea.

Ffffrrrrrr, cela fit, juste avant que, soudain, n'éclose sous l'œil gauche de l'ours un bouquet de plumes. Du sang baveux ruisselait déjà de sa gueule ouverte quand un carreau lui perça la jambe. Il rugit, se dressa. Ses yeux tombèrent à nouveau sur Jaime et Brienne, et il marcha sur eux en se dandinant. De nouvelles arbalètes entrèrent en action, criblant sa fourrure et sa chair. À si peu de distance, il était difficile de le rater. En dépit des impacts qui lui secouaient la carcasse aussi violemment que des volées de masse, il s'arracha quand même encore un pas de plus. *La pauvre brave brute idiote.* Ébaucha l'ombre d'une offensive, mais Jaime esquiva d'un entrechat coulé, l'invectivant à pleine gorge et le sablant sans arrêt du pied. En pivotant, comme magnétisé par son persécuteur, l'ours écopa de deux nouveaux carreaux dans le dos. Il gargouilla un dernier grondement, retomba lourdement sur son séant, s'étendit dans le sable ensanglanté et mourut.

Plus que jamais cramponnée à l'épée mais le souffle en loques, Brienne rassembla vaille que vaille ses genoux. Les gens de Jarret-d'acier retendaient déjà leurs arbalètes et les rechargeaient, sous les huées, les jurons menaçants des Pitres San-glants. Rorge et Trois-Orteils avaient dégainé, remar-qua Jaime, et Zollo déroulait son fouet.

« Fous m'afez tué mon ourç ! piaula Varshé Hèvre.

— Et pareil sort t'attend, si tu me cherches des emmerdes, riposta Jarret-d'acier. On prend la fil-lette.

— Elle s'appelle Brienne, intervint Jaime. Damoi-selle Brienne de Torth. Vous êtes *bien* vierge encore, j'espère ? »

Son avenante bouille s'empourpra. « Oui.

— Ouf, fit-il. Je ne rescousse que les vierges. » Et, s'adressant à Hèvre : « Tu toucheras ta rançon. Pour nous deux. Un Lannister paie toujours ses dettes. Maintenant, manie-toi, des cordes, et sors-nous de là.

— Foutre que non, grogna Rorge. Tue-les, Hèvre. Ou tu t'en mordras foutrement les doigts ! »

L'autre hésita. La moitié de ses hommes étaient soûls, les types du Nord salement à jeun et deux fois plus nombreux. Et certaines des arbalètes étaient à présent rechargées. « Tirez-les de là », fit-il, avant de reprendre, à l'intention de Jaime : « Z'ai çoizi la mizéricorde. Avize-z-en ton çeigneur père.

— Comptez-y, messire. » *Pour autant qu'il puisse t'en profiter.*

Ce n'est qu'à une demi-lieue d'Harrenhal et hors de portée des archers postés sur les remparts que le vaillant Walton, dit Jarret-d'acier, se permit enfin de soulager sa bile. « Vous êtes *dingue*, Régicide, ou quoi ? Vous vouliez crever ? Y a pas un homme qui peut combattre un ours à mains nues !

— À une main nue et un moignon nu, rectifia Jaime. Mais je me flattais que vous tueriez la bête avant que la bête ne me tue. Sans cela, lord Bolton vous aurait bien pelé comme une orange, n'est-ce pas ? »

Non sans l'avoir vertement traité de bougre de con Lannister, Jarret-d'acier piqua des deux pour gagner au galop la tête de la colonne.

« Ser Jaime ? » Même affublée de dentelles en loques et de satin rose crasseux, Brienne avait plutôt la dégaine d'un travesti que l'air d'une femme au sens strict du terme. « N'allez pas douter de ma gratitude, mais vous... – vous étiez déjà loin. Pourquoi ce retour sur vos pas ? »

Une douzaine de quolibets, chacun plus cruel que le précédent, lui traversèrent la cervelle, mais Jaime se contenta d'un haussement d'épaules. « J'ai rêvé de vous », laissa-t-il tomber.

CATELYN

Robb dut s'y prendre à trois fois pour faire ses adieux à sa jeune reine. D'abord dans le bois sacré, face à l'arbre-cœur, au regard des dieux et des hommes. Ensuite sous la herse, où Jeyne ne lui concéda son congé qu'au terme d'une longue étreinte et d'un baiser qui s'éternisa davantage encore. Et à une heure au-delà de la Culbute, finalement, quand la petite fut, au triple galop d'un cheval tout couvert d'écume, venue le conjurer de l'emmener.

Tout ému qu'il était de cette démarche incongrue, s'aperçut Catelyn, Robb ne s'en montrait pas moins embarrassé. Le jour était humide et gris, il bruinait depuis un moment, et devoir interrompre la marche, là, pour s'efforcer de consoler, debout sous le crachin, une épouse en pleurs, et ce sous les yeux de la moitié de son armée, c'était la dernière chose dont il eût envie. *Il a beau lui parler gentiment*, songea-t-elle en les observant, *sous cape il est exaspéré.*

Aussi longtemps que se poursuivit l'entretien du roi et de la reine, Vent Gris rôda sans trêve autour d'eux, ne marquant de pause que pour retrousser les babines contre la bruine qui trempait son poil et pour s'ébrouer. Mais dès que Robb eut enfin donné à Jeyne son dernier baiser, détaché une douzaine d'hommes pour la reconduire à Vivesaigues et réenfourché son cheval, le loup-garou prit les devants, prompt comme une flèche que l'on décoche inopinément.

« La reine Jeyne a le cœur aimant, je le vois, dit Lothar Frey le Boiteux à Catelyn. Tout comme mes sœurs. Tenez, ma tête à couper qu'en cet instant même Roslin virevolte aux quatre coins des Jumeaux en scandant la rengaine : "Lady *Tully*, lady *Tully*, lady *Roslin* Tully." Et elle n'attendra pas demain pour approcher de sa joue des échantillons de vos rouge et bleu Vivesaigues afin de se figurer sa tournure en manteau d'épousée. » Il se retourna sur sa selle et sourit à Edmure. « Vous voilà frappé d'un singulier mutisme, lord Tully. Comment vous sentez-*vous*, si je puis me permettre de le demander ?

— À peu près comme au Moulin-de-pierre juste avant que ne retentissent les cors », répondit Edmure, à demi blagueur seulement.

Lothar éclata d'un rire jovial. « Souhaitons que votre mariage ait une issue aussi heureuse, messire. »

Et les dieux nous protègent, dans le cas contraire. Catelyn talonna sa monture et laissa son frère et Lothar le Boiteux savourer les joies de leur tête-à-tête.

C'était sur ses instances à elle que Jeyne restait à Vivesaigues, alors que Robb n'aurait que trop volontiers gardé sa femme auprès de lui. Certes, lord Walder était parfaitement capable d'interpréter l'absence de la reine aux noces comme un nouvel affront, mais il n'aurait pas manqué non plus d'y prendre sa présence pour une autre variété d'insulte, et fallait-il vraiment rajouter du sel sur les plaies de son amour-propre ? « Il a la mémoire longue et la langue acérée, avait-elle averti Robb. Je ne doute pas que tu ne sois suffisamment fort pour essuyer les rebuffades de ce vieux quinteux, si tel est le prix de son allégeance, mais aussi tu tiens trop de ton père pour ne pas broncher tandis qu'il agonirait Jeyne. »

Robb ne pouvait contester la justesse du raisonnement. *N'empêche qu'il m'en veut de l'avoir tenu*, songea-t-elle avec accablement. *Jeyne lui manque déjà, et, si pertinent qu'il sache mon conseil, quelque chose en lui me reproche de le priver d'elle.*

Des six Ouestrelin ramenés de Falaise par Robb, un seul se trouvait encore à ses côtés, ser Raynald, son beau-frère et porte-bannière royal. L'oncle, Rolph Lépicier, il l'avait expédié sur-le-champ remettre à la Dent d'Or le petit Martyn Lannister, le jour où était arrivé le consentement de lord Tywin à un échange de captifs. C'était bien joué. À son propre soulagement de ne plus devoir craindre en permanence pour la sécurité du gamin avait répondu le soulagement de Galbart Glover en apprenant qu'à Sombreval on venait d'embarquer son frère, tandis que ser Rolph ne pouvait que se glorifier de son importante mission..., et que Vent Gris recouvrait dès lors sa place coutumière auprès de son maître. *Celle qui lui revient.*

Lady Ouestrelin était pour sa part restée à Vivesaigues avec ses enfants, Jeyne et sa sœur cadette Eleyna, plus le petit écuyer Rollam, aussi chagrin que d'une disgrâce de ne pas suivre Robb. Une décision sage, cela aussi. Olyvar Frey, l'écuyer précédent du roi, assisterait sans doute au mariage de sa sœur ; il eût été aussi malgracieux que malavisé de lui infliger la vue de son remplaçant.

Quant à ser Raynald, il protestait, avec la joyeuse fougue de la jeunesse, qu'aucune avanie reçue de lord Walder ne réussirait à lui faire jamais perdre son sang-froid. *Mais souhaitons n'avoir à essuyer que des avanies.*

Or, elle était à cet égard tout sauf paisible. Sans relâche la tourmentait l'idée que le seigneur son père n'avait cessé de se défier de Walder, après le Trident. Jeyne ne pouvait être nulle part plus en sécurité que derrière les hautes et puissantes murailles de Vivesaigues, et avec le Silure pour la protéger. Conscient que celui-ci tiendrait mieux que quiconque au monde le Trident, si le tenir était jamais possible..., Robb était allé jusqu'à créer spécialement pour lui la dignité de gouverneur des Marches du Midi.

Catelyn n'en regrettait pas moins le réconfort qu'elle puisait dans la rude physionomie de son oncle et Robb le mentor agissant dont chacune de ses victoires avait confirmé le rôle de premier plan. Tout brave et loyal et solide que fût son successeur, Galbart Glover, à la tête des patrouilles et des éclaireurs, il ne possédait pas le brio du Silure.

Derrière l'écran constitué par les gens de Glover, l'ordre de marche étirait l'ost royal sur plusieurs milles. Le Lard-Jon menait l'avant-garde. Catelyn chevauchait dans la colonne principale, entourée de pesants destriers montés d'hommes revêtus d'acier. Ensuite venait le train des bagages, interminable procession de fourgons chargés de vivres, de fourrage et de matériel de camp, de présents de noces et de blessés trop faibles pour aller à pied, sous l'œil vigilant de ser Wendel Manderly et de ses chevaliers de Blancport. Dans leur sillage trottinaient des troupeaux de moutons, de chèvres et de bœufs étiques, puis une maigre queue de parasites d'armée clopinants. Fermant enfin le ban d'encore plus loin, Robin Flint conduisait l'arrière-garde. Bien qu'il n'y eût pas d'ennemis à craindre de ce côté-là sur des dizaines et des dizaines de lieues, Robb entendait ne courir aucun risque.

Trente-cinq centaines ils étaient, trente-cinq centaines qui, trempées dans le sang du Bois-aux-Murmures, avaient depuis rougi leur épée lors de la bataille des Camps, à Croixbœuf, Cendregué, Falaise et un peu partout dans l'ouest Lannister et ses monts riches en or. Abstraction faite de la poignée d'amis qui servaient d'escorte à Edmure, la surveillance du Conflans avait retenu chez eux les seigneurs riverains tandis que le roi partait reprendre le Nord. Là-bas devant, ce qui pendait au nez d'Edmure, c'était une épouse, quand des batailles attendaient Robb..., *et ce qui m'attend, moi, ce sont deux fils morts, une couche vide et un château plein de fantômes.* La perspective n'avait rien de réjouissant. *Brienne, où êtes-vous ? Ramenez-moi mes filles, Brienne. Ramenez-les-moi saines et sauves.*

La bruine qui leur avait donné le signal du départ se changea vers le milieu du jour en une pluie fine et tenace qui s'acharna bien au-delà du crépuscule. Le soleil ne se montra pas une seconde, le lendemain, et c'est sous des ciels plombés que, capuchon rabattu pour n'avoir pas les yeux noyés, s'effectua la chevauchée. La pluie tombait à seaux, transformant en bourbiers les routes et en marécages les champs, gonflant les cours d'eau, dépouillant les arbres de leur feuillage. Son martèlement sempiternel faisait languir les bavardages, et, n'y voyant plus qu'un pensum, on se parlait uniquement si l'on avait quelque chose à dire, et ce cas n'était pas fréquent.

« Nous sommes plus forts qu'il n'y paraît, madame », dit lady Maege Mormont pendant que l'on pataugeait de la sorte. Catelyn s'était prise d'affection pour elle et sa fille, Dacey, plus compréhensives que la plupart, avait-elle pu constater, sur le chapitre de Jaime Lannister. Autant la mère était trapue, courtaude, autant la fille était grande et svelte, mais elles s'habillaient pareillement de maille et de cuir, avec sur leur surcot et leur bouclier l'ours noir de la maison Mormont. Cette tenue semblait à Catelyn passablement incongrue pour des dames, mais ces dames avaient toutes deux l'air de s'y sentir encore plus à l'aise, et comme femmes et comme guerriers, que n'avait jamais fait l'amazone de Torth.

« Chaque bataille m'a vue combattre aux côtés du Jeune Loup, dit allégrement Dacey. Il n'en a jusqu'ici perdu aucune. »

Non, mais il a perdu tout le reste, objecta Catelyn, mais il était exclu de le dire tout haut. Pour ne pas manquer de bravoure, les gens du Nord se trouvaient loin de chez eux, sans grand-chose d'autre pour leur soutenir le moral que leur foi en leur jeune roi. Cette foi, il fallait, et à tout prix, la préserver. *C'est pour Robb que je dois me montrer forte. Si je me laisse aller à désespérer, mon chagrin me consumera.* Tout allait dépendre de ce mariage. Si Edmure et Roslin se trouvaient contents l'un de l'autre, si lord Frey le Tardif était susceptible de se laisser amadouer, si ses forces épousaient à nouveau les forces de Robb... *Mais quand bien même cela serait, quelles seront nos chances, pris en tenaille comme nous le sommes entre Lannister et Greyjoy ?* Catelyn n'osait trop s'appesantir sur cette question, quoique Robb n'en remâchât guère d'autre, de toute évidence. Il suffisait de voir avec quelle attention, chaque fois qu'on dressait le camp, il étudiait ses cartes, dans l'espoir qu'en surgisse un plan qui rende possible la reconquête du Nord...

Edmure avait, lui, de tout autres préoccupations. « Vous ne pensez quand même pas que *toutes* les filles de lord Walder ont la même binette que lui, si ? » s'alarma-t-il au soir en toute quiétude, sous le grand pavillon rayé où il recevait ses amis, en présence de Catelyn.

« Avec tant de mères différentes, il a bien dû finir, dans le tas, par s'en trouver deux ou trois de tout à fait baisables, dit ser Marq Piper, mais pour quelle raison cette vieille canaille te donnerait-il une des mignonnes, hein ?

— Pour aucune, absolument aucune », convint Edmure d'un ton morose.

C'était outrepasser les bornes, et sa sœur n'y tint plus. « Cersei Lannister est tout à fait baisable, lui lança-t-elle âprement. Il serait plus malin de souhaiter que Roslin soit vigoureuse et saine, avec un cœur loyal et une cervelle solide. » Et, sur ce, de les planter tous là.

Edmure le prit assez mal. Il évita scrupuleusement Catelyn toute la journée du lendemain, préférant comme de juste la compagnie de Marq Piper, de Lymond Bonru, de Patrek Mallister et des jeunes Vance. *Ils ne le rabrouent que pour rire, eux*, se dit-elle au cours de l'après-midi, comme ils passaient dans ses parages sans lui adresser un seul mot. *Je me suis toujours montrée trop sévère à l'endroit d'Edmure, et, maintenant, le chagrin m'acère la langue.* Elle se repentait de sa sortie. Le ciel les douchait bien assez lui-même sans qu'elle y ajoute sa louche. Et puis, franchement, qu'y avait-il de si choquant à désirer une épouse jolie ? Elle se souvint du désappointement puéril qu'elle avait éprouvé, la première fois que ses yeux s'étaient posés sur Eddard Stark. Pour s'être imaginé qu'il serait la réplique, en plus jeune, de Brandon, et parce que la réalité démentait. Moins grand que son frère, Ned était plus quelconque de traits, et tellement, tellement sombre... ! Il se montrait plutôt courtois, mais elle percevait derrière les formules une froideur inconcevable chez Brandon, aussi prompt aux fous rires qu'aux rages folles. Et lors même qu'il la déflorait, ce qui prévalut dans l'étreinte fut le devoir plus que la passion. *Nous fîmes Robb cette nuit-là, quand même ; ensemble, nous fîmes un roi. Et, à Winterfell, la guerre achevée, j'en vins à éprouver autant d'amour qu'aucune femme au monde, quand j'eus découvert quel noble et tendre cœur dissimulait le masque solennel de Ned. Rien ne s'oppose à ce qu'Edmure trouve en Roslin l'équivalent.*

Le bon plaisir des dieux voulut que l'itinéraire suivi traversât le Bois-aux-Murmures où Robb avait remporté sa première grande victoire. On longea le cours sinueux du torrent, tout au fond de l'étroite vallée, exactement comme l'avaient fait les hommes de Jaime Lannister lors de cette nuit fatidique. *Il faisait plus chaud, à l'époque*, se souvint-elle, *les arbres étaient encore verts, et le torrent coulait dans son lit.* À présent, des feuilles mortes engorgeaient les eaux, s'agglutinaient en magma croupi parmi racines et rochers, et les arbres au milieu desquels s'était naguère camouflée l'armée de Robb avaient troqué leurs atours verts contre des haillons d'or lugubrement tavelés de brun et parsemés de rouges évoquant la rouille et le sang séché. Seuls là-dedans persistaient encore à demeurer verts, telles d'immenses piques sombres dardées aux tripes des nuées, pins plantons et épicéas.

Il n'y a pas que la végétation qui soit morte depuis, tant s'en faut, se dit-elle à la réflexion. La nuit du Bois-aux-Murmures, Ned était encore en vie, dans sa cellule, sous la colline d'Aegon, Bran et Rickon se trouvaient encore sains et saufs derrière les murailles de Winterfell. *Et Theon Greyjoy, qui combattait encore aux côtés de Robb, se gargarisait d'avoir presque croisé l'épée avec le Régicide. Que ne l'a-t-il fait. Si Theon était mort, au lieu des fils de lord Karstark, oh, combien de malheurs en moins... !*

Sur le champ de bataille qu'ils enfilaient s'apercevaient çà et là des vestiges du carnage déjà si lointain : un heaume, sens dessus dessous, qu'emplissait la pluie ; des éclats de lance ; un squelette de cheval. On avait eu beau ensevelir certains des hommes tombés alors sous des cairns de pierres, les charognards avaient néanmoins su les en dénicher. Des lambeaux de tissu aux couleurs criardes et le miroitement de pièces de métal se discernaient parmi les éboulis. Une fois, Catelyn se vit même épiée par un visage en pleine putréfaction d'où commençait à émerger l'ossature du crâne.

Ce spectacle l'amena à s'interroger sur le lieu où pouvaient bien reposer les restes de Ned. Escortées par Hallis Mollen et une modeste garde d'honneur, les sœurs du Silence s'étaient certes chargées de les convoyer jusqu'au nord, mais Ned avait-il jamais atteint Winterfell et pris place aux côtés de son frère dans les sombres cryptes du château ? Les Fer-nés n'avaient-ils pas claqué la porte de Moat Cailin avant que le convoi funèbre ne l'eût franchie ?

Trente-cinq centaines ils étaient à frayer leur route au fond de la vallée, en plein cœur du Bois-aux-Murmures, mais Catelyn s'était rarement sentie plus solitaire. Chaque lieue qu'elle parcourait l'éloignait davantage de Vivesaigues, et elle se surprit à se demander si elle en reverrait jamais la silhouette altière. Leur séparation était-elle définitive, comme tant d'autres, tant... ! déjà ?

Cinq jours plus tard, les éclaireurs vinrent annoncer que la crue constante des eaux avait fini par emporter le pont de bois de Beaumarché. Galbart Glover et deux de ses hommes les plus hardis avaient bien essayé de faire franchir à la nage par leurs chevaux la turbulente Bleufurque à Guébelin, mais leur tentative s'était soldée par la noyade de deux montures et d'un cavalier. Glover n'avait dû lui-même son salut qu'à l'escalade d'un rocher sur lequel on était finalement arrivé à le récupérer. « C'est le plus haut niveau qu'ait atteint la rivière depuis le printemps, dit Edmure. Et, si cette pluie persiste, elle montera encore davantage.

— Il existe un pont, plus en amont, près de Vieilles-Pierres, rappela Catelyn, qui avait maintes fois parcouru ces parages en compagnie de son père. Il est plus ancien, plus petit, mais, s'il a tenu le coup...

— Disparu, madame, fit Galbart Glover. Emporté dès avant celui de Beaumarché. »

Robb la consulta d'un coup d'œil. « Y en a-t-il un autre ?

— Non. Et les gués vont être impraticables. » Elle fouilla dans ses souvenirs. « Si nous ne pouvons traverser la Bleufurque, il va nous falloir la contourner, en passant par les Sept-Rus puis Sorcefangier.

— Tourbières et mauvais chemins, si chemins il y a..., prévint Edmure. On ira comme des tortues, mais on devrait quand même finir par y arriver, je présume.

— Lord Walder voudra bien attendre, je n'en doute pas, dit Robb. De Vivesaigues, Lothar lui a expédié un oiseau. Il sait que nous sommes en route.

— Oui, mais il est irascible et foncièrement soupçonneux, spécifia Catelyn. Il risque de prendre notre retard pour un affront délibéré.

— Fort bien, je le conjurerai aussi de daigner pardonner nos lenteurs. Roi contrit je me montrerai, ne reprenant haleine que pour m'aplatir en nouvelles excuses. » Il fit une drôle de grimace. « J'espère que Bolton a passé le Trident avant le début des pluies.

La route Royale courant droit vers le nord, ça ira tout seul pour lui. Même à pied, il devrait être aux Jumeaux avant nous.

« — Et, une fois que tu auras joint ses hommes aux tiens et vu mon frère marié, quoi ? s'enquit Catelyn.

— Le Nord. » Il grattouilla Vent Gris derrière une oreille.

« Par la grand-route ? Contre Moat Cailin ? »

Il lui répondit par un sourire énigmatique. « Éventuellement », fit-il, et elle comprit à son ton qu'il entendait ne pas s'expliquer davantage. *Un roi sage garde ses desseins pour soi*, se dit-elle en guise de consolation.

Ils atteignirent Vieilles-Pierres au bout de huit nouvelles journées de pluie battante et dressèrent leur camp sur la colline qui surplombait la Bleufurque, parmi les ruines d'une forteresse des anciens rois du Conflans. Envahies de ronces, les fondations signalaient encore l'emplacement des murailles et des tours, mais les gens du coin avaient depuis longtemps récupéré la plupart des pierres de celles-ci pour édifier leurs propres fortins, granges et septuaires. Cependant, au centre de ce qui avait dû jadis être la cour du château, se dressait toujours, cerné de frênes et à demi enfoui sous des herbes brunes qui vous montaient jusqu'à la ceinture, un grand sarcophage sculpté.

Si le couvercle en était initialement orné de l'effigie du défunt dont la dépouille reposait dessous, la pluie et le vent avaient depuis lors accompli leur œuvre. Hormis la barbe, toujours visible, le visage du roi n'était plus guère qu'une masse lisse dépourvue de traits ; tout au plus y devinait-on le vague souvenir d'une bouche, d'un nez, d'yeux et, vers les tempes, d'une couronne. Les mains se reployaient sur le manche d'une masse de guerre appliquée contre la poitrine. Des runes forcément gravées autrefois sur le fer de pierre pour indiquer le nom de son détenteur et pour célébrer sa mémoire, les siècles n'avaient rien laissé subsister. La dalle elle-même était fissurée, ses coins s'effritaient, des plaques de lichen blanchâtre la décoloraient en la grignotant, et un églantier, déjà maître des pieds du roi, l'assaillait presque jusqu'au torse.

C'est là que Catelyn finit par découvrir Robb, sombre silhouette dans le crépuscule qui s'épaississait, Vent Gris pour seule compagnie. La pluie s'était interrompue, pour une fois, et il était nu-tête. « Ce château porte un nom ? demanda-t-il posément quand elle l'eut rejoint.

— "Vieilles-Pierres" était celui que lui donnaient tous les gens d'ici quand j'étais enfant, mais sans doute en avait-il un autre à l'époque où il était encore une résidence royale. » En route avec Père pour Salvemer, elle avait un jour campé dans ces mêmes lieux. *Petyr aussi, tiens, se trouvait des nôtres...*

« Il existe une chanson, se rappela-t-il, où il est question d'une Jenny de Vieilles-Pierres et de fleurs dans les cheveux.

— Nous finissons tous par n'être que des chansons. Les chanceux, du moins. » Elle avait joué à être Jenny, ce jour-là, s'était même tressé les cheveux de fleurs. Et Petyr avait prétendu être son prince des Libellules. Elle..., douze ans tout au plus, lui guère qu'un gamin.

Robb examina le monument. « De qui est-ce le tombeau ?

— Ci-gît Tristifer, quatrième du nom, roi des Rivières et des Collines. » Elle tenait l'histoire de son père. « Son royaume s'étendait depuis le Trident jusqu'au Neck. Il vécut des milliers d'années avant

116

Jenny et son prince, à l'époque où les royaumes des Premiers Hommes tombaient un à un sous les coups des Andals. La Masse de Justice, on le surnommait. Il livra cent batailles et en remporta quatre-vingt-dix-neuf, s'il faut en croire les chanteurs, et, lorsqu'il l'édifia, ce château était le plus puissant de Westeros. » Elle posa une main sur l'épaule de son fils. « Sa centième bataille, où il lui fallait affronter les forces coalisées de sept rois andals, lui fut fatale. Le cinquième Tristifer ne le valait pas. C'en fut bientôt fait du royaume, puis du château et, pour finir, de la lignée. Avec Tristifer V s'éteignit la maison d'Alluve, qui régnait sur le Conflans depuis un millier d'années lorsque survinrent les Andals.

— Son héritier lui a failli. » Robb caressa la rude pierre érodée par le temps. « J'avais espéré laisser Jeyne enceinte..., nous nous y sommes employés... pas mal, mais je ne saurais affirmer...

— On n'y réussit pas toujours dès la première fois. » *Bien que tel ait été le cas, pour ce qui te concerne.* « Ni même à la centième. Tu es encore très jeune.

— Jeune et roi, dit-il. Un roi se doit d'avoir un héritier. Si je devais mourir durant ma prochaine bataille, il ne faudrait pas que le royaume meure avec moi. Au regard des lois, Sansa vient en tête, pour ma succession, de sorte que Winterfell et le Nord lui échoiraient. » Sa bouche se pinça. « À elle et à son seigneur de mari. Tyrion Lannister. Je ne puis tolérer cela. Je ne le *tolérerai* pas. Jamais le Nord ne doit tomber entre les pattes de ce nain.

— *Non*, convint Catelyn. En attendant que Jeyne te donne un fils, il te faut désigner un autre héritier. » Elle réfléchit un moment. « Le père de ton père était fils unique, mais son père avait une sœur qui épousa un fils cadet de lord Raymar Royce, lui-même issu de la branche cadette. Ils eurent trois filles, qui toutes épousèrent des seigneurs du Val. Un Waynwood et un Corbray, de cela je suis sûre. Quant à la benjamine..., il se pourrait que ç'ait été un Templeton, mais...

— Mère. » L'intonation avait quelque chose d'acerbe. « Vous oubliez. Mon père avait quatre fils. »

Elle n'avait pas oublié ; elle avait refusé de prendre ce détail en compte, et voilà qu'on le mettait sur le tapis. « Un Snow n'est pas un Stark.

— Jon est plus Stark que je ne sais quels hobereaux du Val qui n'ont jamais ne fût-ce que posé les yeux sur Winterfell.

— Jon est frère de la Garde de Nuit, sous serment de ne prendre femme ni tenir terres. Et qui prend le noir sert à vie.

— Comme le font les chevaliers de la Garde royale. Ce qui n'a pas empêché les Lannister de dépouiller du manteau blanc ser Barristan Selmy et ser Boros Blount dès qu'ils n'en eurent plus l'usage. Que j'expédie une centaine d'hommes prendre la place de Jon, et je suis prêt à parier que la Garde de Nuit trouvera un biais pour le relever de ses vœux. »

Il n'en démordra pas. Elle savait combien son fils pouvait se montrer têtu. « Un bâtard ne peut hériter.

— À moins qu'un décret royal ne le légitime, répliqua Robb. Il y a plus de précédents pour cela que pour relever de ses vœux un frère juré.

— De *précédents*, repartit-elle aigrement. Oui, Aegon IV légitima tous ses bâtards sur son lit de mort. Et que de douleur et de deuil, de guerre et de meurtre en résulta-t-il... ! Je sais que tu te fies en Jon. Mais peux-tu te fier en ses fils ? Voire en *leurs* fils à eux ? Les prétendants Feunoyr tracassèrent les Targaryens durant cinq générations, jusqu'à ce

118

qu'en fait Barristan le Hardi tue le dernier d'entre eux aux Degrés de Pierre. Si tu confères à Jon la légitimité, plus moyen de le renvoyer à sa bâtardise. Et qu'il se marie et engendre, aucun des fils que tu pourras avoir de Jeyne ne connaîtra plus de sécurité.

— Jamais Jon ne toucherait à un fils de moi.

— Comme jamais Theon Greyjoy ne devait toucher à Bran et Rickon ? »

D'un bond, Vent Gris se jucha sur la tombe du roi Tristifer, les crocs dénudés. La physionomie de Robb ne manifestait, elle, que froideur. « Voilà qui est aussi cruel qu'injuste. Jon n'est pas Theon.

— Un vœu pieux. Et tes sœurs, y as-tu songé ? Que fais-tu de *leurs* droits ? Je partage ton sentiment, il faut absolument empêcher le Nord de tomber dans l'escarcelle du Lutin, mais Arya ? Au regard des lois, elle vient juste après Sansa..., comme ta propre sœur, légitime...

— ... et *morte*. Personne ne l'a vue ni n'a eu vent d'elle depuis qu'ils ont décapité Père. Pourquoi vous mentir à vous-même ? Arya nous a quittés, comme Bran et Rickon, et ils tueront aussi Sansa, sitôt que le Lutin aura eu un enfant d'elle. Jon est l'unique frère qui me demeure. Si le sort m'appelle à mourir sans postérité, je veux qu'il me succède comme roi du Nord. Je m'étais flatté que vous approuveriez mon choix.

— Je ne puis, dit-elle. Sur tout autre chapitre, Robb. Pour n'importe quoi. Mais pas pour cette... cette folie. Ne me le demande pas.

— Je n'ai pas à le faire. Je suis le roi. » Il tourna les talons et s'éloigna, Vent Gris ne fit qu'un saut de la tombe à terre et se rua derrière lui.

Qu'ai-je donc fait ? songea Catelyn, consternée, toute seule, là, près du tombeau de pierre de Tristifer. *Après avoir fâché Edmure, voici que je fâche Robb, et pourtant mon seul tort a été de dire la vérité. Les hommes sont-ils si fragiles qu'ils ne puissent supporter de l'entendre ?* Elle en aurait pleuré, peut-être, si le ciel ne s'était brusquement mêlé de se mettre à le faire à sa place, ne lui laissant plus d'autre solution que de se replier sous sa tente au plus vite et s'y repaître de silence.

Au cours des jours suivants, Robb fut partout et nulle part, à chevaucher tantôt en tête de l'avant-garde avec le Lard-Jon, à patrouiller avec Vent Gris tantôt, tantôt à courir rejoindre Robin Flint et l'arrière-garde. Si les hommes s'enorgueillissaient que le Jeune Loup fût, comme ils disaient, « le premier debout, à l'aube, et, le soir, le dernier couché », Catelyn se demandait, elle, s'il dormait du tout. *Il devient aussi maigre et famélique que son loup-garou.*

« Madame, lui dit Maege Mormont, par un matin plus boueux et pluvieux que jamais, quelle mine sombre vous avez... ! Quelque chose qui ne va pas ? »

J'ai perdu mon seigneur et maître, j'ai perdu mon père. On m'a assassiné deux de mes fils, on a donné la première de mes filles à un nain sans foi pour qu'elle en porte les vils enfants, la seconde a disparu, tout semble indiquer qu'elle est morte, et mon dernier fils est, ainsi que mon frère unique, fâché contre moi. Comment diantre se pourrait-il que quelque chose n'aille pas ? Mais il y avait là des évidences trop criantes pour que lady Maege eût envie de se les entendre assener. « Voilà-t-il pas une pluie maléfique ? esquiva-t-elle. Si fort éprouvés que nous ayons déjà été, c'est au-devant de nouveaux périls et de nouveaux deuils que nous allons. Notre tâche est d'y faire face hardiment, sous des bannières bien flottantes, avec de braves sonneries de cor. Seulement, cette pluie s'acharne contre nous. Les bannières pendent, flasques et trempées, les hommes se recroquevillent sous leur manteau, sans plus se parler que de loin en loin. Il ne faut rien de moins qu'une pluie maléfique pour faire grelotter nos cœurs quand c'est de leur ardeur que nous avons le plus pressant besoin. »

Dacey Mormont leva les yeux vers le ciel. « Je me laisserais plus volontiers saucer par une averse de flèches que par cette flotte. »

Catelyn ne put s'empêcher de sourire. « Vous êtes plus brave que moi, je crains. Toutes les femmes de votre île aux Ours sont-elles d'aussi valeureux guerriers ?

— Des ourses, ouais, fit lady Maege. Il a bien fallu que nous le soyons. Dans les anciens temps, ce n'est pas les razzias qui manquaient, entre les Fer-nés sur leurs boutres et les sauvageons de la Grève glacée. Les hommes partis pêcher, mettons, force était aux femmes de se défendre toutes seules, elles et leurs gosses, sans quoi, bonnes pour le rapt.

— Nous avons sur notre porte une sculpture, ajouta Dacey, qui représente une femme couverte d'une peau d'ours. L'un de ses bras porte un nourrisson en train de téter, et elle tient dans l'autre main une hache de guerre. Elle n'a rien d'une vraie dame, ça non, mais je l'ai toujours adorée.

— Mon neveu Jorah nous en avait ramené une, de vraie dame, autrefois, qu'il s'était gagnée en tournoi, dit lady Maege. Ce qu'elle pouvait la détester, cette sculpture !

— Mouais, et tout le reste, reprit Dacey. Elle avait des cheveux comme d'or filé, cette Lynce. La peau comme de la crème. Mais ses douces mains n'étaient pas faites pour nos haches à nous.

— Ni ses nichons pour la tétée », trancha sèchement la mère.

Catelyn savait de qui elles parlaient. Des festivités
avaient amené à Winterfell Jorah Mormont et sa
seconde femme, et ils s'y étaient invités une fois
pour une quinzaine de jours. Elle se rappelait fort
bien la lady Lynce d'alors, extrêmement jeune,
extrêmement belle et extrêmement malheureuse.
Elle se rappelait fort bien que, mise en veine de
confidences, un soir, par un certain nombre de coupes de vin, celle-ci lui avait soufflé que, pour une
Hightower de Villevieille, le Nord n'était pas vivable.
« Je sais une Tully de Vivesaigues, se rappelait-elle
fort bien lui avoir gentiment répondu pour essayer
de la réconforter, qui a éprouvé le même sentiment,
jadis, mais qui a fini par trouver ici bien des choses
à aimer. »

Dont il ne reste rien, se désola-t-elle. *Winterfell et
Ned, Bran et Rickon, Sansa, Arya, tous engloutis.
Seul reste Robb.* Y avait-il eu somme toute en elle
trop de Lynce Hightower et trop peu des Stark ? *Que
n'ai-je su manier la hache, peut-être aurais-je été
capable, alors, de les protéger mieux.*

Les jours suivaient les jours, et toujours la pluie
persistait à tomber. Après avoir remonté tout du long
la Bleufurque et puis dépassé les Sept-Rus, où la
rivière se subdivisait en un fouillis de ruisseaux et
de ruisselets, on traversa Sorcefangier, dont les
étangs glauques et miroitants guettaient l'imprudent
pour le déglutir et où le terrain mouvant suçait les
sabots des montures avec autant d'avidité qu'un
mioche affamé le sein maternel. La marche était pis
que lente. Forcé d'abandonner la moitié des fourgons à la fange, on transféra leurs chargements sur
des mules et des chevaux de trait.

Lord Jason Mallister rattrapa l'ost au beau milieu des marécages de Sorcefangier. Il restait plus d'une heure de jour quand il parut, suivi de sa propre colonne, mais Robb résolut de faire halte immédiatement, et il pria ser Raynald Ouestrelin d'amener Catelyn sous sa tente. Elle l'y découvrit installé près d'un brasero, une carte en travers des genoux. Vent Gris dormait à ses pieds. Le Lard-Jon se trouvait déjà là, ainsi que Galbart Glover, Maege Mormont, Edmure et un individu qu'elle ne connaissait pas, un charnu dégarni qui dégageait des relents d'obséquiosité. *Tout sauf un seigneur, ça*, repéra-t-elle au premier coup d'œil. *Non plus qu'un guerrier.*

En la voyant entrer, Jason Mallister se leva pour lui offrir son siège. Bien qu'il eût presque autant de cheveux blancs que de cheveux bruns, le sire de Salvemer demeurait bel homme ; grand, mince et rasé de près, traits fins et pommettes hautes, ardentes prunelles gris-bleu. « Lady Stark, c'est toujours un plaisir. J'apporte de bonnes nouvelles, si je ne m'abuse.

— Nous avons grand-soif de quelques bonnes nouvelles, messire. »

Elle s'assit, un peu étourdie du tapage que menait la pluie sur le toit de toile.

Robb attendit que ser Raynald eût laissé retomber la portière. « Les dieux ont entendu nos prières, messires. Lord Jason nous a amené le capitaine du navire marchand *Myraham*, originaire de Villevieille. Veuillez leur conter, capitaine, ce que vous m'avez confié.

— Ouais, Sire. » Il pourlécha nerveusement sa lippe épaisse. « Mon dernier port d'escale avant Salvemer, ç'a été Lordsport, à Pyk. Les Fer-nés m'ont retenu là-bas plus d'une demi-année, pas moins, je vous demande un peu. Ordre du roi Balon. Seulement, eh bien, pour faire bref ce qu'est trop long, ben voilà, il est mort.

— Balon Greyjoy ? » Le cœur de Catelyn n'avait fait qu'un bond. « Vous nous dites bien que Balon Greyjoy est mort ? »

Le miteux petit capitaine hocha la tête. « Vous savez comment le château de Pyk est bâti sur un promontoire et en partie sur des îles et sur des rochers au large, avec des ponts entre ? D'après ce que j'ai entendu dire à Lordsport, y avait une tempête qui soufflait de l'ouest, avec la pluie et le tonnerre, et le vieux roi Balon traversait un de ces machins qu'ils ont comme ponts quand le vent se l'est pris en plein et te vous l'a, le machin, mais pulvérisé. La mer a rejeté le corps deux jours après, ballonné, cassé de partout. Même que les crabes y ont bouffé les yeux, c'qu'y paraît. »

Le Lard-Jon s'esclaffa. « Des crabes royaux, j'espère, hein, pour se farcir cette gelée de roi ? »

Le capitaine branla du chef. « Ouais, mais y a pas que ça, non ! » Il se pencha d'un air de confidence. « Y a que *le frère* est revenu.

— Victarion ? » demanda Galbart Glover d'un air ahuri.

« Euron. Le Choucas, qu'ils l'appellent, aussi noir pirate qu'y a jamais eu pour lever sa voile. Il était parti depuis des années, mais lord Balon était pas plus tôt froid que l'autre, il est là, qu'il entre à Lordsport avec son *Silence*. Des voiles noires, une coque rouge et un équipage de muets. Il a fait Asshaï et retour, j'ai entendu dire. Enfin, où qu'il ait été, le voilà chez lui, maintenant, et il est allé droit dans Pyk poser son cul sur le trône de Grès. Même qu'il a noyé lord Botley dans un baquet d'eau de mer parce qu'il objectait. Ça venait de se passer quand

124

moi je suis dare-dare remonté sur mon *Myraham*, dans l'espoir que tout ce bordel allait me permettre de lever l'ancre en douce et de me tirer. Ce que j'ai fait, d'ailleurs, et me voilà.

— Soyez remercié, capitaine, lui dit Robb, et sachez que vous ne repartirez pas sans récompense. Vous regagnerez votre bord sous la conduite de lord Jason dès que nous aurons terminé notre conférence. Veuillez aller attendre à l'extérieur.

— Ça oui, Sire, attendre. Ça oui oui. »

À peine l'homme avait-il quitté le pavillon royal que le Lard-Jon commençait à s'esbaudir, mais Robb lui imposa silence d'un simple regard. « Euron Greyjoy ne répond en aucune manière à l'idée qu'on se fait communément d'un roi, s'il faut n'en croire même qu'à moitié ce que Theon débitait sur son compte. C'est Theon, l'héritier légitime, à moins qu'il ne soit mort..., mais c'est Victarion qui commande la flotte de Fer. Il m'est impossible de croire qu'il reste passif à Moat Cailin pendant qu'Euron le Choucas s'adjuge le trône de Grès. Il faut *forcément* qu'il retourne à Pyk.

— Il y a une fille, aussi, lui rappela Galbart Glover. Qui tient Motte-la-Forêt, la garce, et la femme et l'enfant de Robett.

— Qu'elle y reste, et c'est *tout* ce qu'elle peut espérer tenir, Motte-la-Forêt, dit Robb. Ce qui est vrai pour les frères est encore plus vrai pour leur nièce. Elle va devoir mettre à la voile pour aller évincer Euron et se dépêcher de faire valoir ses propres revendications. » Il se tourna vers Jason Mallister. « Vous avez une flotte, à Salvemer ?

— Une flotte, Sire ? Une demi-douzaine de boutres et deux galères de combat. Assez pour défendre mes côtes contre des pillards, mais trop peu pour espérer jamais pouvoir livrer bataille à la flotte de Fer.

« — Et ce n'est pas non plus ce que je requerrais de vous. Les Fer-nés vont appareiller tôt ou tard pour Pyk, j'imagine. Theon m'a souvent parlé de la mentalité de sa nation. Chaque capitaine est un roi sur son propre pont. Ils voudront tous avoir voix au chapitre de la succession. J'ai besoin de deux de vos boutres, messire, pour contourner le cap des Aigles et remonter le Neck jusqu'à Griseaux. »

Lord Jason hésita. « Une douzaine de cours d'eau sillonnent ces mangroves-là, tous envasés, de profondeur médiocre et ignorés des cartes. Je ne les qualifierais même pas de rivières. Leurs lits n'arrêtent pas de changer de place. Ils sont encombrés à tout bout de champ de bancs de sable et d'abattis d'arbres inextricables en train de pourrir. Puis Griseaux *bouge*. Par quel miracle mes bateaux le trouveront-ils ?

« — Contentez-vous d'arborer ma bannière. Ce sont les gens des paluds qui vous trouveront. Je veux deux bateaux pour doubler les chances que mon message atteigne Howland Reed. Lady Maege montera l'un d'eux, Galbart l'autre. » Il se tourna vers ceux qu'il venait de nommer. « Vous serez porteurs de lettres pour ceux des seigneurs mes vassaux qui n'ont pas quitté le Nord, mais, au cas où vous auriez la male fortune d'être capturés, chacun des ordres qu'elles contiendront sera falsifié. Lequel cas échéant, vous affirmeriez que vous cherchiez à gagner le Nord. À destination des Roches ou bien pour repasser dans l'île aux Ours. » Il tapota la carte du bout du doigt. « Moat Cailin est la clef. Lord Balon le savait, et c'est bien pour cette raison qu'il y a expédié son Victarion de frère avec le noyau dur des forces Greyjoy.

— Querelles de succession ou pas, les Fer-nés ne sont pas bêtes au point d'abandonner Moat Cailin, objecta lady Maege.

— Non, reconnut Robb. Victarion laissera, je gage, la plus grosse partie de la garnison. Toujours est-il que chaque homme qu'il emmènera sera pour nous un adversaire de moins à combattre. Et il *emmènera* nombre de ses capitaines, soyez-en certains. Les meneurs. C'est d'hommes de cette trempe qu'il aura besoin pour parler en son nom s'il tient à monter jamais sur le trône de Grès.

— Sire, vous ne sauriez envisager sérieusement d'attaque en remontant la route Royale, intervint Galbart Glover. Les approches sont trop étroites. Il n'y a pas moyen de se déployer. Nul n'a jamais réussi à s'emparer de Moat Cailin.

— À partir du sud, en effet. Mais, répliqua Robb, s'il nous est possible de l'assaillir simultanément par le nord et l'ouest et de prendre à revers les Fer-nés pendant qu'ils affrontent, du côté de la grand-route, ce qu'ils s'imaginent être mon point de frappe essentiel, alors, nous avons nos chances. Une fois opérée ma liaison avec lord Bolton et les Frey, je disposerai de plus de douze mille hommes. Je me propose de les répartir en trois corps de bataille et de leur faire emprunter successivement la route Royale à une demi-journée d'intervalle. Si les Greyjoy ont des espions au sud du Neck, il sera évident pour eux que l'intégralité de mes forces fonce échelonnée sur Moat Cailin.

« Je confierai l'arrière-garde à Roose Bolton et me réserverai le centre. Vous, Lard-Jon, vous conduirez l'avant-garde contre Moat Cailin. Votre offensive devra être d'une vigueur telle que les Fer-nés n'aient pas seulement le loisir de se demander s'il y aurait d'aventure personne à mijoter de tomber sur leur râble à partir du nord. »

Le Lard-Jon se mit à glousser. « Vos mijoteurs ont intérêt à pas trop lambiner, sinon, c'est par mes hommes qu'il en cuira à ces canailles, et Moat sera pris que vous aurez pas seulement pu montrer le bout du nez. Je vous l'offrirai quand vos flâneries vous y auront enfin mené.

— Le présent m'en agréerait assez », dit Robb.

Edmure avait les sourcils froncés. « Vous parlez d'attaquer les Fer-nés à revers, Sire, mais comment comptez-vous les déborder d'abord pour surgir du nord ?

— Il existe au travers du Neck des voies qui ne figurent sur aucune carte, Oncle. Des voies connues des seuls paludiers – des sentes étroites entre les marais, des chenaux perdus dans les roselières et qu'on ne peut emprunter qu'en barque. » Il se tourna vers ses émissaires. « Dites à Howland Reed de me dépêcher des guides le surlendemain du jour où j'aurai entrepris de remonter la route Royale. Au corps de bataille *central*, et à l'endroit de celui-ci sur lequel flottera ma bannière personnelle.

« Trois armées quitteront les Jumeaux, mais seules deux d'entre elles atteindront Moat Cailin. La mienne s'évanouira dans le Neck pour ne reparaître que sur la Fièvre. Si nous procédons vivement, une fois marié mon oncle, nous pourrions être tous en position vers la fin de l'année. Nous tomberons sur Moat Cailin par trois côtés le jour de l'An du nouveau siècle, alors que les Fer-nés seront juste en train de se réveiller de leurs beuveries de la nuit, la cervelle assommée par les tambours de la migraine.

— Ce plan me plaît, dit le Lard-Jon. Il me plaît beaucoup. »

Galbart Glover se frotta le bec. « Il n'est pas sans risques. Si les paludiers venaient à vous manquer...

— Notre situation n'en serait pas pire qu'auparavant. Mais ils ne me manqueront pas. Mon père prisait on ne peut plus le mérite d'Howland Reed. » Robb attendit d'avoir roulé la carte pour porter les yeux vers Catelyn. « Mère. »

Elle se crispa. « M'as-tu réservé un rôle à jouer là-dedans ?

— Votre rôle est de rester saine et sauve. Notre voyage à travers le Neck va être dangereux, et le Nord ne nous promet rien d'autre que des batailles. Mais lord Mallister s'est obligeamment offert à veiller sur votre sécurité à Salvemer jusqu'à ce que la guerre soit terminée. Vous y serez bien, je le sais. »

Est-ce là mon châtiment pour notre altercation à propos de Jon Snow ? Ou pour le fait que je suis une femme et, pire, une mère ? Elle mit un moment à prendre conscience qu'ils avaient tous les yeux fixés sur elle. *Ils étaient déjà au courant*, réalisa-t-elle. Elle n'aurait pas dû être surprise. En libérant le Régicide, elle ne s'était fait aucun ami, et le Lard-Jon l'avait dit plutôt cent fois qu'une en sa présence, que la place des bonnes femmes était partout sauf sur le champ de bataille...

Elle avait dû laisser transparaître quelque chose de sa colère, car Galbart Glover prit la parole avant qu'elle n'eût desserré les dents. « Sa Majesté en agit sagement, madame. Il vaut mieux que vous ne nous accompagniez pas.

— Salvemer sera illuminé par votre présence, lady Catelyn, ajouta lord Jason Mallister.

— Une prisonnière, voilà ce que vous voudriez faire de moi, dit-elle.

— Une invitée d'honneur », maintint fermement lord Jason.

Elle se tourna vers son fils. « Sans vouloir offenser lord Jason, dit-elle avec raideur, j'aimerais mieux rentrer à Vivesaigues, s'il m'est interdit de poursuivre la route avec vous.

— J'ai laissé ma femme à Vivesaigues. Je veux une autre résidence pour ma mère. À resserrer tous ses trésors dans une seule bourse, on ne fait que faciliter la tâche des voleurs. Après le mariage, vous vous rendrez à Salvemer, telle est ma volonté royale. » Il se leva, et, sitôt dit sitôt fait, le sort de Catelyn se trouva, comme ça, scellé. Robb saisissait déjà une feuille de parchemin. « Un dernier point. Lord Balon n'a laissé derrière lui que le chaos, nous le souhaitons. Je ne saurais faire de même. Or il se trouve que je n'ai pas de fils pour l'instant, que mes frères Bran et Rickon sont morts, et que ma sœur est mariée à un Lannister. J'ai longuement et consciencieusement médité le choix de mon éventuel successeur. Je vous ordonne maintenant, à vous qui êtes mes nobles, fidèles et loyaux sujets, d'apposer vos sceaux sur le document que voici, en tant que témoins de mes volontés. »

Un roi, indiscutablement, songea Catelyn, vaincue. Il ne lui restait plus qu'à espérer que le piège imaginé par Robb pour Moat Cailin fonctionne aussi parfaitement que celui dans lequel il venait juste de la prendre.

SAMWELL

L'Arbre blanc, songea Sam. *Par pitié, faites que ce soit L'Arbre blanc.* L'Arbre blanc, il s'en souvenait. L'Arbre blanc figurait sur les cartes qu'il avait lui-même dressées, durant leur marche vers le nord. Si c'était bien L'Arbre blanc, ce village, il saurait alors où l'on se trouvait. *Par pitié, il faut absolument que ce soit lui.* Il en avait une si sale envie qu'il oublia ses pieds, le temps de quelques foulées, ses pieds et la raideur de ses doigts tellement gelés qu'à peine pouvait-il encore les sentir. Il en vint même à tout oublier de lord Mormont et de Craster, des créatures et des Autres. *L'Arbre blanc, par pitié*, priait-il, en appelant à n'importe quel dieu qui d'aventure aurait l'oreille un peu tendue, par là.

Mais les villages sauvageons se ressemblaient si fort, tous... Un barral imposant poussait certes au milieu de celui-ci, mais un arbre blanc ne signifiait pas – ne signifiait pas forcément – L'Arbre blanc. Le barral de L'Arbre blanc n'était-il pas d'ailleurs plus colossal que celui-ci ? Tout bonnement, peut-être, sa mémoire qui l'abusait... La face sculptée dans la pâleur osseuse du tronc était longue et navrée ; des larmes rouges de sève séchée lui chassiaient les yeux. *Faisait-elle cette mine-là quand nous sommes passés ?* Il ne parvenait pas à se le rappeler.

Autour de l'arbre se trouvaient une poignée de

bicoques à toits de tourbe composées d'une pièce unique, plus une salle tout en longueur, faite de rondins presque invisibles sous la mousse, un puits de pierre, un enclos à moutons..., mais de moutons point, ni âme qui vive. Les sauvageons étaient partis rejoindre Mance Rayder dans les Crocgivre, et ils avaient emporté tous leurs biens, excepté les maisons, Sam leur en sut gré. La nuit venait, et la perspective de dormir sous un toit, pour une fois, n'avait vraiment rien de désagréable. Il était tellement vanné... Il lui semblait n'avoir cessé de marcher la moitié de son existence. Ses bottes étaient en pleine déliquescence, et ses ampoules aux pieds avaient eu beau se crever et finir par former des cals, voilà que *dessous* les cals en cloquaient désormais de nouvelles, et ses orteils, en plus, commençaient à geler.

Seulement, de deux choses l'une, il fallait marcher ou mourir, et Sam le savait. Outre que mal remise encore de ses couches elle trimbalait son petit, Vère avait plus que lui besoin de l'unique cheval. Leur autre monture était morte à trois journées du manoir de Craster. Et encore était-ce un miracle qu'elle eût si longtemps tenu, la pauvrette, alors qu'elle crevait de faim. Le poids de Sam l'avait sûrement achevée. Quant à monter dès lors, si tentant que ce fût, la survivante à deux, c'était un peu trop l'exposer, *mieux vaut que je marche*, à subir un sort identique.

Sam laissa Vère s'occuper du feu dans la longue salle pour aller lui-même risquer son nez du côté des bicoques. Elle était plus habile que lui, pour le feu ; avec lui, le petit bois semblait toujours prendre un malin plaisir à ne pas s'embraser, et, la dernière fois qu'il avait tenté d'obtenir une étincelle en battant la pierre contre l'acier, il n'avait réussi qu'à se faire une fameuse estafilade. Si bien que, non contente de le lanciner sous le pansement qu'avait improvisé Vère, sa main n'en était que plus raide et plus gauche encore qu'auparavant. Il aurait sûrement fallu changer le bandage et nettoyer la plaie, mais la seule idée d'y jeter un œil l'effarait. Puis il faisait si froid que celle d'ôter ses gants achevait de le hérisser.

Sam ne savait au juste ce qu'il espérait découvrir dans les masures désertées. Peut-être y traînait-il quelque nourriture omise par les sauvageons. Regarder s'imposait, toujours. À L'Arbre blanc, Jon était allé se rendre compte, comme ça, la dernière fois. À l'intérieur de l'une d'elles, Sam entendit bien fureter des rats dans un angle noir, mais, à part cela, rien, partout ne l'accueillirent que des odeurs chancies, de la paille moisie, de vagues tas de cendres en dessous du trou de fumée.

Retournant auprès du barral, il en examina plus attentivement la face sculptée. *Ce n'est pas celle que nous avions vue*, finit-il par admettre. *Et l'arbre de L'Arbre blanc était au moins deux fois plus gros.* Les pleurs de sang que versaient ici les yeux rouges ne coïncidaient pas davantage avec ses souvenirs. En balourd qu'il était, Sam s'affala sur ses genoux. « Dieux anciens, écoutez ma prière. Les Sept avaient beau être les dieux de mon père, c'est devant vous que j'ai prononcé mes vœux quand j'ai adhéré à la Garde de Nuit. Aidez-nous, maintenant. Nous nous sommes égarés, j'ai peur. Nous avons faim, aussi, et tellement, tellement froid. Je ne sais pas trop en quels dieux je crois, à présent, mais..., mais si vous êtes là, de grâce, aidez-nous. Vère a un fils tout nouveau-né. » Ne trouvant rien d'autre à dire, il demeura court. Le crépuscule noircissait, les feuilles du barral bruissaient doucement, frémissantes comme une myriade de mains sanglantes. L'avaient-ils entendu, les dieux de Jon, ou pas ? mystère complet...

Quand il la rejoignit dans la longue salle, Vère avait fini par faire démarrer le feu et, assise tout contre, allaitait l'enfant, fourrures écartées. *Il est aussi affamé que nous*, songea Sam. Chez Craster, les vieilles leur avaient en douce glissé quelques provisions, mais celles-ci étaient presque épuisées, maintenant. Quand Sam avait toujours fait un chasseur piteux, même à Corcolline où il disposait de chiens et de rabatteurs pour lui faciliter la tâche et où le gibier foisonnait, ses chances étaient d'autant plus nulles, ici, de rien attraper, dans cette forêt désertique et sans bornes. Et ses tentatives de pêche dans les lacs et les torrents à demi gelés s'étaient soldées par des échecs non moins lamentables.

« Y en a pour très longtemps, Sam ? demanda Vère. C'est loin, encore, où on va ?

— Pas si loin que ça. Pas si loin qu'avant. » D'un haussement d'épaules, il laissa choir son paquetage et, s'affaissant lui-même pesamment à terre, essaya de croiser les jambes. À force de marcher, il souffrait du dos de manière si abominable qu'il l'aurait volontiers appuyé contre l'un des piliers de bois mal équarri qui supportaient le toit, mais le feu se trouvait au milieu de la salle, en dessous du trou de fumée, et la soif de chaleur le tourmentait encore plus cruellement que celle d'un semblant d'aises. « Quelques jours de plus, et nous devrions être arrivés. »

Il avait bien ses cartes, mais elles ne serviraient pas à grand-chose, si ce village-ci n'était pas L'Arbre blanc. *Nous nous sommes trop déportés vers l'est pour contourner ce lac*, appréhenda-t-il, *si ce n'est vers l'ouest, plutôt, quand nous avons tenté de rebrousser chemin.* Il en venait à exécrer les rivières et les lacs. Sous ces maudites latitudes-là, jamais il n'y avait de bac ni de pont, si bien qu'on en était réduit à se taper tout le tour des uns et, pour les autres, à vagabonder en quête d'un quelconque gué. Il était moins malaisé de suivre une sente à gibier que de se débattre au sein des fourrés, moins malaisé de tourner les crêtes que de les gravir. *Si Bannen ou Dywen se trouvaient avec nous, déjà nous serions à Châteaunoir, en train de nous rôtir les pieds dans la salle commune.* Seulement, Bannen était mort, et Dywen avait pris le large avec Edd-la-Douleur et Grenn et les autres.

Le Mur a des centaines de lieues de long et sept cents pieds de haut, se répéta-t-il. À condition de continuer vers le sud, il finirait *forcément*, tôt ou tard, par tomber dessus. Et il était certain d'être allé vers le sud. Le jour, c'est sur le soleil qu'il s'orientait, et la nuit, par temps clair, il leur suffisait de suivre la queue du Dragon de Glace. À dire vrai, ils n'avaient plus guère circulé la nuit depuis la mort de l'autre cheval. Lors même que la lune était en son plein, il faisait trop noir sous les arbres, et Sam n'aurait été que trop fichu de se casser une patte, lui ou le bourrin. *Nous devons être pas mal au sud, présentement, nous ne pouvons pas ne pas l'être.*

Ce qu'il estimait, en revanche, avec moins, beaucoup moins, d'aplomb, c'était l'ampleur éventuelle de leur dérive vers l'ouest ou vers l'est. Ils atteindraient le Mur, ça oui..., dans un jour ou une quinzaine, il ne pouvait se situer beaucoup plus loin que ça, sûrement, sûrement..., mais *où* l'atteindraient-ils ? C'était la porte de Châteaunoir qu'il leur fallait à tout prix trouver ; sans quoi, pas moyen de le franchir sur une distance incommensurable.

« Il est aussi grand, ce Mur, que Craster disait ? demanda Vère.

— Plus grand. » Il s'efforça de prendre un ton allègre. « Tellement grand que les châteaux qui se cachent derrière, tu ne peux même pas les apercevoir. Et pourtant, ils s'y trouvent bien, tu verras. Le Mur n'est fait que de glace, mais les châteaux sont en pierre et en bois. Ils ont de grandes tours et des caves profondes, et dans la cheminée de l'immense salle commune brûle jour et nuit un énorme feu. Et ce qu'il fait chaud, là-dedans, Vère, tu auras du mal à le croire toi-même.

— On me permettrait le debout devant ? Moi et le petit ? Pas bien longtemps, juste que jusqu'à tant qu'on se réchauffe, nous deux, pas plus, et qu'on se sente bien ?

— Tu resteras auprès du feu aussi longtemps qu'il te plaira. Et tu auras aussi à boire et à manger. Du vin aux épices, bouillant, et une écuellée de ragoût de chevreuil aux oignons, et du pain qu'Hobb viendra juste de sortir du four, tellement chaud que tu t'y brûleras les doigts. » Sam retira l'un de ses gants pour faire gigoter les siens près des flammes, et il ne tarda pas à s'en repentir. Après le froid qui les avait si mortellement engourdis, leur retour à la vie fut si douloureux qu'il en aurait pleuré. « Parfois, l'un de mes frères chantera quelque chose, reprit-il précipitamment pour essayer d'oublier la souffrance. C'est Dareon qui chantait le mieux, mais il a été muté à Fort Levant. On a encore Halder, remarque. Et Crapaud. Qui s'appelle Craplet, de son vrai nom, mais, comme il a l'air d'un crapaud, c'est Crapaud qu'on l'appelle, nous. Il aime bien chanter, mais il a une voix horrible.

— Et vous, vous chantez, vous ? » Vère arrangea ses fourrures autrement puis transféra l'enfant vers le second sein et le lui offrit.

Sam s'empourpra. « Je... je connais des chansons,

quelques-unes. Quand j'étais petit, ça me plaisait bien, de chanter. Je dansais, aussi, mais le seigneur mon père a toujours détesté me le voir faire. Il disait que, si j'avais tellement envie de me pavaner, je n'avais qu'à aller le faire dans la cour, une épée au poing.

— Vous pourriez pas chanter une de vos chansons du sud ? Pour le petit ?

— Si tu y tiens. » Il réfléchit un moment. « Il y a une chanson que nous chantait notre septon, à mes sœurs et à moi, quand nous étions tout gosses et qu'il était l'heure d'aller nous coucher. "La chanson des Sept", elle s'appelle. » Il s'éclaircit la gorge et chantonna tout doucement :

« *Le Père, énergique et sévère de traits,*
Siège en jugeant le bien, le mal.
Il pèse nos vies, longues ou brèves,
Et il aime les tout petits.

La Mère donne le présent de vie,
Chaque épouse est sa protégée.
Son sourire apaise tous les conflits,
Et elle aime ses tout petits.

Le Guerrier, dressé devant l'ennemi,
Nous préserve, où que nous allions.
Épée, pique, arc, écu manie,
Et il garde les tout petits.

L'Aïeule est très sage et vieille,
Elle voit se dérouler nos sorts.
Haut brillant d'or sa lampe élève,
Et elle guide les tout petits.

Le Ferrant, lui, jour nuit ahane
À redresser le monde humain.
Sont feu clair, marteau, soc ses armes,
Et il bâtit pour les tout petits.

La Jouvencelle qui danse aux cieux
Tout soupir d'amoureux anime.
À l'oiseau vol ses grâces enseignent,
Et font rêver les tout petits.

Les Sept dieux qui nous firent tous
Écoutent si vous appelez.
Fermez les yeux sans craindre chute,
Eux vous regardent, tout petits,
Fermez-les seulement sans craindre chute,
Eux vous regardent, tout petits. »

La dernière fois, se souvint Sam, où il avait chanté cette chanson, c'était avec Mère, pour bercer Dickon. Lord Randyll avait entendu leurs voix et fait une entrée furibonde. « Je ne veux plus jamais de ça, intima-t-il rudement à sa femme. Vous m'avez déjà gâché un garçon, avec ces chansonnettes de septon douceâtres, vous prétendez me gâcher aussi celui-ci dès le berceau, peut-être ? » Puis, fusillant Sam du regard : « Va chansonner tes sœurs, s'il faut absolument que tu chansonnes. Je ne veux pas de toi dans les parages de mon fils. »

L'enfant de Vère s'était assoupi. Il était si peu de chose et si peu remuant que Sam craignait pour ses jours. Et il n'avait même pas de nom. Questionnée là-dessus, Vère avait soutenu que c'était leur porter la guigne que de baptiser les gosses avant qu'ils aient deux ans. Il en mourait tellement...

Elle repoussa son sein sous les fourrures. « C'était joli, Sam. Vous chantez bien.

— Tu devrais entendre Dareon. Il a une voix aussi douce que l'hydromel.

— On a bu le plus doux, d'hydromel, le jour que Craster m'a faite une femme. C'était l'été, alors, et y faisait pas tant froid. » Elle lui décocha un regard perplexe. « T'as bien chanté rien que de six dieux ? Craster nous disait toujours que vous autres, au sud, vous en avez sept.

— Sept, en effet, confirma-t-il, mais on ne chante jamais rien sur l'Étranger. Personne. » La figure de l'Étranger n'était que la figure de la mort. Le seul fait de l'avoir mentionné mettait Sam mal à l'aise. « Nous devrions peut-être avaler quelque chose. Une ou deux bouchées. »

Les vivres restants se réduisaient à quelques saucisses noires aussi dures que du bois. Sam en scia quatre ou cinq rondelles transparentes pour chacun. Leur résistance n'allait pas sans lui endolorir le poignet, mais la faim qui le tenaillait suffit à le faire persévérer. À condition de les mastiquer assez longuement, ces lichettes finissaient par se ramollir et par avoir bon goût. Les femmes de Craster les assaisonnaient d'ail.

Leur festin terminé, Sam pria Vère de l'excuser et sortit s'occuper du cheval et se soulager. Du nord soufflait une bise mordante qui faisait alentour crépiter les feuilles comme des crécelles. Une fine couche de glace s'était formée sur le ruisseau, qu'il dut briser pour permettre à la bête de s'abreuver. *Je ferais mieux de la rentrer.* La perspective de la retrouver pétrifiée le lendemain matin ne le séduisait pas spécialement. *Dût ce malheur nous arriver, Vère n'en continuerait pas moins d'avancer.* Elle se montrait, contrairement à lui, d'un courage à toute épreuve. Il aurait donné gros pour savoir ce qu'il ferait d'elle, une fois rentré à Châteaunoir. Elle lui répétait toujours qu'elle serait sa femme, s'il le désirait, mais les frères noirs n'avaient pas de femmes à leur foyer ; au surplus, il était littéralement inconcevable qu'un Tarly de Corcolline épouse jamais une sauvageonne. *Il va me falloir trouver une solution. Mais ce sera déjà bien, si nous arrivons au Mur vivants. Le reste n'a pas d'importance. Aucune importance du tout.*

Amener le cheval jusqu'à la porte de la longue salle ne présenta guère de difficultés. La lui faire franchir fut une tout autre affaire, mais Sam y réussit à force d'opiniâtreté. Vère dormait déjà quand, finalement, la bête entravée dans un angle et quelques bûchettes ajoutées au feu, il ôta son pesant manteau et se faufila sous les fourrures auprès de la sauvageonne et de son enfant. Le manteau était assez vaste pour les recouvrir tous trois et préserver leur chaleur dessous.

Vère exhalait des relents de lait, d'ail et de peaux moisies, mais il y était désormais fait. Les trouvait plaisants, même, en ce qui le concernait. Il aimait bien dormir près d'elle. Ça lui remémorait l'époque, tellement lointaine, où, à Corcolline, il partageait un immense lit avec deux de ses sœurs. Époque révolue le jour où lord Randyll avait décrété que de telles pratiques le rendaient aussi chochotte qu'une fille. *Coucher seul dans le froid d'une chambre à moi ne m'a pas pour autant endurci ni enhardi, d'ailleurs...* Il se demanda ce que dirait Père s'il pouvait le voir, maintenant. *J'ai tué l'un des Autres, messire,* s'imagina-t-il annoncer. *Je l'ai frappé avec un poignard d'obsidienne, et, du coup, mes frères jurés m'appellent Sam l'Égorgeur.* Mais, même en recourant à de telles chimères, il ne voyait lord Randyll que se renfrogner, manifestement incrédule.

Des rêves bizarres le visitèrent, cette nuit-là. Il était de retour à Corcolline, au château, mais son père ne s'y trouvait pas. C'était à lui, Sam, qu'appartenait désormais le château. Jon Snow lui tenait compagnie. Et lord Mormont aussi, le Vieil Ours, ainsi que Grenn, Edd-la-Douleur, Pyp et Crapaud et tous ses autres frères de la Garde, mais revêtus d'éclatantes couleurs et non plus de noir. Quant à lui, installé au haut bout de la table, il les festoyait, découpant avec l'épée de Père, Corvenin, d'épaisses tranches de viande rôtie. Il y avait à déguster là des monceaux de pâtisseries, là coulait à flots du vin miellé, ce n'étaient là que chants, que danses, et l'on y avait chaud. Les agapes achevées, il montait se coucher ; non point dans la chambre seigneuriale qu'avaient occupée ses père et mère, mais dans la chambre autrefois partagée avec ses sœurs. Seulement, au lieu de ses sœurs, c'était Vère qui l'attendait dans l'énorme lit douillet, simplement vêtue d'une pelisse hirsute, et les seins ruisselants de lait.

Il se réveilla brusquement dans un froid panique. Du feu presque entièrement consumé ne subsistaient que de vagues braises rougeoyantes. L'air lui-même semblait gelé, tant il faisait froid. Dans son coin, le cheval hennissait en décochant de folles ruades aux rondins des murs. Assise auprès des cendres, Vère étreignait son enfant. Sam se mit pâteusement sur son séant, lâchant par la bouche des bouffées blafardes. La longue salle était noire d'ombres, d'ombres noires et d'ombres plus noires. Les poils de ses bras commençaient à se hérisser.

Ce n'est rien, se dit-il. *J'ai froid, voilà tout.*

Alors, près de la porte, une des ombres s'anima. Une de massive.

C'est encore un rêve, s'évertua-t-il à souhaiter. *Oh, faites que je sois toujours en train de dormir, faites qu'il s'agisse d'un cauchemar. Il est mort, il est mort, je l'ai vu mourir de mes propres yeux.* « Il est venu pour le petit, pleurnicha Vère. Il le sent. Un nouveau-né, ça pue la vie. C'est la vie qu'il est venu pour prendre. »

La gigantesque forme noire se plia sous le linteau, pénétra dans la salle et s'avança d'un pas traînant vers eux. Finit par devenir, à la lueur chiche des braises, P'tit Paul.

« Va-t'en, coassa Sam. On ne veut pas de toi, ici. »

Les mains de P'tit Paul étaient comme du charbon, son visage comme du lait, ses yeux brillaient d'un bleu glacial. Le givre blanchissait sa barbe, et un corbeau, perché sur son épaule, lui becquetait la joue, se gorgeant de chair blanche et morte. La vessie de Sam n'y tint pas davantage, et il se sentit les jambes inondées de chaud. « Vère, calme le cheval et sors-le. Fais ce que je te dis.

— Mais vous..., commença-t-elle.

— J'ai le couteau. Le couteau de verredragon. » Il se fouilla pour le sortir tout en se mettant debout. Le sien, il l'avait donné à Grenn, mais il avait eu par bonheur la présence d'esprit, chez Craster, de prendre avant de s'enfuir celui du Vieil Ours. Le poing bien serré dessus, il fit mouvement pour s'éloigner du feu, s'éloigner de Vère et de son enfant. « Paul ? » La bravoure qu'il prétendait mettre dans cet appel se résolut en un couinement. « P'tit Paul. Tu me reconnais ? C'est moi, moi, Sam, Sam le patapouf, Sam la Trouille, moi que tu as sauvé dans les bois. Tu m'as porté, quand je n'arrivais pas à faire un pas de plus, porté dans tes bras. Personne d'autre n'aurait pu le faire, et toi, tu l'as fait. » Il recula, poignard au poing, tout larmoyant. *Quel pleutre je fais.* « Ne nous fais pas de mal, Paul. S'il te plaît. Pourquoi nous voudrais-tu du mal ? »

142

Vère rampait à reculons sur la dure terre battue. La créature tourna la tête vers elle, mais le « *NON !* » que glapit Sam ramena son attention sur lui. Le corbeau qu'elle avait sur l'épaule arracha un long lambeau de bidoche blême à ce qui lui restait de joue. Haletant comme un soufflet de forge, Sam branlait son arme à bout de bras. Tout au fond de la salle, Vère atteignit le cheval. *Donnez-moi du courage, ô dieux*, pria Sam. *Donnez-moi un peu de courage, pour une fois. Juste assez longtemps pour qu'elle puisse se sauver.*

P'tit Paul avança sur lui. Sam battit en retraite jusqu'au moment où il se retrouva acculé contre la paroi de rondins grossiers. Agrippant à deux mains le manche du poignard, il se mit en garde. La créature n'avait pas l'air de craindre le verredragon. Peut-être ignorait-elle ce que c'était. Elle se mouvait lentement, mais P'tit Paul n'avait jamais été bien vif, même de son vivant. Là-bas derrière, Vère, avec des murmures apaisants, s'efforçait d'entraîner le cheval vers la porte. Mais le flair de celui-ci dut être frappé par quelque aberrant remugle glacé de la créature, car il renâcla tout à coup et, se cabrant, fustigea l'air à pleins sabots. Le vacarme fit pivoter P'tit Paul, et Sam parut instantanément perdre tout intérêt pour lui.

Ce n'était le moment ni de réfléchir ni de prier ni d'avoir la trouille. Samwell Tarly se jeta en avant et plongea son poignard dans le dos de la créature. À demi détournée comme elle l'était, elle ne vit pas seulement venir le coup. Le corbeau prit l'air avec un cri strident. « Tu es mort ! piaula Sam en frappant derechef. Tu es mort, tu es mort. » Il frappait, piaulait, frappait et piaulait encore et encore, réduisant en loques le lourd manteau noir. Des éclats de verredragon s'éparpillèrent de tous côtés lorsque la lame enfin, par-delà les lainages, se fracassa sur la maille de fer.

Le gémissement de détresse qu'exhala Sam embruma de blanc la noirceur de l'air. Laissant choir le manche dérisoire, il se dépêcha de reculer quand P'tit Paul tourna sur lui-même. Mais il n'eut pas le loisir de tirer son autre couteau, la dague d'acier que portait chaque frère noir, que déjà les pattes noires de la créature se refermaient sur ses fanons. Si formidablement froides qu'elles lui semblèrent rougies à blanc. Et elles s'enfouirent à fond dans la chair tendre de sa gorge. *Fuis, Vère, fuis*, voulut-il crier, mais lorsqu'il ouvrit la bouche, il ne s'en échappa qu'un pauvre gargouillis.

À tâtons, ses doigts finirent par trouver la dague, mais lorsqu'il l'enfonça dans les tripes de la créature, la pointe en ricocha si violemment sur les mailles de fer qu'il lâcha prise et qu'elle s'envola au diable en tourbillonnant. Et, cependant, les pattes noires, non contentes de resserrer l'étau inexorablement, commençaient à exercer un mouvement de torsion. *Il va m'arracher la tête*, songea Sam avec épouvante. Le gel pétrifiait sa gorge, et ses poumons étaient en feu. Il bourra la créature de coups de poing, lui tira de toutes ses forces sur les poignets, peine perdue. Il lui décocha des ruades entre les jambes, vainement. Le monde se réduisit à deux étoiles bleues, à une douleur infernale mêlée d'impuissance et à un froid tellement atroce qu'il lui gelait les larmes aux yeux. Le désespoir enfin de gigoter pour rien, tirailler pour rien le fit se... propulser à corps perdu.

Si grand fût-il, et si râblé, P'tit Paul, Sam, au poids, réussissait l'exploit de le surclasser, et, il l'avait constaté sur le Poing, les créatures étaient passablement pataudes. La poussée subite fit faire à Paul un pas titubant en arrière, et, tout d'une pièce, mort et vivant s'écrasèrent ensemble au sol. Une des pattes, sous le choc, se décrocha de la gorge de Sam, ce qui lui permit d'avaler une vorace goulée d'air avant que ne se ragrippent à son cou les doigts noirs glacés. Le goût du sang lui satura la bouche. Il se démancha l'échine, en quête du couteau, et discerna une vague lueur orange. *Le feu !* N'en demeuraient que quelques braises parmi les cendres, et néanmoins... – penser lui était aussi impossible que respirer... Il fit une brusque embardée de côté qui entraîna Paul avec lui..., ses bras fouettèrent la terre battue, ses mains se tendirent à tâtons, touchèrent les cendres et les éparpillèrent, découvrirent enfin quelque chose d'ardent..., un tison de bois calciné qui se consumait, rouge et orange, dans le noir..., il reploya les doigts dessus et, d'un coup, d'un coup si violent qu'il sentit se briser des dents, le fourra dans la bouche de Paul.

En dépit de quoi l'étreinte de la créature ne se relâcha nullement. Les dernières pensées de Sam furent pour la mère qui l'avait aimé, pour le père qu'il avait déçu. Et la longue salle tournait tout autour de lui quand il discerna le bouchon de fumée qui s'élevait en virevoltant d'entre les dents brisées de Paul. Et puis, le visage du mort s'embrasant d'un coup, c'en fut fini des pattes noires.

Une gorgée d'air avide, et Sam, épuisé, se laissa rouler de côté. La créature flambait, le givre gouttait de sa barbe et, dessous, la chair noircissait. Sam entendit le corbeau piailler, mais Paul lui-même n'émit aucun son. Sa bouche se mit à béer, mais pour ne cracher que des flammes. Et ses yeux... *Elle est partie, la lueur bleue, partie, partie...*

Il rampa jusqu'à la porte. L'air était si froid que l'aspirer vous faisait mal, mais un mal adorable, un mal merveilleux. Il risqua la tête au-dehors. « Vère ? appela-t-il. Je l'ai eu, Vère. Vè... »

Elle se tenait adossée au barral, son enfant dans les bras. Les créatures la cernaient. Il y en avait une douzaine, une vingtaine, davantage encore... qui, quelques-unes, à en juger d'après les fourrures et les peaux qu'elles portaient encore, avaient un jour été des sauvageons, mais... – mais la plupart avaient été naguère ses frères à lui. Il vit là Fauvette des Sœurs, Ryles, Tapinois. Noire était la loupe sur le cou de Chett, et une fine pellicule de glace couvrait ses pustules. Et cet autre-là semblait être Hake, encore qu'il fût difficile de l'affirmer, vu qu'il lui manquait la moitié du crâne. Ils avaient mis en pièces le pauvre cheval et lui arrachaient maintenant les entrailles à pleines mains ruisselantes et rouges. De sa panse montaient des vapeurs blanchâtres.

Sam poussa une espèce de son geignard. « Ce n'est pas juste...

— *Juste.* » Le corbeau vint atterrir sur son épaule. « *Juste, peur, loin.* » Il battit des ailes et se mit à glapir en même temps que Vère. Les créatures étaient presque sur elle, à présent. Sam entendit les sombres feuilles rouges du barral bruire et s'entre-chuchoter des choses en une langue inconnue de lui. Les étoiles elles-mêmes parurent agiter leurs falots, tandis que, tout autour, les arbres grinçaient, grommelaient. Le teint de Sam vira au lait caillé, ses yeux s'écarquillèrent autant que des assiettes. *Des corbeaux !* Ils se trouvaient dans l'arbre-cœur, per-chés par centaines, milliers, sur ses branches à la blancheur d'os, à épier entre les feuilles. Il vit leurs becs s'ouvrir pour crier, il vit se déployer leurs noires ailes. Il les vit, stridents et furieux, fondre en nuées battantes sur les créatures. Assaillir de partout la face de Chett et lui becqueter ses yeux bleus, cou-vrir, telles des mouches, le Sœurois, s'abattre dans le crâne fracassé d'Hake et s'y gorger de gros morceaux. Si nombreux qu'en levant les yeux Sam ne put entrevoir la lune.

« *Pars !* fit l'oiseau juché sur son épaule, *pars ! pars ! pars !* »

Sam se mit à courir comme s'il courait derrière les bouffées gelées qui lui explosaient aux lèvres. Les créatures qui l'environnaient se démenaient contre les noires ailes et les becs aigus qui les assaillaient, et elles succombaient dans un silence abominable, sans un cri, sans un grognement. Quant à lui, les corbeaux l'ignorèrent. Empoignant Vère par la main, il l'arracha de l'arbre-cœur. « Il faut partir !

— Mais où ? » Elle le suivit à la hâte, les bras serrés sur son enfant. « Ils ont tué notre cheval, comment nous pou... ?

— *Frère !* » L'appel pourfendit la nuit, perça l'innombrable clameur des corbeaux. Sous les arbres se trouvait, emmitouflé de la tête aux pieds dans un bariolage de gris et de noirs, un homme, un homme à califourchon sur un orignac. « *Viens !* » lança-t-il. Un capuchon plongeait son visage dans l'ombre.

Il porte les noirs. Sam entraîna vivement Vère vers le cavalier. L'orignac était colossal, un orignac géant, dix bons pieds de haut au garrot, et une ramure presque aussi large. Il s'agenouilla pour leur permettre de l'enfourcher. « Là », fit l'inconnu en tendant à Vère une main gantée pour l'attirer derrière lui. Vint ensuite le tour de Sam. « Grand merci », haleta-t-il. Mais ce fut seulement après avoir saisi la main tendue qu'il se rendit compte que le cavalier ne portait pas de gant. Il avait la main noire et glacée, les doigts durs comme de la pierre.

ARYA

Lorsqu'ils arrivèrent au sommet de la crête, la vue de la rivière fit pousser un juron à Sandor Clegane, tandis que le mors brutalisait la bouche du cheval.

La pluie qui tombait d'un ciel de fer noir asticotait de dix mille piques le déferlement vert et brun des eaux. *Ça doit bien avoir un mille de large*, songea Arya. Une cinquantaine d'arbres engloutis dans les remous et les tourbillons brandissaient encore au ciel des branchages aussi pathétiques que des bras d'hommes en train de se noyer. D'épais amas de feuilles mortes engorgeaient la frange des flots, et là-bas, plus au large, dérivait au galop du courant quelque chose de blême et d'enflé, qu'elle supposa être un daim, voire un cheval mort. Et, en plus, il y avait le bruit, une espèce de grommellement sourd, à la limite de l'audible, un bruit semblable au bruit de gorge que font les chiens juste avant de gronder.

À force de se tortiller en selle, elle sentit la maille du Limier lui meurtrir le dos. Il l'enserrait à deux bras ; celui de gauche, le brûlé, il l'avait équipé d'un brassard d'acier pour le protéger, mais sous les pansements, quand il les refaisait, la chair se révélait suppurante et toujours à vif. De toute manière, s'il en souffrait, Sandor Clegane n'en trahissait rien.

« C'est la Néra, ça ? » Ils avaient tant et tant chevauché jusque-là sous la pluie, dans le noir, par des bois sans pistes et des bourgs sans noms qu'elle en était totalement déboussolée.

« C'est une rivière qu'on doit traverser, t'as pas besoin d'en savoir plus. » Il consentait à lui répondre de temps à autre, mais à condition, l'avait-il avertie, qu'elle se garde de rien rétorquer. Mais pour les avertissements, ça, le premier jour, elle en avait eu un paquet. « Si tu me frappes une fois de plus, je te lie les mains dans le dos », par exemple, et : « Si tu essaies de t'échapper une fois de plus, je t'attache les pieds. » Ou encore : « Crie, gueule ou mords-moi une fois de plus, et je te bâillonne. » Bref, « Soit on monte à deux, soit je te flanque en travers du cheval, troussée comme une truie bonne pour l'abattoir. Tu choisis. »

Elle avait choisi de monter mais, dès leur premier bivouac, attendu l'heure où il roupillerait par force à poings fermés pour aller te lui écrabouiller sa sale gueule avec un bon gros rocher bien déchiqueté. *Silencieux comme une ombre*, se disait-elle en se coulant vers lui, mais comme une ombre n'était pas encore assez silencieux. Tout compte fait, le Limier ne roupillait pas. Ou bien, peut-être, il s'était réveillé. Toujours est-il que de toute manière il ouvrit les yeux, tordit son mufle, et le fameux rocher, là, vous l'en délesta comme la dernière des bouts de chou. Au mieux écopa-t-il de quelques coups de pied. « Je vais te passer ce coup-ci encore, dit-il en balançant le rocher dans les ronces. Mais si tu es assez gourde pour réessayer, gare à toi.

— Pourquoi vous ne me *tuez* pas, plutôt, tout bonnement, comme Mycah ? » lui glapit-elle. Elle était encore provocante, alors, plus furibonde qu'effarée.

En guise de réponse, il l'empoigna par le devant de sa tunique et l'attira d'une saccade à deux doigts de sa figure calcinée. « Dis ce nom une fois de plus, une seule, et je te rosserai si vachement que tu *regretteras* que je ne t'aie pas tuée. »

Mais dès lors, chaque soir, avant de se coucher, il la roulait dans sa couverture de cheval et l'y saucissonnait si gentiment depuis le col jusqu'aux petons qu'elle avait la parfaite dégaine d'un moutard langé.

C'est fatalement la Néra, décida-t-elle tout en regardant la pluie flageller la rivière. En sa qualité de chien de Joffrey, le Limier la ramenait au Donjon Rouge, et il l'y livrerait au roi et à sa mère. Elle aurait bien voulu que le soleil se montre un peu pour lui permettre de savoir dans quelle direction ils pouvaient bien aller. Plus elle guignait la mousse des arbres, et plus elle s'embrouillait. *La Néra n'était pas si large, à Port-Réal. Mais ce déluge n'avait pas encore débuté.*

« Tous les gués vont avoir disparu, dit Sandor Clegane, et tenter de passer à la nage ne m'enchanterait pas non plus. »

Il n'y a pas moyen de traverser, songea-t-elle. *Lord Béric va forcément nous rattraper.* Clegane avait eu beau sacrément forcer son grand étalon noir et, à trois reprises, rebrousser chemin pour brouiller les pistes, allant même un jour jusqu'à remonter sur un demi-mille le lit d'un ruisseau dément..., elle ne s'en attendait pas moins à voir les brigands surgir à bride abattue chaque fois qu'elle jetait un coup d'œil derrière. Elle avait tâché de les aider en gravant son nom sur les troncs quand elle allait dans les fourrés vider sa vessie, mais elle s'y était fait prendre en flagrant délit la quatrième fois, et il n'y avait pas eu de cinquième. *Ça ne fait rien*, s'était-elle dit, *Thoros me retrouvera dans ses flammes.* Seulement, Thoros ne l'avait pas fait. Pas encore, en tout cas. Et quand ils auraient franchi la rivière...

« Herpivoie ne devrait pas être bien loin, dit Clegane. Où lord Racin bichonne le bicéphale et fluvial coursier de Sa Majesté Andahar le Vieil. Pas impossible que son dos nous porte jusqu'à l'autre bord. »

Arya n'avait jamais entendu parler de cet Andahar le Vieil de roi-là. Ni jamais vu non plus de cheval à deux têtes, un surtout qui sache galoper sur l'eau, mais quant à poser des questions, elle, toujours que tu pouvais courir. Elle retint sa langue et, raide comme un piquet, laissa le Limier tourner la tête du cheval et lui faire longer la crête, parallèlement au sens du courant. Au moins, ils avaient la pluie dans le dos, comme ça. Jusque-là qu'elle en avait eu, de la pluie qui t'aveugle en te piquant les yeux et qui te ruisselle sur les joues comme si tu pleurais. *Les loups ne pleurent jamais*, s'affirma-t-elle pour la centième fois.

Il ne devait guère être plus de midi, mais le ciel était aussi sombre qu'à la tombée de la nuit. Le soleil ne s'était pas laissé ne serait-ce qu'entr'apercevoir depuis si plein de journées qu'elle eût perdu sa peine à essayer de les compter. Elle avait les fesses entamées par la selle, était trempée jusqu'aux moelles, enchifrenée, moulue de partout. Des accès de fièvre aussi la tourmentaient, qui la secouaient par moments de tremblotes irrépressibles, mais à l'aveu qu'elle avait la crève, le Limier n'avait répondu qu'en jappant : « Torche ton pif et ferme ta gueule. » Il dormait maintenant la moitié du temps, sûr et certain que son étalon suivrait sans dévier de *ça*, quelque chemin défoncé d'ornières ou sente à gibier qu'il lui eût fait prendre. Ce coursier massif, presque aussi grand qu'un destrier mais beaucoup plus rapide, Clegane l'appelait *Étranger*.

S'imaginant qu'elle serait hors d'atteinte avant qu'il ne réagisse, elle avait essayé de le lui piquer, une fois, pendant qu'il pissait contre un arbre..., mais peu s'en était fallu qu'Étranger ne la défigure d'un coup de dents. Aussi docile qu'un vieux hongre à l'endroit de son maître, il se montrait, en dehors de lui, aussi noir d'humeur que de robe. Jamais Arya n'avait vu de cheval plus prompt à mordre et à ruer.

Il fallut chevaucher des heures durant sur les confins de la rivière et se farcir en plus de barboter dans deux affluents bourbeux avant que Sandor Clegane ne mentionne à nouveau son fameux patelin. « Lord Herpivoie-Ville », annonça-t-il cette fois, puis, celle-ci en vue : « *Par les sept enfers !* » Non contente de submerger les berges, la crue avait englouti l'agglomération. Seuls demeuraient encore au-dessus des flots le dernier étage en claies et torchis d'une auberge, le dôme à sept pans d'un septuaire naufragé, quelques toits de chaume pourris, les deux tiers d'une tour de pierre et une forêt de cheminées.

Un filet de fumée s'échappait toutefois de la tour, s'aperçut Arya, et sous une fenêtre en plein cintre était fermement amarrée par des chaînes une large barque à fond plat. Laquelle comportait une douzaine de tolets et, tant à la proue qu'à la poupe, une impressionnante tête de cheval en bois. *C'était donc ça, son « coursier bicéphale »*... Une bicoque en planches à toit de tourbe se dressait au beau milieu du pont, et le Limier eut à peine mis ses mains en porte-voix et tonitrué un appel qu'elle déversa deux bonshommes. Un troisième apparut à la fenêtre de la tour, arbalète chargée en main. « *C'est pour quoi ?* gueula-t-il par-dessus les remous brunâtres.

— *Traverser !* » répondit le Limier sur le même ton.

Après quelques conciliabules, un de ceux du bateau, un voûté de grison revêche à gros bras s'approcha du plat-bord. « *Va coûter !*

— *Paierai !* »

Avec quoi ? se demanda Arya. Clegane s'était fait faucher son or par les brigands. Mais peut-être lord Béric lui avait-il laissé de la cuivraille et un peu d'argent. Le prix du passage ne devait d'ailleurs pas excéder quelques liards...

À bord, les conciliabules allaient de nouveau bon train. Finalement, le voûté se tourna pour beugler quelque chose, et six types de plus surgirent de la bicoque en rabattant leurs capuchons pour se préserver de la pluie. La fenêtre de la tour en vomit davantage encore qui sautèrent sur le pont. Une moitié d'entre eux ressemblaient assez au grison pour être de sa parentèle. Certains détachèrent les chaînes et se munirent de longues perches, tandis que les autres inséraient dans les tolets de lourdes rames à larges pales. Non sans quelque peu rouler, le bac se mit à dériver lentement vers les basses eaux, grâce au bon accord des deux bancs de nage. Sandor Clegane poussa le cheval dans la pente au bas de laquelle allait avoir lieu l'accostage.

Quand l'arrière du bac eut bruyamment cogné le bord, les mariniers ouvrirent une large porte sous la figure en tête de cheval, puis larguèrent un gros madrier de chêne. En atteignant la rive, Étranger renâcla, mais le Limier n'eut qu'à lui talonner les flancs pour qu'il emprunte la passerelle. Le voûté se trouvait là pour les accueillir. « Assez saucé pour votre goût, ser ? » s'enquit-il avec un sourire.

La bouche du Limier se tordit. « Me faut ton rafiot, pas tes vannes. » Il mit pied à terre et, enlevant Arya de selle, la planta près de lui. L'un des mariniers tendit la main vers la bride d'Étranger. « M'en garderais », prévint Clegane, comme un sabot fusait déjà. Le type recula d'un bond, glissa sur le pont trempé, se retrouva le cul par terre en jurant tout ce qu'il savait.

Le voûté ne souriait plus. « On peut vous passer, fit-il âprement. Ça vous coûtera une pièce d'or. Une autre pour le canasson. Une troisième pour le mioche.

— Trois dragons ? » Clegane éclata de rire. « Pour trois dragons, je devrais avoir le putain de bac.

— L'an dernier, peut-être vous l'auriez eu pour ça. Mais y a qu'avec cette rivière, comme ça va me falloir des bras supplémentaires aux perches et aux rames rien que pour pas être emporté à cent milles en mer. À vous de choisir, maintenant. Trois dragons, sinon, ce cheval d'enfer, vous y apprenez à marcher sur l'eau.

— M'a toujours plu, les coquins honnêtes. Va pour ton prix. Trois dragons..., quand tu nous auras débarqués sains et saufs sur la rive nord.

— C'est tout de suite, ou on part pas. » L'homme fit jaillir un battoir tout calleux de main, paume en l'air.

Clegane fit jaillir du fourreau sa longue rapière avec un ferraillement prometteur. « À *toi* de choisir, maintenant. Or sur la rive nord ou acier sur la rive sud. »

L'autre leva les yeux vers le museau du Limier. Arya eut l'impression très nette qu'il ne le trouva guère à son goût. Mais il avait beau avoir sur ses arrières une quinzaine d'acolytes, des malabars nantis de rames et de perches en bel et bon bois, pas un seul ne faisait mine de se précipiter pour l'appuyer. Ils auraient, à eux tous, pu se payer Sandor Clegane, mais probablement pas sans qu'il en dépêche d'abord trois ou quatre dans un meilleur monde. « Et je sais comment, moi, si vous casquerez ? » demanda-t-il au bout d'un moment.

Pas un sou ! ça la démangea de lancer. Au lieu de quoi elle se mordit la lèvre.

« Parole de chevalier », déclara le Limier sans sourire.

Il n'est même pas chevalier ! refoula-t-elle aussi.

« Dans ce cas... » Le voûté cracha. « Grouillez-vous, alors, et on vous débarque avant la nuit là-bas. Attachez le cheval, qu'y s'emballe pas, surtout, pendant le trajet. Y a un brasero dans la cabine, si ça vous dit de vous réchauffer, vous et votre fils.

— *Je ne suis pas son idiot de fils !* » se rebiffat-elle, furieuse. C'était encore pire que d'être prise pour un garçon. Et ça la mit tellement hors d'elle qu'un peu plus elle leur clamait qui elle était *véritablement*, mais Sandor Clegane vous l'attrapait déjà comme qui dirait par la peau du cou et, d'une seule main, la faisait décoller du pont. « Combien de fois faut te répéter de *fermer ta putain de gueule* ? » Il la secoua si rudement qu'elle en claquait des dents, puis il finit par la laisser choir. « Entre-moi là te sécher, comme a dit le type. »

Elle obtempéra. Le gros brasero de fer barbouillait de rouge toute la pièce et y entretenait une chaleur à suffoquer. Malgré le plaisir qu'elle prit à se planter devant, s'y chauffer les mains, se sécher un tout petit peu, elle n'eut pas plutôt senti le pont frémir sous ses pieds qu'elle se glissa de nouveau dehors par la porte ouvrant vers l'avant.

Après avoir tour à tour déjoué toutes les embûches des basses eaux, le coursier bicéphale se mit à tracer sa route entre les toitures immergées d'Herpivoie et leurs cheminées. Une douzaine d'hommes étaient attelés aux rames, quatre autres utilisaient leurs longues perches pour repousser le bac au large de tout ce qui, arbre, écueil ou maison noyée, le lutinait d'un peu trop près. Le voûté tenait le gouvernail. La pluie, qui crépitait sur le plancher miroitant du pont, échevelait d'éclaboussures, à la poupe et la proue, les deux altières effigies. À se tenir là, Arya se faisait de nouveau tremper, mais elle n'en avait cure. Elle voulait voir. Le type à l'arbalète se trouvait toujours à la fenêtre de la tour, nota-t-elle, et il la suivit des yeux pendant que le bac s'aventurait en contrebas. Elle se demanda si c'était là le lord Racin qu'avait mentionné le Limier. *Il n'a pas tellement l'air d'un seigneur.* Mais enfin, elle-même n'avait pas tellement l'air d'une dame non plus.

À peine fut-on sorti de la ville et entré dans le lit proprement dit de la rivière que le courant se fit beaucoup plus violent. Arya n'eut pas plutôt entr'aperçu sur la rive opposée, dans la grisaille de l'averse, une grande pile en pierre indiquant sûrement le débarcadère qu'on était déjà sur le point de la dépasser, balayé par la furie des flots. Les rameurs devaient désormais nager avec beaucoup plus d'énergie pour combattre celle-ci. Des feuilles et des branches brisées tourbillonnaient tout autour en filant aussi vite que des projectiles de scorpion. Arc-boutés par-dessus le plat-bord, les types aux perches s'échinaient à repousser les épaves les plus menaçantes. La violence du vent se percevait bien davantage aussi, maintenant. Pour peu qu'elle se tournât vers l'amont, c'était par paquets de pluie que les rafales fouettaient le visage d'Arya. Affolé par l'instabilité du pont, Étranger piaffait des quatre fers et ruait, hennissait.

Si je sautais par-dessus bord, la rivière m'entraînerait au diable avant même que le Limier ne s'aperçoive que j'ai disparu. Un coup d'œil par-dessus l'épaule lui montra Sandor Clegane aux prises avec son cheval et s'efforçant de le tranquilliser. Jamais ne s'offrirait à elle plus belle occasion de lui brûler la politesse. *Sauf que je risque de me noyer.* Jon disait toujours qu'elle nageait comme un poisson, mais, avec cette fichue rivière, même un poisson pouvait se retrouver en difficulté. Ne valait-il pas mieux, au fait, la noyade que Port-Réal ? La pensée de Joffrey l'incita à se porter en catimini vers la proue. D'un brun bourbeux et compact sous la pluie qui la fla- gellait, la rivière évoquait plutôt du brouet que de l'eau. Serait-elle très froide, ou pas tant que ça ? *Je ne me mouillerais toujours pas beaucoup plus que je ne le suis.* Elle posa sa main sur la rambarde.

Mais elle n'eut pas le loisir de sauter que des clameurs inopinées lui dévissèrent brusquement le cou. En voyant les mariniers se précipiter, perche au poing, elle ne comprit pas tout de suite ce qui se passait. Et puis l'évidence lui sauta aux yeux : un arbre arraché par la crue fonçait droit sur eux, gigantesque et noir. À fleur d'eau, ses racines et ses branches enchevêtrées ressemblaient aux ten- tacules agressifs d'un poulpe colossal. Les rameurs nageaient frénétiquement à rebours pour tâcher d'éviter une collision qui ferait chavirer le bac ou lui causerait de graves avaries. Le grison voûté ayant quant à lui braqué le gouvernail à fond, le cheval de proue ébauchait bien son virage à val, mais trop lentement. Et l'arbre, tout gluant de reflets brun-noir, allait incessamment, tel un bélier de siège, les défoncer par le travers.

Il ne devait pas être à plus de dix pieds de la proue quand les perches de deux mariniers se débrouil- lèrent pour l'atteindre. L'une s'y rompit, et l'intermi- nable *crrrraaaaac* déchirant de toutes ses fibres sonna comme si c'était le bac lui-même qui se démantibulait sous ses passagers. Mais la rude poussée que la seconde, plus chanceuse, parvint à imprimer au tronc suffit, mais tout juste, à le dévier de sa trajectoire. Il ne passa qu'à quelques pouces d'eux, sa ramure, elle, égratignant tout du long comme autant de griffes la tête de cheval. Or, à peine enfin commençaient-ils tous à se croire tirés d'affaire qu'une branche maîtresse les régala d'une formidable torgnole. En l'encaissant, le bac eut comme un sursaut, et Arya, perdant l'équilibre, atterrit sévèrement sur un genou. Le type à la perche rompue n'eut pas tant de veine. Elle l'entendit gueuler lorsqu'il bascula par-dessus bord, la fange en fureur se referma sur lui, et le temps pour Arya de se relever, il avait disparu sans laisser de trace. L'un des mariniers rafla bien un rouleau de cordage, mais il ne se trouva personne à qui le lancer.

Peut-être bien qu'il refera surface quelque part plus bas, voulut espérer tout de même Arya, mais cet espoir-là sonnait terriblement creux. Toute envie de baignade lui avait passé. Et lorsque Sandor Clegane lui gueula de retourner s'abriter avant qu'il ne l'assomme, elle n'eut garde de regimber. Le bac luttait à présent pour reprendre vaille que vaille son cap initial, alors que la rivière ne souhaitait rien tant que le charrier à la mer.

Lorsqu'on atteignit enfin l'autre bord, ce fut à deux bons milles du débarcadère habituel. Le bac donna si violemment contre la rive qu'une autre perche se rompit, tandis qu'Arya manquait à nouveau se flanquer par terre. Sandor Clegane eut autant de peine à la jucher sur le dos d'Étranger que si elle ne pesait pas plus qu'une poupée. Le regard fixe dont les gratifiaient tous les mariniers ne trahissait qu'un épuisement morne. Tous, excepté le grison voûté qui tendit hardiment la main. « Six dragons, fit-il.

Trois pour le passage, et trois pour l'homme que j'ai perdu. »

Sandor Clegane fourragea dans son escarcelle et planta dans la paume du bonhomme une espèce de torchon fripé. « Tiens. Prends-en dix.

— Dix ? répéta l'autre, sidéré. C'est quoi, ça ?

— Le billet d'un mort. Bon pour neuf mille dragons, peu ou prou. » Le Limier se mit vivement en selle derrière Arya puis grimaça un sourire sans aménité. « Y en a dix à toi. Je reviendrai chercher le reste un de ces jours, alors va pas me le dépenser. »

L'autre loucha sur le parchemin. « Des gribouillis. Me sert à quoi, des gribouillis ? De l'or, vous avez promis. Parole de chevalier, même, que vous avez dit.

— Ç'a putain pas d'honneur, les chevaliers. Que temps que t'ayes pigé ça, barbon. » Le Limier donna de l'éperon, et Étranger prit sa course à travers la pluie, dans un concert d'imprécations qu'accompagnèrent même quelques pierres, mais Clegane ne s'émut pas plus des projectiles que des injures, il ne fallut pas dix foulées à l'étalon pour se perdre à couvert des bois, et le mugissement des flots ne tarda guère à s'amenuiser, derrière, en une rumeur assourdie. « Le bac ne retraversera jamais que demain matin, commenta Clegane, et ces abrutis ne vont plus prendre pour argent comptant les promesses en papier du prochain filou qui se présentera. Si tes copains sont à nos trousses, va leur falloir être de foutus nageurs. »

Arya se ratatina et retint sa langue. *Valar morghulis*, songea-t-elle sombrement. *Ser Ilyn, ser Meryn, le roi Joffrey, la reine Cersei. Dunsen, Polliver, Raff Tout-miel, ser Gregor et Titilleur. Et le Limier, le Limier, le Limier.*

Vers l'heure où, la pluie cessant, les nuages se dispersèrent, il se trouva qu'elle-même éternuait avec tant de constance et grelottait si salement que, non content d'avancer leur halte pour la nuitée, Clegane s'efforça même de faire du feu. Mais il eut beau battre le briquet cent fois, le bois qu'ils avaient ramassé se révéla trop humide pour jamais prendre. Si bien que, finalement, il envoya tout paître d'un coup de pied. « Par les sept putains d'enfers, jurat-il, ce que je peux détester le feu ! »

Installés sur des pierres humides en dessous d'un chêne dont le feuillage dégouttait, goutte à goutte, avec un menu clapotis, ils firent donc un repas froid composé de pain dur, de fromage moisi et de saucisse fumée. Clegane était en train d'y tailler des rondelles quand il surprit le regard d'Arya posé sur le poignard qu'il maniait. Ses yeux se rétrécirent. « Va pas même y penser...

— Je n'y pensais pas », mentit-elle.

Il manifesta par un reniflement la confiance que lui inspirait cette allégation, mais la rondelle de saucisse qu'il offrit n'en fut pas moins copieuse. Sans le lâcher des yeux, Arya se mit en devoir de la déchiqueter. « Je n'ai jamais frappé ta sœur, reprit-il. Mais toi, je te frapperai si tu m'y contrains. Arrête de te fouler à manigancer des tas de trucs pour me tuer. Il n'en résultera strictement rien de bon pour toi. »

Que répliquer à cela ? Elle s'acharna contre la saucisse tout en le dévisageant froidement. *Ferme comme un roc*, songea-t-elle.

« Au moins, ma gueule, tu la regardes. Je ne te tiendrai pas rigueur de ça, petite louve. La trouves-tu à ton goût ?

— Non. Elle est moche et toute brûlée. »

Il lui tendit un morceau de fromage sur la pointe de son couteau. « Tu n'es qu'une petite idiote.

À supposer que tu *réussisses* à t'échapper, qu'y gagnerais-tu ? Tu n'arriverais qu'à te faire attraper par quelqu'un de pire.

— Sûrement *pas* ! protesta-t-elle. Il n'y a personne de pire.

— Tu n'as jamais rencontré mon frère. Une fois, Gregor a tué un homme parce qu'il ronflait. Un homme à lui. » Quand son sourire s'évasait un peu, le côté brûlé de sa face tirait de partout, lui remontant la bouche en la tordant de façon bizarre et antipathique. Il n'avait, de ce côté-là, plus du tout de lèvres et pour oreille qu'un trognon.

« Si fait que j'ai rencontré votre frère. » À la réflexion, maintenant, peut-être bien que la Montagne était pire, *effectivement*. « Lui et Dunsen et Polliver et Raff Tout-miel et Titilleur. »

Le Limier parut abasourdi. « Et comment diable la précieuse enfant de Ned Stark en serait-elle arrivée à connaître cette engeance-là ? Gregor n'amène jamais à la cour ses rats de manchon...

— C'est depuis le village que je les connais. » Elle avala le fromage et s'empara d'un gros morceau de pain. « Le village près du lac où ils nous ont capturés, Gendry, moi et Tourte-chaude. Et puis Lommy Mains-vertes aussi, seulement Raff Tout-miel l'a tué à cause de sa jambe blessée. »

La bouche de Clegane se contorsionna. « Capturé *toi* ? Mon frère t'a *capturée* ? » L'idée déchaîna son hilarité, sous la forme de bruits grincheux qui tenaient à la fois du gargouillis et du grondement. « Mais il n'a jamais su ce qu'il tenait, hein ? Il n'a pas dû le savoir, sans quoi ce ne sont pas tes ruades ni tes piaillements qui l'auraient empêché de te traîner à Port-Réal et de te fourguer au giron de Cersei. Ah, foutrebleu, c'est la meilleure, ça ! Te la lui conterai, parole, et comme ! avant de lui arracher le cœur... »

Ce n'était pas la première fois qu'il parlait de tuer la Montagne. « Mais il est votre frère..., objecta-t-elle d'un air dubitatif.

— Il ne t'est jamais arrivé d'avoir envie de tuer l'un de tes frères, toi ? » Il se remit à rire. « Ou peut-être une sœur ? » Là, il dut discerner quelque chose sur la physionomie d'Arya, car il s'inclina pour lui susurrer comme en confidence : « Sansa. C'est bien ça, n'est-ce pas ? La lice de loup tuerait volontiers l'oiselet joli.

— Non, lui cracha-t-elle du tac au tac. C'est *vous* que je tuerais volontiers.

— Rien que pour avoir fendu en deux ton petit copain ? J'en ai tué pas mal d'autres, sans me vanter. À ton avis, ça fait de moi une espèce de monstre. Eh bien, c'est possible, mais j'ai sauvé ta sœur également. Le jour où elle fut arrachée de selle par la populace, c'est moi qui, me frayant passage de vive force, la reconduisis au château, sans quoi elle aurait eu le même sort que la Lollys Castelfoyer. Et elle a chanté pour moi. Ça, tu l'ignorais, hein ? Ta sœur m'a chanté une délicieuse petite chanson.

— Vous mentez ! riposta-t-elle instantanément.

— Tu ne sais pas seulement la moitié de ce que tu te figures savoir. La *Néra* ? Où crois-tu que nous sommes, par les sept enfers ? Où crois-tu que nous nous rendons ? »

Le ton méprisant qu'il venait d'avoir la fit hésiter. « À Port-Réal », dit-elle, et, tout d'un coup, rien qu'à la manière dont il avait posé les questions, elle comprit qu'elle se trompait. Mais il fallait bien dire *quelque chose*. « Vous êtes en train de me ramener à Joffrey et à la reine.

— Stupide petite aveugle lice de loup ! » Sa voix s'était faite aussi durement blessante qu'une râpe en fer. « Mon cul, Joffrey, mon cul, la reine, et mon cul, cette tordue de gargouille naine qu'elle appelle un frère ! Fini, pour moi, leur ville, fini, leur Garde, et fini, les Lannister, fini ! Qu'est-ce que ça peut bien avoir à foutre, un chien, dis-moi voir, avec des lions ? » Il attrapa sa gourde d'eau, s'envoya une longue lampée. Tout en s'essuyant la bouche, il offrit la gourde à Arya puis reprit : « La rivière était le Trident, petite. Le *Trident*, pas la Néra. Dresse la carte dans ta tête, si tu peux. On devrait atteindre demain la route Royale. Après ça, c'est bon train qu'on ira, puis droit sur les Jumeaux. C'est moi qui vais te remettre à ta fameuse mère, et moi seul. Pas le noble seigneur la Foudre ni ce monstre de prêtre aux flammes frauduleuses, moi. » Il se fendit jusqu'aux oreilles en voyant la tête qu'elle faisait. « Tu t'imagines qu'il n'y a que tes hors-la-loi d'amis pour savoir humer les fumets de rançon ? Dondarrion m'a piqué mon or, et moi, je t'ai piquée à lui. Tu vaux bien deux fois plus qu'ils ne m'ont volé, je dirais. Peut-être même encore davantage, si c'est aux Lannister que je te revendais, comme tu le crains, mais je n'en ferai rien. Même un chien finit par se lasser de recevoir des coups de pied. Si les dieux ne lui ont pas donné moins de jugeote qu'à un crapaud, ton Jeune Loup me dotera d'une seigneurie quelconque et me conjurera d'entrer à son service. Dût-il encore l'ignorer, il a *besoin* de moi. Il pourrait même advenir que j'aille jusqu'à tuer Gregor pour lui ; ça le ravirait.

— Vous engager, cracha-t-elle, *vous* ? Jamais il ne le fera !

— Alors, je prendrai autant d'or que j'en puis porter, je lui rirai au nez, et je m'en irai. S'il ne m'enrôle

JON

La jument était claquée, mais il ne pouvait pas lui accorder de répit. Il devait coûte que coûte atteindre le Mur avant le Magnar. Il aurait dormi de bon cœur en selle, si selle il y avait eu, mais, montant à cru, c'était déjà toute une affaire, même éveillé, que de demeurer simplement à cheval. Sa jambe blessée le suppliciait de plus en plus. Loin d'oser la laisser reposer assez longuement pour qu'elle se cicatrise, il semblait se complaire à en rouvrir la plaie chaque fois qu'il réenfourchait sa monture.

Enfin, lorsque, au terme d'une interminable montée de plus, se discerna, brune et creusée d'ornières, la route Royale qui lambinait à travers plaines et collines en direction du nord, Jon tapota l'encolure de la jument et dit : « On n'a plus qu'à la suivre, maintenant, ma fille. Bientôt le Mur. » Il avait désormais la jambe aussi raide que du bois, et la fièvre lui brouillait si fort la cervelle qu'il se surprit par deux fois à chevaucher dans la mauvaise direction.

Bientôt le Mur. Il s'imagina ses copains en train de siroter du vin aux épices dans la salle commune. Hobb ne manquerait pas d'être à ses marmites, ni Donal Noye à sa forge, ni mestre Aemon dans ses appartements sous la roukerie. *Et le Vieil Ours ? Et Sam, et Grenn, Edd-la-Douleur, Dywen et son râtelier de bois… ?* Souhaiter qu'ils aient, quelques-uns du moins..., réussi à s'échapper du Poing, voilà tout juste ce qu'il pouvait faire.

Ygrid occupait aussi beaucoup ses pensées. L'odeur de ses cheveux le hantait, la chaleur de son corps... et l'expression qu'avait eue son visage au moment où elle tranchait la gorge du malheureux vieux. *Tu as eu tort de l'aimer*, chuchotait une voix. *Tu as eu tort de la quitter*, ripostait une seconde voix. Père s'était-il senti écartelé de la sorte, lorsque, abandonnant sa maîtresse, il était parti retrouver lady Catelyn ? *Sa foi l'avait engagé à lady Stark, et la mienne m'engage à la Garde de Nuit.*

Il faillit dépasser La Mole sans même s'en apercevoir, tant la fièvre l'obnubilait. Presque entièrement souterrain, le village ne trahissait son existence, à la faible clarté de la lune en déclin, que par une poignée de cahutes exiguës. Pas plus vaste qu'un lieu d'aisances, celle du bordel ne se distinguait guère de ses voisines que par la lanterne qui, grinçant au vent, dardait dans les ténèbres un œil louche et sanglant. Jon mit tant bien que mal pied à terre devant l'écurie contiguë et, titubant comme un ivrogne, éveilla finalement deux gars à force d'appels. « Il me faut une monture fraîche, avec selle et harnachement », leur enjoignit-il d'un ton qui ne souffrait pas de réplique. Ils s'exécutèrent et lui fournirent en plus une gourde de vin et une demi-miche de pain bis. « Réveillez le village, ordonna-t-il encore, et prévenez tout le monde. Des sauvageons rôdent au sud du Mur. Rassemblez vos affaires et dépêchez-vous de gagner Châteaunoir. » Il se hissa sur le hongre noir qu'on venait de lui donner et, quitte à grincer des dents comme un damné, repartit à bride abattue.

Vers l'est, les étoiles du firmament commençaient à s'éteindre une à une quand le Mur parut, droit devant, flottant par-dessus les arbres et les brumes du petit matin. La lune affectait la glace de scintillements laiteux. Jon ne cessa de presser son cheval sur la route boueuse et glissante que lorsque, au bas de la gigantesque falaise de glace, se pressèrent, comme un amas de joujoux brisés, les tours de pierre et les baraquements à colombages de Châteaunoir. Les premiers rayons de l'aurore nimbaient pour lors le Mur de reflets roses et violacés.

Il ne se trouva nulle sentinelle pour l'interpeller lorsqu'il aborda les bâtiments périphériques, il ne se trouva personne pour lui disputer le passage. Châteaunoir semblait aussi en ruine que Griposte. Entre les pavés des cours poussait une mauvaise herbe brune et cassante. Une neige pourrie tapissait le toit du Quartier Flint et s'agglutinait en congères sur le versant nord de la tour de Hardin, celle-là même qu'habitait Jon avant que le Vieil Ours ne le choisisse pour factotum. Des doigts de suie barbouillaient toujours le pourtour des baies de la tour de la Commanderie dévastée par les flammes et la fumée. À la tour du Roi, où Mormont avait emménagé au lendemain de l'incendie, ne brillait aucune lumière non plus. Du niveau du sol, il était impossible de savoir si des sentinelles arpentaient le faîte du Mur, sept cents pieds plus haut, mais personne en tout cas ne se discernait dans l'immense escalier qui, la zébrant d'un fabuleux éclair de bois, zigzaguait contre la face méridionale.

De la cheminée de l'armurerie s'élevait toutefois un tire-bouchon de fumée ; maigrichon, sans doute, et presque invisible sur la grisaille du ciel septentrional, mais on n'allait pas pinailler. Jon se laissa glisser à bas de sa selle et boquillonna vers la porte. La chaleur qui lui sauta au visage lui fit l'effet d'une de ces bouffées de canicule qui vous assaillaient naguère, l'été. Vers le fond, ce manchot de Noye activait les soufflets de sa forge. Le bruit d'une intrusion lui fit lever les yeux. « Jon Snow ?

— Nul autre. » En dépit de la fièvre et de l'épuisement, de sa jambe et du Magnar et d'Ygrid et du vieux, de Mance, en dépit de tout, de tout ça, Jon eut un sourire. C'était bon d'être de retour, bon de voir Noye et sa grosse bedaine, sa manche épinglée, sa mâchoire barbelée de chaume noir.

Le forgeron délaissa ses soufflets. « Ta figure... »

Jon avait presque oublié sa mésaventure. « Un mutant qui a tenté de m'arracher l'œil. »

Noye se renfrogna. « N'empêche, lisse ou couturée, c'est une figure que je comptais plus jamais voir. On s'est laissé dire que t'étais passé à Mance Rayder. »

Jon s'agrippa au chambranle pour rester debout. « Qui vous a dit ça ?

— Jarman Buckwell. Il est revenu y a une quinzaine. Ses éclaireurs affirment t'avoir vu de leurs propres yeux courir sur les flancs de la colonne sauvageonne, vêtu d'un manteau en peau de mouton. » Noye lui jeta un regard torve. « Et ça, toujours, c'est exact, je constate.

— Tout est exact, reconnut Jon. Dans un certain sens.

— Il me faudrait donc tirer l'épée pour t'étriper tout de suite, hein ?

— Non. J'agissais sur ordre. Les dernières volontés de Qhorin Mimain. Où se trouve la garnison, Noye ?

— À défendre le Mur contre tes potes sauvageons.

— Soit, mais *où* ?

— Partout. On a repéré Harma-la-Truffe dans les parages de Sylve-Etang, Clinquefrac à Longtertre, le

Chassieux tout près de Glacière. Tout le long du Mur qu'y en a... Y en a ici et y en a là, y en a qui grimpent vers Porte-Reine, et y en a qu'essaient de démolir les portes de Griposte ou qui se concentrent contre Fort Levant..., mais qu'ils entr'aperçoivent un manteau noir et, hop, plus personne, envolés. Pour reparaître quelque part ailleurs dès le lendemain. »

Jon refoula un gémissement de souffrance. « Des feintes. Ce que veut Mance, c'est nous distendre le plus fin possible, ne voyez-vous pas ? » *Et Bowen Marsh a l'obligeance de combler ses vœux... !* « C'est ici, la porte. C'est ici, l'assaut. »

Noye s'avança. « Ta jambe est trempée de sang. »

Jon baissa sombrement les yeux. C'était vrai. La plaie s'était rouverte une fois de plus. « Une flèche qui m'a blessé...

— Une flèche sauvageonne », fit Noye, et son ton n'avait plus rien de dubitatif. Et il avait beau n'avoir plus qu'un bras pour soutenir Jon, ce bras unique était une formidable masse de muscles. « Tu es blanc comme lait, et bouillant, en plus. Je t'emmène chez mestre Aemon.

— Pas le temps. Il y a des sauvageons au *sud* du Mur. Ils arrivent de Reine-Couronne pour ouvrir la porte.

— Combien ? » Noye dut presque le porter pour lui faire franchir le seuil.

— Douze dizaines. Et bien armés, pour des sauvageons. Du bronze et, par-ci par-là, de l'acier. Combien d'hommes reste-t-il ici ?

— Quarante à peu près, répondit l'armurier. Les infirmes et les estropiés, plus quelques bleus encore à l'entraînement.

— Si Marsh est parti, qui a-t-il désigné comme gouverneur ? »

Noye se mit à rire. « Ser Wynton, les dieux le préservent. Le dernier chevalier du château et tout et tout. L'ennui, c'est qu'il semble l'avoir oublié – mais il ne s'est trouvé personne pour courir le lui rappeler. Sans forfanterie, je dois être ici ce qu'y a de plus plausible comme commandant. Le dernier des estropiés. »

Une bonne chose, en l'occurrence. Outre qu'il avait la tête sur les épaules, l'armurier manchot était un dur à cuire et un vieux de la vieille. Tandis que ser Wynton Stout..., bon, ç'avait été du solide, en son temps, nul n'en disconvenait, mais quatre-vingts ans de patrouilles l'avaient lessivé, mentalement et physiquement. Un soir, il s'était assoupi à table et avait failli se noyer dans sa purée de pois.

« Où est ton loup ? demanda Noye pendant qu'ils traversaient la cour en direction du long fort de bois où logeaient le mestre et ses oiseaux.

— Fantôme... Il m'a fallu m'en séparer quand j'ai franchi le Mur. J'avais espéré qu'il se débrouillerait pour revenir ici.

— Désolé, mon gars. Pas eu signe de lui. » Ils montèrent clopin-clopant l'escalier du mestre, et l'armurier flanqua des coups de pied dans la porte. « *Clydas !* »

Au bout d'un moment, celle-ci s'entrebâilla sur le museau méfiant d'un petit homme en noir bossu, contrefait. Ses minuscules yeux roses s'arrondirent à la vue de Jon. « Allonge-le. Je vais chercher le mestre. »

Un bon feu flambait dans la cheminée, et l'atmosphère de la pièce était presque étouffante. La chaleur étourdit Jon jusqu'au vertige. Aussitôt que Noye l'eut couché sur le dos, il ferma les yeux pour que le monde cesse de tourner. De l'étage au-dessus lui parvenaient les *croâ croâ* plaintifs des corbeaux. « *Snow*, rabâchait l'un d'eux, *snow, snow, snow.* »

C'était là l'ouvrage de Samwell Tarly, se souvint-il. Et de se demander si Sam s'en était finalement tiré – ou rien que les oiseaux ?

Mestre Aemon ne se fit guère attendre. Il entra lentement, à petits pas coulés, circonspects, sa main tavelée posée sur le bras de Clydas. À son cou décharné pendait lourdement sa chaîne où les maillons d'or et d'argent étincelaient parmi le plomb, l'étain, le fer et les autres métaux élémentaires. « Jon Snow, dit-il, il te faudra me confier par le menu, quand tu seras revigoré, tout ce que tu as vu et fait. Donal, place-moi donc une bouilloire de vin sur le feu, et mes fers aussi. Il va me les falloir rougis à blanc. Clydas, je vais avoir besoin de cette fameuse lame effilée que tu as. » À cent ans passés, le mestre n'était plus qu'une minuscule chose ratatinée, frêle, chauve et complètement aveugle ; mais si ses prunelles laiteuses ne discernaient rien, son esprit n'avait rien perdu de son acuité de toujours.

« Des sauvageons vont survenir, lui dit Jon pendant que le couteau de Clydas lui remontait le long des braies en éventrant l'épais tissu noir aussi croûteux de sang séché qu'empoissé de sang frais. « À partir du sud. Nous avons escaladé le Mur... »

Mestre Aemon salua d'un reniflement dégoûté le pansement rudimentaire que venait de retirer Clydas. « Nous ? »

— J'étais avec eux. Qhorin Mimain m'avait ordonné de les rallier. » Il grimaça quand l'index du mestre explora la plaie, la sondant et s'y tortillant. « Le Magnar de Thenn – *aïïïïeeeeee !* » Ça faisait un mal de chien. Il serra les dents. « Où est le Vieil Ours ?

— Jon..., cela me chagrine de te l'apprendre, mais le lord Commandant Mormont est mort assassiné chez Craster, de la main même de ses frères jurés.

— De ses... – *de nos propres hommes* ? » Les propos d'Aemon venaient de lui faire cent fois plus mal que ses doigts. La dernière image qu'il avait emportée du Vieil Ours, debout devant sa tente, avec son corbeau sur le bras croassant pour avoir du blé, lui traversa l'esprit. *Mort, Mormont ?* Il n'avait cessé de craindre cela depuis le terrible spectacle aperçu sur le Poing, mais le choc ne l'en assommait pas moins. « Qui ça ? Qui a osé s'en prendre à lui ?

— Garth de Villevieille, Ollo le Manchot, Surin..., des voleurs, des lâches et des meurtriers, toute cette clique. Nous aurions dû le voir venir. La Garde n'est plus ce qu'elle fut. Trop peu d'honnêtes gens pour faire marcher droit la canaille. » Donal Noye retourna les fers du mestre sur le feu. « Il nous est revenu une douzaine d'hommes loyaux. Edd-la-Douleur, Géant, ton ami l'Aurochs. C'est d'eux que nous tenons l'histoire. »

Rien qu'une douzaine ? Ils avaient été deux cents à quitter Châteaunoir à la suite de Mormont, deux cents choisis parmi l'élite de la Garde. « Dois-je conclure de tout cela que c'est désormais Marsh, notre lord Commandant ? » Si brave homme fût-il, et de quelque zèle qu'il fît preuve comme responsable de l'intendance, la Vieille Pomme granate avait tous les défauts requis pour faire un chef suprême calamiteux face à une armée sauvageonne.

« Pour l'instant, précisa mestre Aemon. Jusqu'à ce que nous puissions procéder à une élection en règle. Apporte-moi le flacon, Clydas. »

Une élection. Étant donné que Qhorin Mimain et ser Jaremy Rikker étaient morts tous deux, que Ben Stark n'avait toujours pas reparu, sur qui pouvaient bien se porter les suffrages ? Assurément pas, en

172

tout cas, sur Bowen Marsh ni sur ser Wynton Stout. Thoren Petibois avait-il réchappé du Poing, ou bien ser Ottyn Wythers ? *Mais non, c'est entre Cotter Pyke et ser Denys Mallister que les choses vont se jouer... Mais qui l'emportera, des deux ?* Les commandants de Tour Ombreuse et de Fort Levant étaient gens de mérite, mais on ne peut plus différents : ser Denys courtois, pondéré, des manières nobles d'aîné ; Pyke, plus jeune et bâtard, le verbe brutal, et d'une hardiesse allant jusqu'à la témérité. Et ils se portaient mutuellement, pour tout arranger, une antipathie féroce. Pour les maintenir séparés, jamais le Vieil Ours n'avait considéré comme excessif l'intervalle entre les extrémités opposées du Mur. Et ce n'était pas d'hier, Jon le savait bien, que les Mallister se méfiaient des Fer-nés comme de la peste.

Un élancement fulgurant le fit revenir à lui-même. Le mestre lui pressa la main. « Clydas rapporte incessamment le lait du pavot. »

Jon essaya de se redresser. « Je n'ai pas besoin...

— Si fait, dit Aemon d'un ton ferme. Ça va faire mal. »

Donal Noye traversa la pièce et força Jon à se rallonger. « Tiens-toi tranquille, ou je te ligote. » En dépit de son bras unique, l'armurier le manipulait aussi facilement qu'un gosse. Clydas revint muni d'une fiole verte et d'une coupe en pierre tournée. Mestre Aemon emplit celle-ci à ras bords. « Bois-moi ça. »

Jon s'était mordu la lèvre en se débattant. À la consistance épaisse et crayeuse de la potion se mêla le goût du sang. Ne pas dégobiller lui parut un assez bel exploit.

Clydas approcha une cuvette d'eau chaude, et mestre Aemon se mit à débarrasser la plaie de ses purulences et de ses sanies. Si douces qu'il eût les mains, le plus léger contact donnait à Jon envie de gueuler. « Les hommes du Magnar sont faits à la discipline, et ils portent des armures en bronze », entreprit-il de conter. Parler l'aidait à distraire un peu son esprit des opérations en cours.

« Le Magnar est sire de Skagos, fit Noye. Il y avait des natifs de Skagos à Fort Levant quand je suis arrivé au Mur, et ils parlaient de lui, je me souviens.

— Jon utilisait le mot dans son acception primitive, j'ai l'impression, dit mestre Aemon. Non comme patronyme mais comme titre. Il dérive de la vieille langue.

— Il signifie simplement "seigneur", en effet, confirma Jon. Styr est le magnar de je ne sais trop quel endroit nommé Thenn, tout au nord des Croc-givre. En plus d'une centaine d'hommes à lui, il mène une vingtaine de razzieurs qui connaissent le Don presque aussi bien que nous. Mance n'a pas découvert le cor, en tout cas, c'est toujours ça de gagné. Le Cor de l'Hiver, voilà quel était l'objet de ses fouilles sur les rives de la Laiteuse. »

Mestre Aemon marqua une pause, tampon en suspens. « Le Cor de l'Hiver est une légende immémoriale. Le roi-d'au-delà-du-Mur croirait-il véritablement à l'existence d'un tel instrument ?

— Ils y croient tous, affirma Jon. À en croire Ygrid, ils avaient ouvert une centaine de tombes..., des tombes de rois et de héros, un peu partout dans la vallée de la Laiteuse, mais sans jamais dé...

— C'est qui, *Ygrid* ? demanda Donal Noye d'un air ostentatoire.

— Une femme du peuple libre. » Comment leur expliquer qui était Ygrid ? *Elle est chaude et drôle, et elle a l'esprit vif, et elle est aussi capable de vous embrasser que de vous trancher la gorge.* « Elle se trouve avec Styr, mais elle n'est pas... – elle est toute jeune, rien qu'une gamine, en fait, bon, fruste, mais elle... » *Elle a tué un vieil homme simplement coupable d'avoir fait du feu.* Il sentit sa langue s'embarrasser, devenir pâteuse. Le lait du pavot lui brouillait les idées. « J'ai rompu mes vœux avec elle. Je n'en avais pas du tout l'intention, mais... » *C'était une faute. Une faute de l'aimer, une faute de la quitter...* « J'ai manqué de force. Le Mimain m'avait ordonné, marche avec eux, regarde, je ne devais pas barguigner, je... » Sa cervelle lui faisait l'effet d'être empaquetée dans de la laine humide.

Après avoir une nouvelle fois reniflé la blessure, mestre Aemon rejeta le linge ensanglanté dans la cuvette et dit : « Le poignard, Donal, veux-tu ? Il va falloir que tu me maintiennes bien immobile notre patient... »

Je ne crierai pas, se jura Jon en voyant de quel éclat brillait la lame rougie à blanc. Mais il allait violer ce serment comme tous les autres. Donal Noye le plaqua sur le dos, pendant que Clydas secondait le mestre en lui guidant la main. Hormis que son poing martelait la table encore et encore, Jon ne bougea pas. Il était pris dans une gangue de souffrance si démesurée qu'il se faisait l'effet d'y être minuscule, aussi désespérément impuissant qu'un bambin vagissant dans le noir. *Ygrid*, songeat-il quand la puanteur de sa chair brûlée lui satura l'odorat et l'écho de ses hurlements l'ouïe. *Ygrid, il le fallait.* Il eut, une seconde, l'impression que la torture était en train de s'atténuer, mais déjà le fer l'affouillait derechef, et il s'évanouit.

Lorsque ses paupières se remirent à papilloter, il se découvrit tout emmitouflé de lainages et comme atteint d'apesanteur. Il était apparemment incapable de faire un geste, mais cela n'avait aucune importance. Un moment, il rêva qu'Ygrid lui tenait compagnie et le pansait d'une main douce. Et puis il finit par fermer les yeux, et il s'endormit.

Le réveil suivant n'eut pas tant de suavité. La pièce était toujours plongée dans le noir mais, sous les couvertures, la douleur était de retour, qui lui lancinait la jambe et, au moindre mouvement, la vrillait comme un poignard de feu. Jon en fit la rude expérience lorsqu'il voulut à tout prix savoir s'il l'avait encore, cette foutue jambe. Le souffle coupé, il poussa un cri étouffé et serra les poings.

« Jon ? » Une chandelle apparut, et un visage on ne peut plus familier, vastes oreilles et tout, non, rien n'y manquait, s'inclina : « Il ne faut pas que tu t'agites.

— Pyp ? » Jon tendit une main que l'autre s'empressa de saisir, étreignit. « Je te croyais parti...

— ... avec la Vieille Pomme granate ? Non. Il me trouve trop malingre et trop bleu. Grenn est là, lui aussi.

— Je suis là, moi aussi. » Grenn s'avança de l'autre côté du lit. « Je m'étais endormi. »

Jon se sentait la gorge sèche. « De l'eau », éructat-il. Grenn en apporta et la lui approcha des lèvres. « J'ai vu le Poing, dit-il après avoir avalé une longue lampée. Tout ce sang, tous ces chevaux morts... Noye a parlé du retour d'une douzaine de rescapés... – qui ?

— Dywen, d'abord. Et puis Edd-la-Douleur, Géant, Gentil Mont-Donnel, Ulmer, Gaucher Lou, Garth Plumegrise. Quatre ou cinq de plus. Moi.

— Sam ? »

Grenn se détourna. « Il a zigouillé l'un des Autres, Jon. Je l'ai vu faire. Il l'a frappé avec ce couteau de verredragon que t'y avais fait, et on s'est mis à l'appeler Sam l'Égorgeur, après. Il détestait ça. »

Sam l'Égorgeur. Jon avait quelque mal à se figurer

combattant plus invraisemblable que Sam Tarly. « Et ensuite, que lui est-il arrivé ?

— On l'a laissé tomber, confessa Grenn d'un ton lamentable. Je l'ai bien secoué, j'y ai bien crié dessus, j'y ai même flanqué des baffes. Géant a tout essayé pour le mettre debout, mais il était trop lourd. Te rappelles, à l'entraînement, comme il se recroquevillait par terre et comme il restait là, rien qu'à couiner ? Eh bien, chez Craster, il couinait même pas. Surin et Ollo défonçaient les murs pour trouver la bouffe, Garth et Garth étaient en train de s'étriper, d'autres en train de se farcir les femmes à Craster. Edd-la-Douleur a bien pigé que la bande à Surin allait liquider tous les types loyaux, pour pas qu'on aille raconter ce qu'ils avaient fait, ces salopards, et ils nous avaient à deux contre un. On a laissé Sam avec le Vieil Ours. Il voulait pas *remuer*, Jon. »

Tu étais son frère, faillit-il riposter. *Comment est-ce que tu as pu l'abandonner parmi des assassins et des sauvageons ?*

« Se pourrait bien qu'il est toujours en vie, suggéra Pyp. Se pourrait bien qu'il nous fasse la surprise, là, d'arriver un de ces matins.

— Avec la tête de Mance Rayder, ouais. » Grenn forçait la note allègre sans abuser Jon. « Sam l'Égorgeur ! »

En essayant à nouveau de se mettre sur son séant, Jon essuya un mécompte aussi cinglant que la première fois. Ne put réprimer un cri, lâcha des bordées de jurons.

« Grenn, va réveiller mestre Aemon, fit Pyp. Dis-lui qu'il faut encore à Jon du lait de pavot. »

Oui, songea Jon. « Non, dit-il. Le Magnar...

— On est au courant, l'interrompit Pyp. Les sentinelles du Mur ont reçu l'ordre de garder un œil vers le sud, et Donal Noye a dépêché une poignée d'hommes sur les hauteurs de Revertemps pour surveiller la route Royale. Et mestre Aemon a également expédié des oiseaux tant à Tour Ombreuse qu'à Fort Levant. »

Une main sur l'épaule de Grenn, mestre Aemon s'approcha du chevet. « Jon, traite-toi avec davantage d'égards. Il est bon que tu te sois réveillé, mais tu dois t'accorder le temps de guérir. Nous avons eu beau inonder la blessure de vin bouillant et te refermer avec un cataplasme d'orties, de graines de moutarde et de pain moisi, si tu ne consens pas à te reposer...

— Je ne peux pas. » Il se mit au supplice afin de s'asseoir. « Mance sera là sous peu... Avec des milliers d'hommes et des géants et des mammouths... En a-t-on averti Winterfell ? Le roi ? » La sueur lui emperlait le front. Il ferma les yeux un moment.

Grenn regarda Pyp d'un drôle d'air. « Il sait pas.

— Jon, reprit mestre Aemon, il s'est passé des quantités de choses pendant ton absence, et pas beaucoup d'heureuses. Balon Greyjoy s'est recouronné, et il a envoyé ses boutres à l'assaut du Nord. Il pousse des rois de tous les côtés comme du chiendent, nous avons lancé des appels à chacun d'entre eux, mais il n'en viendra aucun. Ils ont des tâches plus urgentes pour leurs épées, et nous nous trouvons au diable, voués à l'oubli général. Quant à Winterfell..., arme-toi de tout ton courage, Jon..., Winterfell n'est plus...

— Plus ? » Jon scruta stupidement les prunelles blanches et les innombrables rides du mestre. « Mes frères se trouvent à Winterfell. Bran et Rickon... »

Le mestre se passa la main sur le front. « Je suis navré, Jon, tellement navré. Après s'être emparé de Winterfell au nom de son père, Theon Greyjoy a fait mettre à mort tes frères. Et lorsque les bannerets des Stark ont menacé de le lui reprendre de vive force, il a incendié le château.

— Tes frères ont été vengés, fit Grenn. Le fils de Bolton a tué tous les Fer-nés, et il paraît qu'il est en train d'écorcher Theon Greyjoy à petit feu pour y faire payer ses forfaits.

— Je suis désolé, Jon. » Pyp lui pressa l'épaule. « On l'est tous. »

Si Jon n'avait jamais pu le gober, Theon Greyjoy n'en avait pas moins été le pupille de Père, de leur père à tous. Un spasme de douleur lui tordit la jambe et, sans savoir au juste comment, il se retrouva tout à coup bien à plat sur le dos. « Il y a quelque chose qui cloche, là-dedans, signala-t-il. À Reine-Couronne, j'ai vu un loup, un loup-garou, un loup-garou *gris*..., gris et qui... *qui me connaissait*. » Si Bran était mort, se pouvait-il qu'une part de lui survécût en son loup, comme Orell persistait à vivre dans son aigle ?

« Bois ça. » Grenn lui porta une coupe aux lèvres. Jon but. Il avait la cervelle pleine de loups et d'aigles, étourdie par les éclats de rire de ses frères. Les visages inclinés sur lui commencèrent à se brouiller, se dissiper. *Ils ne peuvent pas être morts. Theon n'aurait jamais fait une chose pareille. Et Winterfell..., granit gris, chêne et fer, corbeaux tourbillonnant tout autour des tours, vapeurs s'élevant des bassins d'eau chaude dans le bois sacré, rois de pierre imperturbables sur leurs trônes..., allons donc, comment Winterfell pourrait-il n'être plus ?*

Aussitôt que les songes se furent emparés de lui, il se retrouva une fois de plus de retour là-bas, chez lui, faisant de bons gros *plouf !* dans les bassins d'eau chaude, sous un gigantesque barral blanc dont la face était celle de Père. Ygrid l'accompagnait, qui, se dépouillant de toutes ses fourrures, finissait par en surgir nue comme à son premier jour et voulait à toute force l'embrasser, mais lui ne pouvait pas y consentir, pas comme ça, sous le regard de Père. Il était le sang de Winterfell, il était un homme de la Garde de Nuit. *Pas question que j'engendre jamais un bâtard*, la prévint-il. *Pas question. Pas question.* « T'y connais rien, Jon Snow », chuchota-t-elle, et sa peau se dissolvait dans l'eau chaude, la chair en dessous se détachait peu à peu des os, si bien qu'à la fin ne demeuraient plus qu'un crâne et un squelette, tandis que le bassin lâchait à gros glouglous des bulles rouges et visqueuses.

CATELYN

Ils entendirent la Verfurque bien avant de l'apercevoir, dénoncée qu'elle était par une rumeur sourde et continue, semblable au grondement de quelque énorme fauve. Moitié plus large que le jour où Robb, l'année précédente, avait au même endroit divisé son ost et pris l'engagement d'épouser une Frey pour prix de son passage, la rivière offrait l'aspect d'un torrent en ébullition. *À l'époque, il avait absolument besoin de lord Walder et de son pont ; et il a besoin d'eux davantage encore aujourd'hui...* À contempler la ruée capricieuse et glauque des flots fangeux, Catelyn avait le cœur gorgé d'appréhensions. *Et il n'y aura pas plus moyen de traverser à gué qu'à la nage. Et il pourrait s'écouler une lune entière avant que ne s'amorce la décrue.*

Aux abords des Jumeaux, Robb ceignit sa couronne et enjoignit à Catelyn et à Edmure de chevaucher à ses côtés. Sa bannière personnelle, le loup-garou gris sur champ de neige, était portée par ser Raynald Ouestrelin.

Les tours de la conciergerie émergèrent de la pluie tels des fantômes, vagues apparitions grisâtres qui se faisaient moins inconsistantes au fur et à mesure que l'on se rapprochait. La forteresse des Frey se composait non pas d'un château mais de deux qui, semblables à des reflets de pierre humide reliés par une enfilade d'arches, avaient chacun l'air de mirer l'autre sur la rive opposée. Au milieu du pont se dressait la tour de l'Eau, sous laquelle s'engouffrait tout droit le courant. Creusés à même les berges en guise de douves, des fossés de dérivation faisaient une île de chacun des jumeaux. Lesquels, grâce au déluge, avaient désormais l'air de flotter sur d'immenses flaques.

Par-delà les flots turbulents, Catelyn discerna, autour du château de l'est, un camp de plusieurs milliers d'hommes. Fichées sur leurs hampes devant les tentes, les bannières pendouillaient comme autant de chats noyés. La pluie interdisait de distinguer si peu que ce soit des couleurs ou des emblèmes. La plupart étaient grises, eut-elle l'impression, mais, sous des ciels pareils, c'est l'univers entier qui paraissait gris.

« N'avance ici qu'à pas comptés, Robb, recommanda-t-elle. Lord Walder a la peau chatouilleuse et la langue acérée, et il est pis que probable que certains de ses rejetons tiennent de lui. Ne cède pour rien au monde à leurs provocations.

— Je connais les Frey, Mère. Je sais à quel point je les ai offensés et à quel point j'ai *besoin* d'eux. Je me montrerai aussi paterne qu'un septon. »

Dans son malaise, elle modifia nerveusement son assiette. « Si l'on nous propose des rafraîchissements à notre arrivée, ne refuse sous aucun prétexte. Prends ce que l'on t'offre, et mange et bois de manière que nul n'en ignore. Si l'on ne t'offre rien, demande un morceau de pain, de fromage et une coupe de vin.

— Je suis plus trempé qu'affamé...

— Robb, *écoute-moi*. Une fois que tu auras goûté de son sel et son pain, tu jouiras des droits de l'hôte,

182

et les lois de l'hospitalité te protégeront sous son toit. »

Robb eut l'air plus amusé qu'effrayé. « J'ai une armée pour me protéger, Mère, je n'ai que faire de m'en remettre à la foi du sel et du pain. Toutefois, si le bon plaisir de lord Walder est de me servir du ragoût de corbeau farci d'asticots, non seulement je le mangerai mais j'en réclamerai une seconde écuellée. »

Quatre Frey sortirent à cheval de la poterne ouest, emmitouflés dans de lourds manteaux de lainage gris. Catelyn reconnut ser Ryman, fils de feu ser Stevron, premier-né de lord Walder. La mort de son père avait fait de lui l'héritier des Jumeaux. Le visage qui s'entrevoyait sous le capuchon était poupin, large et stupide. Les trois autres cavaliers devaient être ses propres fils, soit des arrière-petits-fils de lord Walder.

Edmure confirma. « Edwyn, l'aîné, est le pâlot mince à mine constipée. Le greluchon à barbe est Walder le Noir, une petite ordure de première. Et cette calamité de gueule, là, sur l'alezan, c'est Petyr. Petyr Boutonneux, ses frangins l'appellent. Rien qu'un ou deux ans de plus que Robb, mais il en avait dix quand lord Walder te vous l'a casé à une femme de trente berges. Dieux de dieux, pourvu que Roslin ne tienne pas de *lui*... ! »

Ils firent halte afin de laisser leurs hôtes venir à eux. La bannière de Robb semblait en berne sur sa hampe, et le crépitement forcené de la pluie se mêlait au déferlement de la Verfurque en crue sur leur droite. Vent Gris s'avança d'un pas circonspect, queue raide et prunelles d'or sombre plissées par l'affût. Les Frey ne se trouvaient plus qu'à une dizaine de pas lorsque Catelyn l'entendit émettre un grognement de gorge presque indissociable du grommellement continu des eaux. Robb s'en étonna visiblement. « Aux pieds, Vent Gris. *Aux pieds !* »

Loin d'obéir, le loup-garou bondit en grondant.

Le palefroi de ser Ryman fit un écart effarouché en hennissant de peur, celui de Petyr Boutonneux se cabra et le désarçonna. Seul Walder le Noir contint sa monture, avant de porter la main à l'épée. « *Non !* » gueulait déjà Robb, et : « Vent Gris ! ici. *Ici !* », quand, d'un coup d'éperon, Catelyn jeta sa jument entre les montures et le loup-garou. Éclaboussé par la boue des sabots qui dansaient désormais devant lui, le loup se détourna et ne parut entendre qu'à ce moment-là les appels de Robb.

« Est-ce ainsi qu'un Stark fait amende honorable ? glapit Walder le Noir, acier nu au poing. Méchant bonjour, j'appelle ça, nous lancer votre loup dessus. C'est pour ça que vous êtes venu ? »

Ser Ryman avait mis pied à terre pour aider Petyr Boutonneux – crotté mais indemne – à se relever.

« Je suis venu pour m'excuser de mes torts envers votre maison et pour assister au mariage de mon oncle. » Robb sauta à bas de sa monture. « Petyr, prenez mon cheval. Le vôtre a déjà quasiment regagné l'écurie. »

Le garçon consulta son père du regard et répondit : « Je puis monter en croupe de l'un de mes frères. »

Les Frey ne firent pas mine de rendre le moindre hommage. « Vous arrivez bien tard, observa ser Ryman.

— Les pluies nous ont retardés, dit Robb. Vous avez dû recevoir un oiseau de moi.

— Je ne vois pas la femme. »

Par *la femme*, ser Ryman entendait Jeyne Ouestrelin, chacun le comprit. Lady Catelyn se fendit d'un sourire contrit. « La reine Jeyne était épuisée par son long voyage, messers. Elle sera sûrement charmée de vous rendre visite en des temps plus sereins.

— Grand-Père ne sera nullement charmé, lui. » Bien qu'il eût rengainé, le ton de Walder le Noir demeurait aussi peu amical. « Je l'avais longuement entretenu de la dame, et il brûlait d'envie de la voir de ses propres yeux. »

Edwyn s'éclaircit la gorge. « Nous avons fait préparer des appartements pour vous dans la tour de l'Eau, Sire, dit-il avec une courtoisie appliquée, ainsi que pour lord Tully et pour lady Stark. Vos seigneurs bannerets sont également bienvenus sous notre toit comme hôtes et comme convives du festin de noce.

— Et mes hommes ? demanda Robb.

— Messire notre aïeul déplore de ne pouvoir nourrir ni héberger une armée si nombreuse. Nous avons eu déjà le plus grand mal à nous procurer du fourrage et des vivres pour nos propres troupes. Vos gens ne seront pas négligés pour autant. S'ils veulent bien se rendre sur l'autre rive et établir leur camp à côté du nôtre, nous nous faisons fort d'y livrer suffisamment de fûts de vin et de barils de bière pour que chacun boive à la santé de lord Edmure et de son épouse. Nous avons dressé là-bas trois immenses tentes qui devraient leur servir tant bien que mal d'abri contre ce déluge.

— Messire votre aïeul est trop bon. Mes hommes lui en rendront grâces. Ils ont été trempés tout le long de ce long voyage. »

Edmure Tully poussa son cheval vers eux. « Quand rencontrerai-je ma promise ?

— Elle vous attend à l'intérieur, assura Edwyn Frey. Vous lui pardonnerez ses mines intimidées, je n'en doute pas. Elle a vécu dans de telles transes jusqu'à ce jour, la pauvre enfant... ! Mais ne pourrions-nous poursuivre ailleurs que sous la pluie cette conversation ?

— Assurément. » Ser Ryman se remit en selle, hissa Petyr Boutonneux derrière lui. « Si vous voulez bien me suivre, Grand-Père doit s'impatienter. » Il fit faire demi-tour à son palefroi pour rentrer aux Jumeaux.

Edmure se porta à la hauteur de Catelyn. « Lord Frey le Tardif aurait tout de même pu trouver séant de venir nous accueillir en personne, ronchonna-t-il. Je suis son suzerain tout autant que son futur gendre, et Robb est son roi.

— À quatre-vingt-onze ans, frère, tu te figures que ça t'emballerait tant que ça, *toi*, d'aller cavaler sous la pluie ? » L'explication ne la satisfaisait toutefois qu'à demi. La litière couverte à bord de laquelle lord Walder avait coutume de se faire véhiculer l'aurait largement préservé des trombes. *Un affront délibéré ?* Qui risquait alors, si tel était bien le cas, de n'être que le premier d'une longue longue série...

De nouveaux tracas surgirent aux abords de la conciergerie. En plein milieu du pont-levis, Vent Gris s'arrêta pile et, après s'être ébroué avec véhémence, se mit à hurler vers la herse. Robb siffla avec impatience. « Vent Gris ! Qu'y a-t-il ? Vent Gris ! Aux pieds ! » Mais le loup-garou ne fit que dénuder ses crocs. *Il n'aime pas ce coin*, songea Catelyn. Il fallut que Robb s'accroupisse et le raisonne longuement tout bas pour que le loup finisse par consentir à passer sous la herse. Entre-temps, Lothar le Boiteux et Walder Rivers étaient repassés en tête. « C'est le tapage des eaux qui l'affole, affirma Rivers. Les bêtes sauvages savent qu'il faut se garder de la rivière, quand elle est en crue.

— Une niche sèche et un gigot de mouton le remettront tout de suite d'aplomb, fit Lothar d'un ton chaleureux. Ferai-je appeler notre maître piqueux ?

— C'est un loup-garou, répondit Robb, pas un chien. Et il est dangereux pour les gens en qui il n'a pas confiance. Veuillez rester avec lui, ser Raynald. Avec sa nervosité actuelle, il ne saurait être un instant question que je l'emmène dans la grand-salle de lord Walder. »

Bien joué, trancha Catelyn. *C'est lui épargner par la même occasion la vue de l'Ouestrelin.*

Le grand âge avait prélevé son péage sur lord Walder en l'affligeant d'une carcasse friable et goutteuse. Il s'était fait jucher sur sa cathèdre seigneuriale, un coussin sous les fesses et une pelisse d'hermine en travers du giron. Tout en chêne noir et surmonté d'un dossier sculpté à l'effigie de puissantes tours reliées par un pont en arche, son siège était si massif et d'une telle ampleur que lui-même faisait là-dedans figure d'un marmot grotesque. Quelque chose dans sa personne évoquait le vautour, mais un vautour singulièrement mâtiné de belette. Son crâne chauve et tout tavelé par les ans jaillissait des épaules étiques au bout d'un long col rosâtre. Des peaux vides ballottaient sous le menton fuyant, les yeux suintaient, nébuleux, et la bouche édentée mâchouillait sans trêve et suçotait le vide comme celle d'un avorton cherchant à l'aveuglette à pomper le sein maternel.

La huitième lady Frey se tenait debout auprès de son trônant seigneur et maître. Aux pieds de celui-ci se prélassait quelque chose, en moins décati, comme sa réplique, un brin tortu d'individu quinquagénaire, dont les coûteux atours de laine bleue et de satin gris étaient bizarrement relevés par une couronne et par un collet qu'ornaient de menues clochettes de cuivre jaune. La ressemblance entre les deux hommes était frappante, exception faite des yeux : petits, méchants et soupçonneux ceux de lord Frey, grands ceux de l'autre, et cordiaux, vacants. Catelyn se ressouvint alors que l'une des portées issues des épousailles de lord Walder avait, voilà des éternités, compris un simple d'esprit. Lors des réceptions précédentes, le seigneur du Pont s'était soigneusement gardé d'exhiber si peu que ce soit ce descendant-là. *L'a-t-il toujours affublé d'une couronne de fol, ou s'agit-il là d'une raillerie destinée à Robb ?* Mieux valait sans doute, à la réflexion, garder par-devers soi une question pareille...

Frey fils, filles, enfants, petits-enfants, maris, femmes et domestiques grouillaient dans la salle, mais ce fut le patriarche qui prit la parole. « Vous voudrez bien me pardonner, j'en suis convaincu, si je ne m'agenouille pas. Mes jambes ne me portent plus comme par le passé, même si ce que je porte entre elles persiste à donner pleine et entière, *hé !* satisfaction. » Il se mit à lorgner la couronne de Robb, et un sourire édenté lui crevassa la bouche. « Y en a qui diraient "Pauvre roi... !" d'un qui ne s'attiferait que de bronze, Sire.

— Le bronze et le fer sont plus résistants que l'or et l'argent, répondit Robb. Les vieux rois de l'Hiver ceignaient ce genre de diadème-glaive.

— Leur a pas si fort réussi quand sont survenus les dragons. *Hé !* » Ce *hé !* sembla plaire au simple d'esprit qui, branlant plusieurs fois du chef, fit tinter couronne et collet. « Daigne Votre Majesté, reprit lord Walder, ne point tenir rigueur de ce tapage à mon Aegon. Il a moins de cervelle qu'un paludier, et il contemple un roi pour la première fois. C'est l'un des garçons de Stevron. Nous l'appelons Tintinnabul.

— Ser Stevron m'en avait dit un mot, messire. » Robb adressa un sourire au demeuré. « Heureux de te connaître, Aegon. Ton père était un brave. »

Tintinnabul fit tintinnabuler ses clochettes. Un filet de salive lui dégoulina du coin de la bouche quand il se mit à sourire.

« Économisez votre royal souffle. Vous obtiendriez autant de succès en prêchant un pot de chambre. » Le regard de lord Walder se porta sur ses autres visiteurs. « Eh bien, lady Catelyn, vous voilà donc revenue nous voir. Et le fringant ser Edmure, le triomphateur du Moulin-de-pierre. Désormais lord Tully, il va me falloir me fourrer cela dans la tête. Vous êtes le cinquième lord Tully que j'aurai connu. J'ai survécu aux quatre précédents, *hé !* Votre promise doit se trouver quelque part par là. Je présume que vous ne seriez pas fâché de jeter un coup d'œil dessus.

— J'en serais ravi, messire.

— Alors, vous allez avoir cette satisfaction. Mais en atours. C'est la pudeur faite fille, et elle est vierge. Vous ne la verrez nue qu'au moment du coucher. » Il se prit à glousser. « *Hé !* Bien assez tôt, bien assez tôt. » Il tendit le col à l'entour. « Benfrey, va donc me quérir ta sœur. Et dépêche un peu, lord Tully ne s'est tapé que pour cela tout le trajet de Vivesaigues à ici. » Après qu'un jeune chevalier en surcot écartelé se fut incliné puis vivement éloigné, le vieillard interpella Robb à nouveau : « Et votre *propre* épouse, Sire, où est-elle ? La belle reine Jeyne ? Une Ouestrelin de Falaise..., à ce qu'on m'a dit, *hé !*

— Je l'ai laissée à Vivesaigues, messire. Elle était trop lasse encore pour entreprendre un nouveau voyage, ainsi que nous l'avons dit à ser Ryman.

— J'en suis on ne peut plus grièvement chagrin. Je brûlais de la voir de mes propres pauvres mauvais yeux. Nous en brûlions tous, *hé !* N'est-il pas vrai, dame ma mie ? »

La subite injonction d'avoir à ouvrir la bouche parut prendre au dépourvu la pâle évanescence qui tenait lieu de lady Frey. « Vvv-voui, messire. Nous brûlions tous de rendre hommage à Sa Grâce la reine Jeyne. Elle doit être belle à voir.

— Très belle, madame. » Dans la voix de Robb venait de passer, nota Catelyn, quelque chose comme un écho des inflexions flegmatiques et glacées de son père.

Si tant est que le vieux Frey l'eût seulement perçu, ce fut bien résolu toujours à n'en avoir cure. « Plus belle que ma propre graine, *hé !* Sinon, comment ses formes et son minois auraient-ils jamais pu faire oublier ses engagements solennels à Sa Royale Majesté ? »

Robb avala dignement la couleuvre. « Aucun mot ne saurait réparer mes torts, je le sais, mais c'est pour en présenter mes excuses à votre maison que je suis venu, et pour vous conjurer de me les pardonner, messire.

— Des excuses, *hé !* Oui oui, vous avez promis d'en présenter, je me le rappelle. J'ai beau être vieux, je n'oublie pas ce genre de choses. Contrairement à certains rois, semble-t-il. Ça perd complètement la mémoire, les jeunes, dès que ça voit un joli museau et deux gredins de nichons fermes, n'est-il pas vrai ? J'ai été pareil. Même il pourrait se trouver des témoins que pareil je reste, *hé hé !* toujours. Ils auraient tort, pourtant, tort comme vous avez eu tort vous-même. Toujours est-il que, maintenant, vous voilà ici pour faire amende honorable. Seulement, c'est sur mes petites que sont retombés vos mépris. Et c'est leur pardon à elles que d'aventure devrait peut-être implorer Votre Majesté. Mes

petites pucelles chéries. Tenez, regardez-les-moi... »
Il frétilla des doigts, et un raz de marée de féminités
déferla des murs qu'il tapissait auparavant pour
venir ourler le bas de l'estrade. Tintinnabul fit aussi
mine de se lever, carillonnant gaiement de toutes
ses clochettes, mais lady Frey lui attrapa la manche
et, d'une saccade, le fit rasseoir.

Lord Walder dévidait déjà son chapelet de noms.
« Ma fille, Argyne, dit-il d'une gamine de quatorze ans.
Shorei, ma dernière-née légitime. Ami et Marianne,
des petites-filles à moi. Ami, je l'avais mariée à ser
Pat des Sept-Rus, mais comme la Montagne nous a
tué ce balourd, alors, je l'ai reprise ici. Ça, c'est une
Cersei, mais nous, nous l'appelons Avette, sa mère
était née des Essaims. Encore des petites-filles, ce
lot-là. Il y a une Walda, dedans, et les autres..., bref,
les autres aussi portent des noms, quels qu'ils puissent être...

— Moi, c'est Myrtil, seigneur Grand-Père, fit l'une
d'elles.

— Voyez-moi ce babil qu'elle a. Après Babil, une
fille à moi, Tyta. Puis une autre Walda. Alyx,
Marissa..., tu es bien Marissa ? il me semblait, aussi.
Elle a des cheveux, d'habitude. Le mestre l'a ton-
due, mais il jure ses grands dieux que ça va repousser bientôt. Les jumelles, là, s'appellent Serra et
Sarra. » Il loucha sur l'une des benjamines. « *Hé !* tu
es encore une Walda de plus, toi, non ? »

L'enfant ne devait pas avoir plus de quatre ans.
« Je suis la Walda de ser Aemon Rivers, seigneur
Grand-grand-Père. » Elle fit une révérence.

« Depuis quand sais-tu parler ? Quoique ça ne te
donnera probablement pas grand-chose à dire de
sensé, ton père ne l'a jamais fait. Et il est en plus le
fils d'un bâtard, *hé !* File, je ne voulais là que des
Frey. Le roi du Nord n'a que dédain pour le bas

bétail. » Il jeta un coup d'œil à Robb, tandis que Tintinnabul hochait du chef en sonnaillant. « Et voilà. Que des vierges. Enfin bref, avec une veuve, mais y en a qui aiment bien pour femme une déjà mise en perce. Vous auriez pu avoir n'importe laquelle du tas.

— J'eusse été fort en peine de choisir, messire, protesta Robb avec autant de prudence que de galanterie. Elles sont toutes trop charmantes. »

Lord Walder émit un reniflement. « Et c'est *mes* yeux qu'on accuse d'être mauvais... ! Oh, certaines feront à peu près l'affaire, je suppose. D'autres..., enfin, c'est égal. Elles n'étaient pas assez bien pour le roi du Nord, *hé !* Voyons toujours ce que vous avez à dire, Sire ?

— Mesdames. » Robb avait l'air sur des charbons ardents, mais il s'était suffisamment attendu à devoir passer un sale quart d'heure, et il l'affronta sans flancher. « Tout homme se devrait de tenir sa parole, et les rois plus que quiconque. Je m'étais engagé à épouser l'une d'entre vous, et j'ai violé mon serment. La faute n'en est pas à vous. Je ne me suis nullement conduit comme je l'ai fait dans l'intention de vous offenser, mais parce que j'en aimais une autre. Aucun mot ne saurait réparer mes torts, je le sais, mais je me présente devant vous dans l'espoir d'obtenir votre pardon, et de manière telle que les Frey du Pont et les Stark de Winterfell puissent être à nouveau amis. »

Incapables de tenir en place, les plus jeunes des fillettes s'agitaient fébrilement. Leurs aînées guettaient les réactions de lord Walder, sur son trône de chêne noir. Tintinnabul se balançait d'arrière en avant, couronne et collet tintinnabulants.

« Bien, finit par lâcher le seigneur du Pont. Voilà qui est très bien, Sire. "Aucun mot ne saurait réparer mes torts", *hé !* L'expression juste, l'expression juste. J'ose espérer que vous ne refuserez pas de danser avec mes filles lors du festin nuptial. Voilà qui charmerait un cœur de vieillard, *hé !* » Il branla son chef rose et fripé tout à fait comme le faisait son demeuré de petit-fils, au tintement des clochettes près. « Et la voici la voilà, lord Edmure... ! ma fille chérie, ma Roslin, ma fleurette entre toutes précieuse, *hé !* »

Elle entrait en effet, sous la conduite de ser Benfrey. Tous deux se ressemblaient trop pour n'être pas pleinement frère et sœur. À en juger d'après leur âge, ils devaient être nés de la sixième lady Frey, une Rosby, crut se rappeler Catelyn.

De petit format pour le sien, Roslin était aussi blanche de teint que si elle venait à peine de sortir d'un bain de lait. Elle avait des traits ravissants, le menton mignon, le nez délicat, de grands yeux bruns. D'épais cheveux châtains lui cascadaient librement jusqu'à la taille, une taille si fine qu'Edmure n'aurait nulle peine à l'enserrer toute entre ses deux mains. Et les seins que laissait deviner le corsage en dentelles de la robe bleu clair semblaient menus mais joliment galbés.

« Sire. » La jeune fille se laissa tomber à genoux. « Lord Edmure, j'espère n'être pas pour vous un sujet de désappointement. »

Loin s'en faut, songea Catelyn. Il avait suffi à son frère d'un premier coup d'œil pour s'illuminer. « Vous m'êtes un sujet de délices, madame, répondit-il. Et le serez toujours, j'en suis persuadé. »

Le petit interstice qui séparait ses deux dents de devant donnait aux sourires de Roslin quelque chose d'effarouché, mais c'était là presque un charme supplémentaire. *Assez gentille*, songea Catelyn, *mais si chétive, et originaire en plus du cheptel Rosby*. Les Rosby ne s'étaient jamais illustrés par la robustesse. Et il se trouvait dans la salle, parmi les moins jeunettes, filles ou petites-filles, impossible de s'y retrouver, des charpentes qu'elle eût pour sa part nettement préférées. Qui vous avaient comme un air Crakehall – la maison, justement, de la troisième lady Frey. *De larges hanches pour porter, de bons gros seins pour allaiter, des bras costauds pour charrier. Les Crakehall ont toujours été gens solides, avec des carcasses à toute épreuve.*

« Messire est bien aimable, dit la damoiselle à Edmure.

— Madame est bien belle. » Il lui saisit la main pour l'aider à se relever. « Mais pourquoi pleurez-vous ?

— De joie, fit-elle. Ce sont des larmes de joie, messire.

— *Assez !* intervint lord Walder. Tu pourras toujours pleurnicher tout bas après ton mariage, *hé !* Benfrey, veille à remmener ta sœur dans ses appartements, elle a à s'apprêter pour un mariage. Et pour un coucher, *hé !* la meilleure partie du rôle. Enfin, pour tout, quoi, tout. » Il s'aspira, refoula la lippe. « Nous allons avoir de la musique, de la musique délicieuse, et du vin, *hé !* le rouge va couler, et nous réparerons certains torts, voilà. Mais, pour l'heure, vous êtes las, et vous êtes en plus tellement trempés que vous me dégoulinez sur mon sol. Il y a des feux qui vous attendent, et du vin bouillant aux épices et, si ça vous chante, même des bains. Lothar, conduis nos hôtes à leurs quartiers.

— Il me faudrait d'abord veiller à ce que mes hommes traversent, messire, dit Robb.

— Ils ne vont pas s'égarer..., répondit lord Walder d'un ton geignard. Ils ont déjà traversé, non ? Quand

194

vous êtes arrivé du nord. Vous souhaitiez le passage, et je vous l'ai accordé, et vous n'avez pas fait tant de façons, *hé !* Mais à votre guise. Menez de l'autre côté chacun d'eux par la main, si ça vous amuse, moi, je m'en moque éperdument.

— *Messire !* » Catelyn avait failli omettre ce détail. « Nous serions trop aises de grignoter un morceau. Nous avons parcouru tant de lieues sous la pluie... »

Walder Frey déglutit sa bouche, la régurgita. « Un morceau, *hé !* Une miche de pain, un peu de fromage, une saucisse, peut-être.

— Avec un doigt de vin pour la descente, ajouta Robb. Et du sel.

— Le pain et le sel, *hé !* Naturellement, naturellement. » Il frappa dans ses mains tavelées, et des serviteurs entrèrent, les bras chargés de carafes de vin, de plateaux de pain, de beurre et de fromage. Lord Walder prit lui-même une coupe de rouge et la brandit bien haut. « Mes hôtes, fit-il. Mes honorables hôtes. Soyez les bienvenus sous mon toit, ainsi qu'à ma table.

— Grand merci pour votre hospitalité, messire », répliqua Robb, auquel firent écho Edmure et le Lard-Jon et ser Marq Piper et les autres, avant de boire son vin, de manger son pain et son beurre. Quitte à n'avaler pour sa part qu'une goutte et trois miettes, Catelyn en éprouva un puissant réconfort. *À présent, nous devrions être en sécurité*, songea-t-elle.

Sachant jusqu'où le vieillard pouvait pousser la mesquinerie, elle s'était attendue qu'il leur eût réservé des logements sombres et maussades. Or, les Frey s'étaient manifestement mis plus et mieux qu'en frais à cet égard. La chambre nuptiale était vaste et richement aménagée ; un grand lit de plume y trônait, dont le baldaquin, soutenu par des colonnes d'angle sculptées en forme de tours, était drapé, délicate attention, du rouge-et-bleu Tully. Des tapis parfumés couvraient le sol en parquet, et une grande baie munie de volets donnait au midi. De dimensions plus réduites, la chambre personnelle de Catelyn était confortable, magnifiquement meublée, et une bonne flambée l'égayait. Lothar le Boiteux précisa que Robb disposerait de toute une suite, ainsi qu'il sied pour un roi. « S'il vous manquait quoi que ce soit, il suffirait d'en toucher mot à l'un des gardes. » Il s'inclina puis se retira, son pas inégal sonnant lourdement dans la descente du colimaçon.

« Nous ferions mieux d'aposter des gardes à nous », dit-elle à son frère. Elle se promettait un repos moins inquiet si devant sa porte veillaient des Stark et des Tully. L'entrevue avec lord Walder avait eu beau se dérouler de manière moins intolérable qu'elle n'avait craint, toujours est-il qu'elle se faisait par avance une joie de voir terminé ce chapitre-là. *Quelques jours encore, et Robb sera en route vers ses batailles, et moi vers ma captivité douillette de Salvemer.* Lord Jason Mallister se montrerait là-bas le plus attentionné des hôtes, elle n'en doutait pas une seconde, et cependant la perspective de s'y trouver recluse en quelque sorte la déprimait.

D'en dessous lui parvenait le chahut que faisaient les chevaux de l'interminable colonne en empruntant le pont pour se rendre d'un château à l'autre. Le passage des fourgons pesamment chargés semblait ébranler chaque pierre et chaque pavé. Catelyn se porta à la fenêtre et regarda, là-bas, l'ost de Robb émerger peu à peu du jumeau de l'est. « On dirait que la pluie s'atténue.

— Maintenant que nous sommes dedans. » Debout devant le feu, Edmure s'abandonnait à la chaleur. « Qu'as-tu pensé de Roslin ? »

Trop petite et trop délicate. L'enfantement sera dur pour elle. Mais comme son frère était manifestement sous le charme, elle se contenta de déclarer : « Mignonne.

— Je crois que je ne lui ai pas déplu. Pourquoi pleurait-elle ?

— Pleurs de pucelle à la veille de se marier. Quelques larmes, cela n'a rien que de naturel. » Après en avoir versé des torrents, le matin de leurs doubles noces, Lysa s'était quand même débrouillée pour avoir l'œil sec et la mine radieuse quand Jon Arryn lui avait drapé les épaules dans son manteau crème et bleu.

« Elle est beaucoup plus jolie que je n'osais l'espérer. » Edmure leva une main avant qu'elle n'eût pipé mot. « Je sais qu'il y a des choses plus importantes, épargne-moi tes sermons, septa. Néanmoins..., tu as vu certaines des pouliches que le Frey nous a fait trotter sous le nez ? Celle qui avait des tics ? Ce n'était pas de l'épilepsie, des fois ? Et ces jumelles, avec plus de cratères et d'éruptions sur la tronche que le Petyr Boutonneux soi-même ? À voir ce lot, j'ai bien cru que Roslin serait chauve et borgne, avec la finesse de Tintinnabul et l'aménité de Walder le Noir. Mais elle a l'air aussi gracieuse que jolie. » Il afficha la dernière perplexité. « Pourquoi cette vieille belette de Walder a-t-il refusé de me laisser choisir, s'il ne voulait pas me refiler coûte que coûte une atrocité ?

— Ton faible pour les plaisants minois n'est un secret pour personne, rappela-t-elle. Il se pourrait que, tout compte fait, lord Walder ait envie de te voir heureux en ménage. » *Ou que, chose plus pro-*

bable, il n'ait pas eu envie de te voir broncher sur une pustule et lui flanquer par terre tous ses plans.

« Ou il se peut encore que Roslin soit sa petite préférée. Le sire de Vivesaigues est un parti bien autrement friand que n'en peuvent souhaiter la plupart des filles de son étal.

— C'est vrai. » Son inquiétude n'en persistait pas moins. « Ça se pourrait, qu'elle soit stérile ?

— Lord Walder brûle de voir son petit-fils hériter de Vivesaigues. Quel intérêt aurait-il à te donner une épouse stérile ?

— Ça le débarrasse d'une fille dont personne d'autre ne voudrait.

— Il n'y gagnerait pas grand-chose. Walder Frey est rancunier, certes, mais pas stupide.

— Il n'empêche que... ça *se peut* ?

— Oui, concéda-t-elle, mais à contrecœur. Il existe des maladies d'enfance qui mettent les filles, le cas échéant, dans l'incapacité de concevoir. Mais il n'y a aucune raison de supposer que lady Roslin en ait été affligée. » Elle jeta un regard circulaire sur la pièce. « Pour parler franc, la clique Frey nous a reçus plus aimablement que je ne m'y attendais. »

Il se mit à rire. « Quelques vacheries acérées, quelques jactances de mauvais aloi. De sa part à lui, c'est de la courtoisie. Je comptais qu'il allait pisser dans notre vin puis nous forcer à vanter le cru de belette. »

Cette plaisanterie perturba Catelyn de manière incongrue. « Si tu veux bien me pardonner, je devrais quand même aller enfiler des vêtements secs.

— Je t'en prie. » Il se mit à bâiller. « Je ne bouderai pas, pour ma part, un petit somme d'une heure. »

Elle se retira dans sa propre chambre. On avait déjà monté et déposé au pied du lit le coffre à vêtements qu'elle avait apporté de Vivesaigues. Après avoir retiré puis suspendu ses effets trempés devant le feu, elle passa une robe en laine bien chaude aux couleurs Tully, se lava et brossa les cheveux puis, quand ils furent bien secs, elle partit en quête de quelque Frey.

Lord Walder ne se trouvait plus sur son trône en chêne noir lorsqu'elle pénétra dans la grande salle, mais certains de ses fils étaient en train de boire près de la cheminée. Lothar le Boiteux se leva gauchement quand il l'aperçut. « Lady Catelyn, je pensais que vous désireriez vous reposer. Que puis-je pour votre service ?

— Des frères à vous ? demanda-t-elle en désignant la compagnie.

— Frères, demi-frères, beaux-frères et neveux. Raymund que voici et moi sommes de la même mère. Lord Lucias Vypren est le mari de ma demi-sœur Lythène, et ser Damon leur fils. Mon demi-frère ser Hosteen vous est connu, je crois. Enfin, voici ser Leslyn Haigh et ses fils, ser Harys et ser Donnel.

— Heureuse de vous connaître, messires. Ser Perwyn se trouverait-il dans les parages ? Il était de ceux qui m'escortèrent à Accalmie puis retour, quand Robb m'avait envoyée prendre langue avec lord Renly. Je me faisais une joie de le revoir.

— Perwyn est absent, répondit le Boiteux. Je lui transmettrai votre souvenir. Il sera navré, je le sais, de vous avoir ratée.

— Il ne manquera pas de revenir à temps pour le mariage de lady Roslin, j'imagine ?

— Il l'espérait de tout son cœur, assura Lothar, mais avec ce déluge... Vous avez vu quels affreux torrents sont actuellement les rivières, madame.

— Je l'ai vu, en effet, acquiesça-t-elle. Serait-ce

abuser de votre obligeance que de vous prier de m'indiquer où je trouverais votre mestre ?

— Seriez-vous souffrante, madame ? s'enquit ser Hosteen, malabar à puissante mâchoire carrée.

— Un petit tracas féminin. Rien qui mérite, ser, de vous alarmer. »

Toujours aussi gracieux, Lothar lui fit quitter la salle, monter quelques marches et, au-delà d'un pont couvert, désigna un second escalier. « Vous devriez trouver mestre Brenett dans la tourelle tout en haut, madame. »

Catelyn s'attendait presque que le mestre fût encore l'un des rejetons de l'inépuisable Walder Frey, mais Brenett n'en avait pas l'air. C'était un grand diable adipeux, chauve, à double menton, pas trop propre, à en juger d'après les fientes de corbeau qui maculaient les manches de ses robes, d'abord plutôt affable, au demeurant. En apprenant qu'Edmure se rongeait quant à la fécondité de lady Roslin, il se mit à glousser. « Messire votre frère n'a aucune inquiétude à se faire, lady Catelyn. La future est petite, je vous l'accorde, et elle a les hanches étroites, mais lady Béthanie, sa mère, était identique, et elle a donné à lord Walder un enfant par an.

— Combien d'entre eux ne sont-ils pas morts en bas âge ? demanda-t-elle sans ménagement.

— Cinq. » Il les éplucha un à un sur ses doigts dodus comme des saucisses. « Ser Perwyn. Ser Benfrey. Mestre Willamen, qui a prononcé ses vœux l'année dernière et qui se trouve actuellement au service de lord Hunter, dans le Val. Olyvar, l'ancien écuyer de votre fils. Et lady Roslin, la plus jeune. Quatre garçons pour une fille. Lord Edmure aura des fils tant et plus, à ne savoir finalement qu'en faire.

— Je suis persuadée qu'il ne s'en plaindra pas. »

Ainsi donc, la petite promettait d'être aussi féconde qu'avenante. *Voilà qui devrait rassurer Edmure.* Pour autant qu'il fût en tout cas possible de se fier aux dehors, lord Walder ne fournissait aucun sujet de doléances au frère de Catelyn.

En quittant le mestre, elle ne regagna pas sa propre chambre mais préféra se rendre chez Robb. Elle le trouva en compagnie de Robin Flint et de ser Wendel Manderly, du Lard-Jon et de son fils, P'tit-Jon, comme on persistait à l'appeler, bien qu'il menaçât désormais de surpasser son colosse de père. Tous étaient trempés. Plus trempé si possible encore dans un manteau rose bordé de fourrure blanche se tenait quelqu'un d'autre devant le feu. « Lord Bolton, dit-elle.

— Lady Catelyn, répliqua-t-il d'une voix presque imperceptible, c'est un plaisir que de poser à nouveau les yeux sur vous, même en des temps si éprouvants.

— Trop aimable à vous de le dire. » L'ambiance avait quelque chose d'oppressant qu'elle ne percevait que trop. Même le Lard-Jon se montrait sombre et rechigné. Tous avaient des mines sinistres. Elle demanda : « Que se passe-t-il ?

— Des Lannister dans le Trident, répondit ser Wendel d'un ton accablé. Mon frère s'est fait de nouveau capturer.

— Et lord Bolton nous a apporté des nouvelles de Winterfell plus circonstanciées. Ser Rodrik ne fut pas le seul brave à périr. Cley Cerwyn et Leobald Tallhart sont morts également.

— Cley Cerwyn n'était qu'un gamin, dit-elle avec désolation. Telle est donc la réalité ? tous morts, et Winterfell en cendres ? »

Les prunelles pâles de Bolton croisèrent les siennes. « Les Fer-nés ont tout incendié, le château lui-même comme la ville d'hiver. Certains de vos gens ont été emmenés à Fort-Terreur par mon fils, Ramsay.

— Votre bâtard était accusé de crimes abominables, lui rappela-t-elle vertement. De meurtre, de viol, et de pire encore.

— Oui, convint-il. Il a un sang vicié, c'est incontestable. Mais il est un rude combattant, aussi astucieux qu'intrépide. Après que les Fer-nés eurent abattu ser Rodrik puis, presque aussitôt, Leobald Tallhart, c'est à Ramsay qu'incomba la conduite de la bataille, et il l'assuma. Il jure de ne pas rengainer son épée tant qu'il restera un seul Greyjoy dans le Nord. Peut-être un service aussi éminent serait-il susceptible de racheter, dans une modeste mesure, tout ce que son sang de bâtard a pu le conduire à perpétrer de forfaits. » Il haussa les épaules. « Ou point. C'est à Sa Majesté qu'il appartiendra, une fois la guerre achevée, de peser et de juger. D'ici-là, j'espère avoir quant à moi un fils légitime de lady Walda. »

Quelle froideur il a, fut heurtée Catelyn, et ce n'était pas la première fois.

« Ramsay fait-il la moindre mention de Theon Greyjoy ? demanda Robb. Précise-t-il s'il a été lui aussi tué ou s'il est parvenu à prendre la fuite ? »

Roose Bolton extirpa de l'aumônière qu'il portait à la ceinture un vague lambeau de cuir. « Mon fils joignait ceci à sa missive. »

Ser Wendel détourna sa face soufflée de graisse. Robin Flint et P'tit-Jon Omble échangèrent un regard, tandis que le Lard-Jon renâclait à la manière d'un taureau. « Serait-ce... de la peau ? fit Robb.

— La peau du petit doigt de la main gauche de Theon Greyjoy. Mon fils est cruel, force m'est de le confesser, mais... Mais qu'est-ce qu'un peu de peau, comparé aux vies de deux jeunes princes ? Vous étiez leur mère, madame. Puis-je me permettre de vous offrir ce... – cet infime gage de vengeance ? »

Quelque chose en elle brûlait d'appliquer ce trophée macabre contre son cœur, mais tout le reste de son être se cabra pour l'en empêcher. « Éloignez cela de ma vue. S'il vous plaît.

— Écorcher Theon ne ressuscitera pas mes frères, ajouta Robb. Je veux sa tête, pas sa peau.

— Il est l'unique fils vivant de Balon Greyjoy, souffla lord Bolton d'un air de confidence et comme si ce détail risquait de leur avoir échappé, et il se trouve être à présent le souverain légitime des îles de Fer. C'est d'une valeur inestimable, un roi prisonnier, comme otage.

— Comme *otage* ? » Le terme hérissait littéralement Catelyn. Les otages faisaient souvent l'objet d'échanges amiables. « J'espère que vous ne nous suggérez pas là, lord Bolton, de *libérer* jamais l'assassin de mes fils.

— Quel qu'il puisse être, celui qui s'adjugera le trône de Grès n'aura pas de plus cher désir que la mort de Theon, signala Bolton. Fût-ce fers aux pieds, celui-ci est un prétendant plus sérieux qu'aucun de ses oncles. Tenez-le bien, je dis, et, pour prix de son exécution, exigez des Fer-nés telles concessions qu'il vous agréera... »

Après avoir tourné et retourné, non sans répugnance, la proposition, Robb finit par acquiescer d'un hochement. « Oui. Très bien. Préservez donc ses jours. Pour le moment. Gardez-le-nous soigneusement à Fort-Terreur jusqu'à ce que nous ayons reconquis le Nord. »

Sur ce, Catelyn reprit à l'adresse de lord Bolton : « Ser Wendel a bien évoqué la présence de Lannister dans le Trident ?

— Oui, madame. Et je m'en tiens pour responsable. J'ai trop longtemps repoussé mon départ d'Harrenhal. Aenys Frey, qui m'avait précédé de plusieurs jours, avait réussi à franchir le Trident, non sans mal d'ailleurs, au gué des rubis. Mais lorsque je l'atteignis moi-même, la rivière s'était métamorphosée en torrent. Je n'eus dès lors d'autre solution que de transborder mes hommes en utilisant de petites barques... hélas trop peu nombreuses. Les deux tiers de mes forces se trouvaient déjà sur la rive nord lorsque les Lannister attaquèrent ceux des nôtres qui attendaient encore leur transfert. Des Burley, Locke et Norroit pour l'essentiel, avec ser Wylis Manderly et ses chevaliers de Blancport comme arrière-garde. Me situant moi-même du mauvais côté, j'étais impuissant à les secourir. Ser Wylis regroupa son monde du mieux qu'il put, mais la cavalerie lourde dont disposait Gregor Clegane les rejeta dans la rivière. Il y eut autant de noyés que de tués. Il s'en sauva davantage, et le reste fut fait prisonnier. »

Au nom de Gregor Clegane étaient invariablement associées de fâcheuses nouvelles, s'aperçut Catelyn. Robb allait-il se voir contraint de redescendre vers le sud pour lui régler son compte, ou bien la Montagne était-elle déjà en route de ce côté-ci ? « Clegane a traversé, ensuite ?

— Non. » Sans hausser la voix, Bolton se montrait catégorique. « J'ai laissé six cents hommes au gué. Des piques originaires des Rus, des montagnes et de la Blanchedague, une centaine d'arcs Corbois, quelques francs-coureurs et chevaliers rustauds, le tout consolidé par un corps d'élite de Stout et de Cerwyn. Le commandement en est assuré par Ronnel Stout et par ser Kyle Cardon. Ser Kyle était le bras droit de feu lord Cerwyn, vous le connaissez sûrement, madame. Quant aux lions, ils ne nagent pas mieux que les loups. Aussi longtemps que les eaux seront aussi hautes, ser Gregor ne passera pas.

— Quand nous commencerons à remonter la route Royale, la dernière des choses dont nous ayons besoin serait la Montagne sur nos arrières, dit Robb. Je suis content de vous, messire.

— C'est trop d'indulgence à Votre Majesté. J'ai subi de sérieuses pertes sur la Verfurque, et Glover et Tallhart d'encore plus sévères à Sombreval.

— *Sombreval !* » Dans la bouche de Robb, le mot sonna comme un juron. « Robett Glover devra m'en répondre, à nos retrouvailles, je vous garantis.

— Une folie, convint lord Bolton, mais Glover avait été complètement déboussolé par la nouvelle de la chute de Motte-la-Forêt. La crainte et le deuil ont sur les gens de ces effets-là. »

Aux yeux de Catelyn, Sombreval était une affaire cuite et refroidie ; ce qui la tourmentait, c'étaient les futures batailles à livrer. « Combien d'hommes avez-vous amenés à mon fils ? » demanda-t-elle sans ambages à Roose Bolton.

Il appesantit un moment sur elle ses bizarres prunelles incolores avant de se décider à répondre. « Quelque cinq cents cavaliers et trois milliers de fantassins, madame. Des hommes de Fort-Terreur, pour la plupart, et un modeste contingent de Karhold. Vu la loyauté désormais on ne peut plus suspecte des Karstark, j'ai cru plus judicieux de les garder à portée de vue. Je suis au regret de n'avoir pas davantage de monde à offrir.

— Cela devrait suffire, dit Robb. Vous aurez à commander mon arrière-garde, lord Bolton. J'entends me mettre en route pour le Neck aussitôt accompli le cérémonial des noces et du coucher de mon oncle. Nous rentrons chez nous. »

ARYA

Ils tombèrent sur la patrouille à une heure de la Verfurque, alors que la carriole brinquebalait sévèrement dans les fondrières bourbeuses d'une descente.

« Tête basse et bouche cousue », commanda le Limier en voyant les trois hommes, un chevalier et deux écuyers armés à la légère et montés sur des coursiers rapides, piquer des deux dans leur direction. Son fouet vola cingler l'attelage, une paire de chevaux de trait dont les beaux jours n'étaient qu'un lointain souvenir. La voiture tanguait en couinant, perchée sur ses immenses roues de bois qui tournaient en faisant sans cesse gicler des ornières aux nues des paquets de boue. Attaché derrière, Étranger suivait.

Si le grand destrier mal embouché ne portait aucune espèce de caparaçon, de bardes ni de harnais, son maître lui-même était accoutré de bure verte tout éclaboussée sous une pèlerine gris fer, et, dans la mesure où il baissait le nez sous son capuchon, ses traits demeuraient invisibles, et tout juste si tu distinguais dans l'ombre, là, le blanc des yeux qui t'épiait. L'air marmiteux, en somme, d'un fermier quelconque. D'un fermier salement *copieux*, néanmoins. Sans même compter, tiens, que sous la bure verte se dissimulaient cuir bouilli et maille huilée. Arya, quant à elle, pouvait passer pour un fils de fermier, voire même un gardeur de pourceaux. Surtout qu'à l'arrière s'entassaient quatre grosses caques de porc salé et une cinquième de pieds de cochon au vinaigre.

Avant de s'aventurer à portée, les cavaliers se séparèrent afin de les envelopper tout en les examinant. Clegane immobilisa la carriole et attendit patiemment leur bon plaisir. En sus de l'épée, le chevalier portait une pique, alors que ses écuyers brandissaient des arcs. Sur les justaucorps de ceux-ci était cousu le même emblème, en plus petit, que sur le surcot de celui-là : une barre d'or frappée d'une fourche noire sur champ brun. En se proposant de déclarer son identité aux premiers éclaireurs qu'elle croiserait, Arya se les était invariablement figurés arborant le loup-garou sur leurs manteaux gris. Confrontée au géant Omble ou au poing Glover, elle eût encore, à la rigueur, pris éventuellement le risque de le faire, mais là, elle ne savait strictement rien de ce chevalier à la fourche et du suzerain qu'il pouvait avoir. Le machin le plus proche d'une fourche que Winterfell lui eût jamais permis de contempler, c'était le trident que tenait à la main le triton Manderly.

« À faire aux Jumeaux ? demanda le chevalier.

— Du porc salé pour le banquet de noce, pour vous servir, ser, bredouilla le Limier d'un air humble qui lui permettait de ne pas montrer son visage.

— Du porc salé…, pouah. » S'il ne concéda qu'un semblant de coup d'œil à Clegane et dédaigna superbement Arya, le chevalier à la fourche gratifia en revanche Étranger d'un long regard critique. Le grand étalon noir n'avait rien d'un cheval de labour, cela crevait les yeux. Et lorsqu'il fit mine de mordre la monture d'un écuyer, peu s'en fallut que ce dernier ne mordît pour sa part la fange. « D'où tiens-tu donc cette bête-là ? demanda le chevalier à la fourche.

— M'dame qui m'a dit d'eul' l'y am'ner, ser, dit Clegane avec une humilité redoublée. L'est un cadeau d'noces pour eul jeune lord Tully.

— Quelle dame ? Au service de qui es-tu ?

— De la vieille lady Whent, ser.

— Elle s'imagine peut-être qu'un canasson va suffire à lui racheter Harrenhal ? s'étonna l'autre. Dieux de dieux, y a pas plus fou qu'une vieille folle ! » Il ne leur en ouvrit pas moins le passage d'un geste de main. « Eh bien, vas-y, alors.

— Ouais, m'sire. » Le Limier fit à nouveau claquer son fouet, et les rosses reprirent leur train fourbu. Encore leur fallut-il lutter un bon moment pour arracher les roues à la gadoue où la halte les avait passablement enlisées. Entre-temps, la patrouille avait pris le large. Clegane lui condescendit un dernier regard avant de lâcher, dans un reniflement : « Ser Donnel Haigh. Je lui ai coûté plus de chevaux que je ne saurais dire. Et d'armures aussi. Une fois, je l'ai presque tué, dans une mêlée.

— Mais alors, comment se fait-il qu'il ne vous ait pas reconnu ? s'ébahit Arya.

— Comment ? Parce que les chevaliers sont des imbéciles, et qu'il aurait été indigne de lui d'abaisser son regard à deux fois sur un rustre miteux. » Il taquina du fouet la croupe des chevaux. « Garde les yeux bien à terre, un ton bien respectueux, dis bien *ser* à tout bout de champ, et la plupart des chevaliers ne te verront seulement pas. Ils consentent plus d'attention aux chevaux qu'aux petites gens. Il aurait pu reconnaître Étranger s'il me l'avait jamais vu monter. »

N'empêche que votre gueule, il l'aurait reconnue. Cela, elle en était absolument sûre. Il n'était guère aisé d'oublier les brûlures de Sandor Clegane, une fois qu'on les avait vues. Et il ne pouvait pas non plus compter les cacher sous un heaume, aussi longtemps que ce heaume affectait la forme d'un mufle de chien grondant.

Et voilà ce qui expliquait le recours à la carriole et aux pieds de cochon au vinaigre. « Comme je ne compte pas me laisser traîner enchaîné devant ton frère, avait annoncé le Limier, et que je ne tiens pas davantage à devoir tailler ma route jusqu'à sa personne sur les cadavres de ses gardes du corps, un rien de comédie s'impose. »

De mauvaise grâce, il est vrai, un fermier croisé d'aventure sur la grand-route s'était en leur faveur défait de ses effets, carriole, caques et canassons. Quitte à l'en dépouiller à la pointe de la rapière, le Limier n'avait pas supporté de se laisser traiter de voleur : « Nenni, fourrageur, mon gars. Devrais dire merci de garder tes dessous. Tes bottes, maintenant, allez. Ou c'est tes jambes que je t'enlève. À toi de choisir. » Et l'autre, eh bien, sa taille aurait eu beau lui permettre de tenir tête, il avait quand même préféré abandonner ses bottes et conserver ses jambes.

Le soir les surprit toujours en marche, cahin-caha, vers la Verfurque et les châteaux jumeaux de lord Frey. *M'y voici presque*, songea Arya. Elle en était pleinement consciente, la perspective aurait dû l'emballer, mais, au lieu de cela, elle avait les tripes affreusement nouées. Peut-être par la faute, juste, de la fièvre qui n'avait cessé de la tourmenter, mais peut-être pas. Elle avait fait un rêve, la nuit d'avant, un rêve *effroyable*. En quoi ce rêve-là consistait exactement, elle ne parvenait plus à se le rappeler, mais l'impression qu'il lui avait faite sur le moment s'était prolongée toute la journée. Même aggravée,

plutôt... *La peur est plus tranchante qu'aucune épée.*
Elle allait devoir se montrer forte, forte comme Père
lui avait enjoint de l'être. Entre elle et Mère ne se
dressaient plus rien d'autre qu'une poterne, une
rivière – et puis une armée... –, mais comme c'était
l'armée, cette armée, *de Robb*, il ne pouvait y avoir
là de danger véritable, n'est-ce pas ? Non, hein ?

Roose Bolton en faisait partie, cependant... Le seigneur Sangsue, comme l'appelaient les brigands.
Cette idée la mettait mal à l'aise. C'était autant pour
se soustraire à lui qu'aux Pitres Sanglants qu'elle
s'était enfuie d'Harrenhal et qu'elle avait dû pour ce
faire trancher la gorge d'un de ses gardes. La
savait-il coupable de cet exploit ? L'imputait-il de
préférence à Tourte ou à Gendry ? En aurait-il avisé
Mère ? Que ferait-il en la revoyant ? *Il ne me reconnaîtra sans doute même pas.* Elle avait moins l'air,
actuellement, d'un échanson seigneurial que d'un
rat noyé. D'un *raton* noyé. C'était à pleines poignées
que Clegane, barbier plus calamiteux encore que
Yoren, lui avait, juste l'avant-veille, massacré les
cheveux, la laissant à demi-chauve sur tout un côté.
*Robb ne me reconnaîtra pas non plus, je gage. Ni
peut-être Mère en personne.* Elle n'était guère
qu'une fillette, après tout, la dernière fois qu'ils
l'avaient vue tous deux, à Winterfell, lors du départ
de lord Eddard Stark...

Le château n'était toujours pas en vue quand,
sous la rumeur grondeuse de la rivière et le clapotis
forcené de la pluie sur leurs propres crânes, ils
entendirent la musique, réduite à de lointains martèlements de tambours, à des sonneries cuivrées de
cors, à des relents de musettes aigrelets. « On a raté
la cérémonie des noces, fit le Limier, mais, d'après
le boucan, ça banquette encore. Je serai bientôt
débarrassé de toi. »

Non pas. C'est moi qui serai débarrassée de vous, se dit Arya.

Après avoir essentiellement couru au nord-ouest, la route obliquait tout à coup carrément à l'ouest entre un verger de pommiers et un champ de blé noyé que rossait l'averse. Dépassé le dernier arbre et franchi le revers d'une butte apparurent alors simultanément châteaux, rivière et camps. Il y avait là des centaines de chevaux et des milliers d'hommes qui pour la plupart grouillaient dans les parages des trois tentes à festin colossales dressées côte à côte face aux poternes, telles trois grand-salles de toile. Robb avait eu beau établir son camp fort en retrait des murs, en terrain plus élevé, plus sec, les débordements formidables de la Verfurque n'en menaçaient pas moins quelques pavillons imprudemment placés trop près de ses berges.

De cet endroit, la musique des châteaux se percevait plus nettement. Le martèlement des tambours et les sonneries de cors ébranlaient l'atmosphère du campement. Et comme les instrumentistes du château le plus proche jouaient un autre air que ceux du château de la rive opposée, les discordances qui en résultaient évoquaient moins une chanson qu'une échauffourée. « Ils ne sont pas bien fameux », observa Arya.

Le son qu'émit le Limier pouvait passer pour un témoignage d'hilarité. « Sûr qu'il doit y avoir des vieilles sourdes, à Port-Lannis, pour se plaindre du boucan, je parie. Que sa vue baissait, le Walder Frey, j'avais déjà entendu dire, mais jamais ses putains d'oreilles. »

Arya se surprit à déplorer qu'il ne fît pas jour. S'il y avait eu du soleil et un brin de vent, elle aurait été en mesure de mieux distinguer les bannières. Elle aurait cherché des yeux le loup-garou Stark, voire la hache de guerre Cerwyn, peut-être, ou le poing Glover. Alors que dans les noirceurs de la nuit tombante toutes les couleurs viraient au grisâtre. La pluie s'était bien atténuée jusqu'à n'être plus qu'une bruine impalpable, presque une brume, mais le déluge précédent avait transformé les bannières en vrais torchons, trempés à tordre et indéchiffrables.

Une haie de charrettes et de fourgons s'étirait sur tout le pourtour afin de constituer un rempart de bois rudimentaire en cas d'attaque. C'est là que des sentinelles leur imposèrent de faire halte. La lanterne que charriait leur sergent déversait suffisamment de lumière sur son manteau pour qu'Arya le vît rose pâle et tacheté de larmes sanglantes. Quant aux hommes qu'il avait sous ses ordres, ils arboraient tous sur le cœur l'emblème du seigneur Sangsue, l'écorché de Fort-Terreur. Sandor Clegane les régala de la même fable que la patrouille, auparavant, mais l'officier Bolton se montra beaucoup moins gobeur que ser Donnel Haigh. « Du porc salé..., c'est pas de la bouffe qui va pour des noces de grand seigneur, déclara-t-il avec un souverain mépris.

— Et des pieds de cochon j'ai aussi, au vinaigre, ser.

— Pas pour le banquet, ça non plus. Le banquet est à moitié fini. Puis je suis un type du Nord, ho, pas un de tes têtards de chevaliers du sud.

— On m'a dit de voir l'intendant – ou le cuisinier...

— Le château est fermé. Faut pas déranger les gens de la haute. » Le sergent réfléchit un moment. « Peux toujours décharger près des tentes à festin, là... » Son poing maillé désigna le coin. « Ça te vous donne faim, la bière, et le vieux Frey en est pas à quelques pieds de cochon près. Il a pas les dents pour, de toute façon. Demande à voir Deslaîches, il saura quoi faire de toi, lui. » Il aboya un ordre, et ses gens roulèrent un fourgon de côté pour que la carriole puisse passer.

Aiguillonné par le fouet du Limier, l'attelage se dirigea vers les tentes sans susciter, apparemment, la moindre espèce d'intérêt. Au risque de sombrer dans la gadoue, on dépassa des rangées de pavillons aux couleurs éclatantes et dont les lampes et braseros allumés à l'intérieur faisaient étinceler les parois de soie comme autant de lanternes magiques tantôt roses ou vertes ou d'or, tantôt rayées ou chantournées ou en damiers, celles-ci blasonnées de monstres ou de volatiles, celles-là de chevrons, d'étoiles, d'armes ou de roues. En repérant une tente jaune dont les pentes portaient six glands, trois sur deux sur un, *lord Petibois*, se dit Arya, brusquement assaillie par le souvenir déjà tellement, tellement lointain... ! de son passage à La Glandée et de la dame qui lui avait dit qu'elle était jolie.

À chaque pavillon diapré, scintillant de soie en répondaient au demeurant deux bonnes douzaines de simple toile ou de feutre, opaques et noirs, eux. Il y avait aussi des tentes de casernement, assez vastes pour abriter deux vingtaines de fantassins, mais même elles paraissaient naines, comparées à l'immensité des trois destinées au festin. On devait boire là depuis des heures, semblait-il. Il en provenait des clameurs de toasts et le vacarme de chopes qui s'entrechoquent, mais à tout cela se mêlait le tapage ordinaire des camps, chevaux hennissant, aboiements de chiens, roulements ténébreux de fourgons, éclats de rire et jurons, fracas de l'acier sur la résonance plus mate du bois. Au fur et à mesure que l'on approchait du château, la musique se faisait plus assourdissante, et pourtant dessous persistait à se faire entendre un grondement plus grave et plus sombre : celui de la Verfurque en crue, rauque comme un lion défendant sa tanière.

Arya se tournait, tortillait en tous sens pour tâcher de tout embrasser à la fois d'un coup d'œil, dans l'espoir de discerner ne fût-ce que l'ombre d'un insigne au loup-garou, la silhouette d'une tente gris et blanc, d'apercevoir des traits connus à Winterfell, mais tout ce qu'elle vit lui était étranger. Non, le type qui se soulageait dans les roseaux, là, n'était pas Panse-à-bière. Non, la tente d'où s'échappait en riant une fille à demi nue n'était pas grise, comme elle se l'était d'abord imaginé, mais bleu pâle, et le doublet du type qui s'élança aux trousses de la fuyarde était frappé d'un chat sauvage et non d'un loup. Les quatre archers qui, réfugiés sous un arbre, équipaient leurs arcs de cordes cirées n'étaient pas des archers de Père. Et si l'on croisa un mestre, ce mestre-là était beaucoup trop jeune et svelte pour se confondre avec mestre Luwin. Arya leva les yeux vers les Jumeaux. Les hautes baies de leurs tours luisaient sombrement, pour peu que s'y reflétât quelque flamme, mais si elles avaient, à travers la gaze de bruine, un petit air lugubre et mystérieux qui n'était pas sans rappeler tel ou tel des contes de Vieille Nan, hélas, non, pas question de les prendre pour celles de Winterfell...

Aux abords des tentes à festin, c'était carrément la cohue. Par les larges portières maintenues béantes se bousculaient pour entrer comme pour sortir des torrents de types munis de cornes à boire ou de chopes d'étain, certains enlaçant des gueuses à soudards. Arya mit à profit le fait que la carriole dépassait la première des trois pour jeter un regard à l'intérieur. Ils étaient là des centaines et des centaines à se démener autour de futailles de vin, de bière, d'hydromel et à bonder les bancs. À peine avaient-ils là-dedans la place de bouger, mais nul d'entre eux ne semblait en avoir cure. Au moins se trouvaient-ils au chaud et au sec. À les voir ainsi, Arya, glacée, trempée comme elle l'était, eut une bouffée d'envie. Il y en avait même certains qui chantaient. La touffeur que répandait la beuverie faisait tout autour de la porte, au-dehors, fumer la fine brume de pluie. « À lord Edmure et à lady Roslin, ç'coup-là ! » gueula une voix. Une forêt de coudes se leva, puis quelqu'un tonitrua : « Et pour qui, ç'coup-là ? pour le Jeune Loup et la reine Jeyne ! »

C'est qui, ça, la reine Jeyne ? se demanda-t-elle machinalement. En fait de reine, elle ne connaissait personne d'autre que Cersei.

Devant les tentes, on avait creusé pour les feux des fosses qu'abritaient sommairement de la pluie, pourvu du moins qu'elle tombât bien droit, des auvents de broussailles et de peaux. Mais comme le vent soufflait de la rivière, la bruine se faufilait suffisamment dessous pour faire siffler et tourbillonner les flammes sur lesquelles des serviteurs faisaient tourner des pièces de viande embrochées. Leur fumet mit l'eau à la bouche d'Arya. « Pourquoi ne pas nous arrêter ? lança-t-elle à Sandor Clegane. C'est des gens du Nord, sous les tentes... » À leurs barbes comme à leurs physionomies, à leurs manteaux en peaux d'ours ou de phoque, au peu qu'elle percevait de leurs toasts et de leurs chansons, elle les identifiait sans peine pour des Omble et des Karstark et des montagnards des clans. « Je suis prête à parier qu'il se trouve aussi là des gens de Winterfell. » Des gens de Père, ceux du Jeune Loup, des loups-garous Stark.

« Ton frère va forcément être au château, dit-il. Ta mère aussi. Tu les veux, oui ou non ?

CATELYN

Les tambours battaient, battaient, battaient, et la migraine lui battait la cervelle au rythme des tambours. Les musettes avaient beau vagir et les flûtes vous vriller des trilles, du haut de la tribune juchée au bas bout de la grande salle, et les crincrins couiner, les cors beugler, les outres de peau vous piauler leurs mélodies les plus entraînantes, c'étaient eux, les battements de tambour, qui dirigeaient tout ça. Et, tandis qu'en dessous les convives pintaient, s'empiffraient et glapissaient à qui mieux mieux, les poutres de la charpente se plaisaient à répercuter ce boucan d'enfer. *Walder Frey doit être sourd comme un pot pour qualifier ça de musique.* Tout en sirotant une coupe de vin, Catelyn regarda Tintinnabul se pavaner sur l'air d'*Alysanne*. Sur ce qu'en tout cas les musiciens paraissaient du moins prendre pour *Alysanne* et qui, vu leur talent, pouvait aussi bien passer pour *La Belle et l'Ours*.

Dehors, la pluie s'acharnait toujours, mais, à l'intérieur des Jumeaux, l'atmosphère était épaisse et suffocante. À cause, assurément, de la formidable flambée qui rugissait dans l'âtre et des kyrielles de torches qui, fichées dans des appliques en fer, enfumaient les murs, mais surtout à cause de la moiteur des corps entassés là si serrés sur les bancs qu'aucun des invités ne pouvait se flatter de lever le coude sans défoncer les côtes de ses voisins.

On était jusque sur l'estrade beaucoup trop agglutiné pour son gré. Comme elle se trouvait placée entre ser Ryman Frey et Roose Bolton, leurs fumets respectifs n'avaient plus guère de secret pour elle. Buvant avec autant d'ardeur que si Westeros risquait incessamment de manquer de vin, le premier vous le ressuait à pleines aisselles, et il avait eu beau prendre un bain d'eau citronnée, flairait-elle, il n'était au monde citron susceptible de camoufler pareilles âcretés. Quant au second, pour être plus sucrée, l'odeur qu'il exhalait n'était pas plus plaisante. Au vin pur ou à l'hydromel il préférait l'hypocras et ne faisait que grignoter.

Qu'il manquât d'appétit, Catelyn ne pouvait décemment le lui reprocher. Entamé sur un vague bouillon de poireau, le banquet nuptial s'était poursuivi sur une salade de haricots verts, betteraves, oignons, sur du brochet poché au lait d'amandes puis sur des platées de purée de navets refroidie dès avant d'atteindre la table, des cervelles de veau en gelée et une lichette de bœuf filandreux. Outre que c'était là piètre chère à offrir à un roi, les cervelles de veau avaient barbouillé Catelyn. Robb les avait avalées sans rechigner, Edmure étant, lui, trop captivé par son épouse pour s'aviser de grand-chose d'autre.

Qui devinerait jamais, à le voir, qu'il n'a cessé une seconde de pleurnicher à propos de Roslin depuis Vivesaigues jusqu'aux Jumeaux ? Mari et femme picoraient dans la même assiette, buvaient à la même coupe et ne manquaient pas d'échanger de chastes bécots entre deux lampées. La plupart des plats, lui les renvoyait d'un geste. Comment l'en blâmer, d'ailleurs ? Des mets servis à ses propres noces, elle ne conservait guère elle-même de souvenirs. *Y ai-je seulement goûté ? N'ai-je pas plutôt passé tout mon temps à dévisager Ned et à me demander quel homme il était au juste ?*

Le sourire de la pauvre Roslin était d'une étoffe aussi rigide que s'il avait été cousu sur son minois. *Hé, c'est que la voilà mariée, mais qu'il lui faut encore essuyer le coucher. Sans doute la perspective la terrifie-t-elle autant qu'elle me terrifiait.* Robb était flanqué par Alyx et Walda la Belle, deux des plus nubiles d'entre les pucelles Frey. « J'ose espérer que vous ne refuserez pas de danser avec mes filles lors du festin nuptial, avait dit le patriarche. Voilà qui charmerait un cœur de vieillard. » Son cœur devait être on ne peut plus charmé, dans ce cas. Robb avait royalement accompli ses devoirs. Il avait dansé avec chacune des filles, avec la femme d'Edmure, avec la huitième lady Frey, avec Ami, la jeune veuve, et avec Walda la Grosse, épouse de Roose Bolton, avec les jumelles boutonneuses, Serra et Sarra, dansé même avec Shorei, la dernière née de son hôte, qui devait avoir tout au plus six ans. Catelyn se demanda si le sire du Pont s'en tiendrait satisfait, ou s'il irait puiser motif à doléance dans le tour que n'auraient pas eu avec Sa Majesté toutes ses autres filles et petites-filles. « Vos sœurs dansent à ravir, dit-elle à ser Ryman dans un effort de bonne compagnie.

— Rien que des tantes et des cousines. » Ser Ryman déglutit une gorgée de vin. Lui dégoulinant le long de la joue, de grosses gouttes de sueur allaient se perdre dans sa barbe.

Un homme aigri. Et il est ivre, songea-t-elle. De quelque avarice sordide qu'il fît preuve lorsqu'il s'agissait de nourrir ses hôtes, au moins fallait-il reconnaître à lord Tardif qu'il ne lésinait pas sur le

chapitre de la boisson. Hydromel, bière, vin coulaient à flots aussi pressés, dedans, que la Verfurque
elle-même, dehors. Le Lard-Jon était déjà fin rugissant soûl. Le fils de lord Walder, Merrett, lui tenait
encore tête, coupe pour coupe et coup pour coup,
mais, à prétendre rivaliser avec eux deux, ser Whalen Frey n'était arrivé qu'à s'écrouler. Catelyn aurait
préféré que lord Omble ait eu le tact de privilégier
la sobriété, mais lui enjoindre de ne pas boire revenait à lui intimer de ne pas respirer durant quelques
heures.

P'tit-Jon Omble et Robin Flint étaient assis non
loin de Robb, de part et d'autre, respectivement, de
Walda la Belle et d'Alyx. Ni l'un ni l'autre ne buvait ;
de conserve avec Patrek Mallister et Dacey Mormont, ils assuraient ce soir la garde de son fils. Un
banquet de noce avait beau n'être pas une bataille,
l'ivresse des convives pouvait toujours y prendre
fâcheuse tournure, et jamais un roi ne devait négliger sa sécurité. Ce spectacle réconforta Catelyn, et
elle puisa davantage encore de réconfort dans la
vue des ceinturons d'épée suspendus à des patères
le long des murs. *Nul n'a que faire de rapière pour
régler leur compte à des cervelles de veau en gelée.*

« Tout le monde s'attendait à voir mon seigneur
et maître jeter son dévolu sur Walda la Belle »,
confia lady Bolton à ser Wendel en s'époumonant
pour couvrir la cacophonie. Bâtie comme une motte
de beurre rose à prunelles d'un bleu délavé, cheveux de filasse jaune et seins faramineux, Walda la
Grosse avait néanmoins un filet suraigu de voix tout
en pépiements. On l'imaginait mal déambuler à
Fort-Terreur dans ses guipures roses et sa cape de
vair. « Mais comme messire mon grand-père s'offrait à doter la future en argent je vous prie mais au
prorata de son poids, c'est *moi* que Roose a choi-

sie. » Elle se mit à rire dans une émeute de triples mentons. « Et ce fut bien la première fois que mes quatre-vingts livres de plus que Walda la Belle me firent plaisir. Je leur dois d'être lady Bolton, tandis que ma cousine est toujours à prendre, et elle court déjà, la pauvrette..., sur ses *dix-neuf* ans ! »

Ces jacasseries, le sire de Fort-Terreur, nota Catelyn, n'en avait strictement que faire. Et s'il prenait bien de-ci de-là une bouchée de ceci, une cuillerée de cela, si ses doigts vigoureux et courtauds déchiquetaient bien du pain à même la miche, il n'était manifestement pas homme à se laisser distraire par la chère qu'on lui servait. Il avait dès le début des festivités porté un toast aux petits-fils de lord Walder sans omettre de souligner que Walder et Walder se trouvaient pour l'heure aux bons soins de son bâtard de fils à lui. Et, rien qu'à la manière dont le vieux Frey avait louché vers lui, pompant l'air à pleines gencives, il ne faisait nul doute pour Catelyn qu'il n'eût parfaitement compris la menace implicite.

Y eut-il jamais noces moins joyeuses ? se demanda-t-elle, et puis elle se souvint de sa malheureuse Sansa, forcée d'épouser le Lutin. *La Mère la prenne en miséricorde. Elle et son âme si délicate.* La chaleur, la fumée, le vacarme finissaient par lui soulever le cœur. Si nombreux et tapageurs qu'ils fussent, là-haut, dans la tribune, les musiciens n'étaient vraiment pas très doués. Elle ingurgita une nouvelle lampée de vin, laissa un page emplir à nouveau sa coupe. *Quelques heures encore, et le pire sera passé.* Vers cette même heure, le lendemain, Robb serait déjà reparti se battre, et se battre, cette fois, contre les Fer-nés, à Moat Cailin. Bizarre, quand même, qu'une pareille perspective lui inspirât presque du soulagement... ! *Il va la gagner, sa bataille. Il gagne toutes ses batailles, et les Fer-nés se trou-*

vent privés de roi. Au surplus, Ned l'a bien formé.
Les tambours battaient. Tintinnabul passa derechef
à cloche-pied par là, mais la musique était si toni-
truante qu'à peine s'entendaient pour le coup sonnailler ses clochettes.

Mais le chahut lui-même ne parvint pas à couvrir
de brusques grondements, deux chiens venaient de
se jeter l'un sur l'autre pour un bout de viande. Ils
roulèrent enchevêtrés à terre en se mordant, jappant, et cela déchaîna une explosion d'hilarité.
Quelqu'un les inonda de bière, ils se détachèrent
instantanément. L'un d'eux boitilla vers l'estrade. La
bouche édentée de lord Walder béa pour aboyer
un rire quand la bête trempée s'ébroua, dégouttante, et lui aspergea de bière et de poil trois de ses
petits-fils.

La vue des chiens suffit à raviver les regrets de
Catelyn en ce qui concernait Vent Gris, que lord
Walder s'était obstinément refusé à admettre dans
la salle. « Votre bête fauve a un faible pour la chair
humaine, à ce que je me suis laissé dire, *hé !* avait-il
grogné. Déchire les gorges, oui. Vais pas tolérer,
moi, pareille créature à la fête de ma Roslin, parmi
les femmes et les tout-petits, tous mes chers inno-
cents à moi.

— Ils ne courent aucun risque avec Vent Gris,
messire, avait protesté Robb. En ma présence, absolument aucun.

— Vous étiez bien présent, devant mes portes,
non ? Quand il s'est précipité sur les petits-fils que
j'avais envoyés pour vous accueillir ? Toute cette
affaire, je suis au courant, n'allez pas vous imaginer
le contraire, *hé !*

— Mais aucun mal n'a...

— Aucun mal, prétend le roi ? Aucun mal ? Petyr
est tombé de cheval, *tombé.* J'ai perdu l'une de mes

222

femmes de cette manière, d'une chute. » Il avala, recracha sa bouche. « Ou bien n'était-ce qu'une de mes putes ? La mère, oui, voilà, de Walder le Bâtard, à présent que ça me revient. Qu'elle est tombée de son cheval et qu'elle s'est fracassé le crâne. Que ferait Votre Majesté, si Petyr, *hé !* s'était rompu le col ? Elle me servirait de nouvelles excuses pour me tenir lieu de petit-fils ? Non, non, non. Il se peut que vous soyez roi, je ne vais pas en disconvenir, et même le roi du Nord, *hé !* mais moi, sous mon toit, ma loi. C'est ou votre loup, Sire, ou vos noces. Pas les deux, ça non. »

Dans quel état de fureur ce discours-là mettait son fils, elle l'avait pertinemment senti, mais il n'en avait pas moins fini par s'incliner avec autant de grâce que possible. *Si le bon plaisir de lord Walder*, avait-il promis naguère, *est de me servir du ragoût de corbeau farci d'asticots, non seulement je le mangerai mais j'en réclamerai une seconde écuellée.* Et il avait en l'occurrence tenu parole...

La compétition avec le Lard-Jon venait d'expédier rouler sous la table un rejeton supplémentaire de lord Walder, Petyr Boutonneux, pour le coup. *Contre une contenance trois fois plus forte, de quoi se flattait le marmot ?* Lord Omble se torcha la bouche et, se levant, se mit à chanter

> *« Un ours y avait, un ours, un OURS !*
> *Tout noir et brun, tout couvert de poils ! »*

d'une voix qui n'était pas laide du tout, quoique pas mal empâtée par la cuite. Mais le malheur voulait que les violoneux, là-haut, les flûtistes et les tambours, eux, fussent en train de jouer *Fleurs d'avril* dont l'air s'accordait aux paroles de *La Belle et l'Ours* avec autant de congruité que si l'on eût flanqué des escargots sur de la bouillie d'avoine. Même cette triste épave de Tintinnabul s'en boucha les oreilles, horrifié.

Après avoir susurré trop bas quelques mots par force inaudibles, Roose Bolton s'esquiva en quête de lieux d'aisances. Le tumulte et les va-et-vient continuels du service et des invités contribuaient à faire paraître exiguë la salle bondée. Réservé aux seigneurs et chevaliers de moindres naissance et rang, devait mugir aussi abominablement, présumait Catelyn, le festin qui se donnait dans le second château. Lord Walder ayant exilé là-bas, sur la rive opposée, ses rejetons de la main gauche et toute leur marmaille, les gens du Nord s'étaient mis à ne désigner ce second festin que sous l'appellation de « tablée bâtarde ». Sans doute certains des convives d'ici filaient-ils en douce voir si par hasard on ne s'amusait pas davantage à cette dernière. D'aucuns pousseraient même l'aventure, voire, jusqu'aux camps, ceux-ci se trouvant eux-mêmes d'abondance approvisionnés en bibine de toute sorte par les Frey pour permettre à la piétaille de picoler jusqu'à plus soif aux épousailles de Vivesaigues et des Jumeaux.

Robb vint s'asseoir à la place délaissée par Bolton. « Encore quelques heures, Mère, et c'en sera fini, de cette farce, chuchota-t-il, tandis que le Lard-Jon s'entêtait à célébrer la fille aux cheveux de miel. Walder le Noir s'est pour une fois montré d'une douceur d'agneau. Et Oncle Edmure a l'air enchanté de sa moitié. » Il se pencha par-dessus elle. « Ser Ryman ? »

Ser Ryman Frey papillota puis finit par dire : « Sire. Oui ?

— J'avais espéré prier Olyvar de me servir d'écuyer durant notre expédition vers le nord, mais je ne le vois pas dans la salle. Se trouverait-il à l'autre banquet ?

— Olyvar ? » Ser Ryman secoua la tête. « Non. Pas Olyvar. Parti... parti des châteaux. Mission.

— Je vois. » Son intonation ne suggérait pas spécialement cela. Mais, comme ser Ryman n'ajoutait pas un mot, Robb se releva. « Que diriez-vous d'une danse, Mère ?

— Merci, mais non. » Danser était la dernière chose à pouvoir lui convenir, tant la martelait la migraine. « Sans doute une fille de lord Walder serait-elle charmée de te servir de cavalière.

— Hm, sans doute. » Il eut un sourire de pure résignation.

Les musiciens jouaient désormais *Lances de fer*, tandis que le Lard-Jon chantait *Le Costaud*. Quitte à songer : *quelqu'un devrait quand même les mettre d'accord, l'harmonie pourrait y gagner*, Catelyn reprit à l'adresse de ser Ryman : « J'avais ouï dire que l'un de vos cousins était chanteur.

— Alesander. Le fils de Symond. Alyx est sa sœur. » Il brandit sa coupe vers l'endroit où celle-ci dansait avec Robin Flint.

« N'aurons-nous pas le plaisir de l'entendre, cette nuit ? »

Il lui décocha un coup d'œil en biais. « Pas lui. Il est absent. » Il épongea la sueur de son front puis se mit vivement sur pied. « Mille pardons, madame. Mille pardons. » Et il la planta là pour tituber vers la sortie.

Ici, Edmure embrassait Roslin en lui pressant la main. Là, ser Marq Piper et ser Danwell Frey s'amusaient à un jeu de tournées. Ailleurs, Lothar le Boiteux en contait une bien bonne à ser Hosteen, l'un des cadets Frey jonglait avec trois poignards pour un escadron gloussant de gamines, et Tintinnabul, assis à même le sol, suçait un à un ses doigts maculés de vin. Les serviteurs apportaient d'immenses plateaux d'argent croulant sous des monceaux d'agneau saignant et juteux – le mets le plus appétissant qu'on eût vu jusque-là. Quant à Robb, il faisait tourner Dacey Mormont.

Lorsqu'elle portait une robe au lieu d'un haubert, la fille aînée de lady Maege était, avec sa taille, sa sveltesse et le sourire virginal qui transfigurait ses longs traits, tout sauf dépourvue d'appas. Sincèrement charmée de constater que la jeune femme pouvait déployer autant de grâce sur un parquet de danse que sur le terrain d'exercice, Catelyn en vint à se demander si sa mère avait déjà pu atteindre le Neck. Celle-ci avait entraîné ses autres filles dans son équipée, mais Dacey, en sa qualité de compagnon de bataille, avait préféré demeurer aux côtés du roi. *Il a reçu de Ned le don d'inspirer de ces fidélités indéfectibles.* Olyvar Frey lui avait témoigné le même genre de dévotion. Au point de souhaiter, Robb l'avait bien dit, n'est-ce pas ? rester son écuyer même *après* le mariage avec Jeyne...

Trônant entre ses tours de chêne noir, le sire du Pont fit claquer l'une contre l'autre ses mains tavelées. Le son qu'elles produisirent était si dérisoire qu'à peine fut-il perceptible même sur l'estrade, mais ser Aenys et ser Hosteen surprirent le geste et se mirent à marteler la table avec leurs coupes. Lothar le Boiteux se joignit à eux, puis Marq Piper et ser Danwell et ser Raymund. La moitié des hôtes ne furent pas longs à les imiter, si bien qu'il ne fut finalement pas jusqu'à la clique des musiciens qui ne vînt à s'en aviser sur son perchoir et, peu à peu, musettes et tambours et crincrins cessèrent leur tohu-bohu.

« Sire, lança lord Walder, le septon a eu beau dire ses prières, on a eu beau proférer des paroles et lord Edmure envelopper ma petite chérie dans un manteau frappé du poisson, tout cela ne fait pas encore ces deux-là mari et femme. À toute rapière faut un fourreau, *hé !* comme à toute noce faut un coucher. Qu'en pense Votre Majesté ? Siérait-il point enfin que nous songions à les mettre au lit ? »

Une vingtaine, voire davantage, de ses fils et petits-fils se remit à marteler les tables tout en beuglant : « Au lit ! Au lit ! *Au lit, tous avec eux !* » Roslin était devenue livide. Catelyn se demanda si c'était la perspective de perdre son pucelage qui la terrifiait ou celle du coucher lui-même. Avec tant de frères et de sœurs, il n'y avait guère d'apparence que la coutume lui fût inconnue, mais on la voyait sous un tout autre angle lorsqu'on en faisait soi-même les frais. Le soir de son propre mariage, se souvint-elle, Jory Cassel avait mis tant de hâte à l'extirper de sa robe qu'il la lui avait toute déchirée, tandis que Desmond Grell ne s'opiniâtrait, ivre mort, à lui demander pardon de chacune des cochonneries qu'il lui décochait que pour lui en assener d'encore plus salaces, après. Quant à lord Dustin, la découverte de sa nudité lui avait fait dire à Ned que, devant des nichons pareils, il regrettait d'avoir été sevré. *Le pauvre*, songea-t-elle. Il n'avait accompagné Ned dans le sud que pour n'en jamais revenir. Elle se demanda combien des hommes présents là, ce soir, seraient morts de même avant que l'année ne soit achevée. *Beaucoup trop, je crains.*

Robb leva une main. « Si vous jugez le moment séant, lord Walder, alors, soit, mettons-les au lit. »

Un rugissement d'approbation salua son verdict. Là-haut, dans leur tribune, les musiciens reprirent musettes et cors et crincrins et entreprirent de jouer

La reine ôta sa sandale et le roi sa couronne. En se mettant à sautiller d'un pied sur l'autre, Tintinnabul fit sonnailler sa propre couronne. « Paraît qu'entre les jambes, les hommes Tully, lança hardiment Alyx Frey, ç'a pas une bite, mais une truite. Leur faut-il un ver pour qu'elle frétille ? » À quoi ser Marq Piper répliqua du tac au tac : « Paraît, *moi*, que les femmes Frey, ç'a pas qu'une porte mais deux », sans qu'Alyx se démonte : « Ouais, mais deux bien closes et verrouillées aux petits machins de ton genre ! » Pendant que se déchaînaient les rires, Patrek Mallister grimpa sur une table pour proposer de porter un toast au poisson n'a-qu'un-œil d'Edmure. « Et que c'est un fameux brochet ! » clama-t-il. « Un goujon, que je gage, moi », hurla la grosse Walda Bolton juste à côté de Catelyn. Et puis retentit à nouveau le cri unanime : « *Au lit ! Au lit !* »

Les plus soûls, comme toujours, devant, les convives se ruèrent à l'assaut de l'estrade. Jeunes et vieux, les mâles enveloppèrent Roslin et la soulevèrent à bout de bras, tandis que la gent féminine, mères et pucelles confondues, tirait Edmure de sa place et, le forçant à se lever, tâchait incontinent de le déshabiller. Lui s'esclaffait en leur retournant sans doute obscénités pour obscénités, mais la musique jouait trop fort pour que Catelyn l'entendît. Elle entendit néanmoins le Lard-Jon mugir : « À moi, la petite épouse, à moi ! », le vit bousculer tous les hommes qui cernaient Roslin et se la jeter sur l'épaule, en gueulant : « Mais voyez-moi cette moins que rien ! ç'a pas de viande sous la peau ! »

Catelyn se sentit pleine de compassion pour elle. Alors que la plupart des épousées s'efforçaient de renvoyer les quolibets ou du moins de feindre s'en divertir, Roslin, tétanisée par la terreur, se cramponnait au Lard-Jon comme s'il risquait de la laisser choir. *Et elle est en larmes, en plus*, observa-t-elle, tandis que ser Marq Piper la dépouillait de l'une de ses chaussures. *Pauvre enfant, pourvu qu'Edmure ne la brusque pas...* Égrillarde et grivoise, la mélodie continuait à se déverser sur eux du haut de la tribune ; à présent, la reine ôtait sa jupe et le roi sa tunique.

Catelyn en était consciente, elle aurait dû courir grossir la cohue des femmes assiégeant son frère, mais elle n'eût réussi qu'à gâter leur plaisir. Les sentiments qui l'étreignaient en ces heures étaient assez peu faits pour l'incliner à la paillardise. Edmure ne lui tiendrait pas rigueur de s'abstenir, se persuada-t-elle ; il trouverait autrement plus affriolant de se faire flanquer à poil et fiche au pieu par un escadron de Frey rigolardes et luronnes que par une sœur acariâtre et en deuil.

Comme on emportait les épousés vers la sortie, dans un double sillage d'effets envolés, Catelyn s'aperçut que Robb non plus n'avait pas bougé. Susceptible à outrance comme il l'était, Walder Frey risquait fort de considérer ce comportement comme une insulte envers sa fille. *Il devrait prendre part au coucher de Roslin, mais m'appartient-il de l'en aviser ?* Malgré la tension de ses nerfs, elle finit par se rendre compte que d'autres étaient aussi demeurés à leur place. Ser Whalen Frey persistait, la tête sur la table, à roupiller, tout comme Petyr Boutonneux. Et, pendant que Merrett Frey se versait une nouvelle coupe de vin, Tintinnabul vagabondait le long des bancs en picorant à la dérobée dans les écuelles abandonnées. Ser Wendel Manderly s'attaquait allégrement, lui, à un gigot d'agneau. Et, comme de bien entendu, lord Walder était pour sa part beaucoup trop faiblard pour quitter son siège par ses seuls moyens. *Il n'en compte pas moins voir Robb y aller, n'empêche...* Peu s'en fallait même déjà qu'elle n'entendît le vieillard aigrement s'offusquer que Sa Majesté ne manifestât nulle envie de se rincer l'œil sur la nudité de sa fille. Les tambours s'étaient entre-temps remis à battre et battaient, battaient, battaient.

Dacey Mormont, qui semblait être, exception faite de Catelyn, l'unique femme encore présente dans la salle, s'avança derrière Edwyn Frey puis, lui touchant le bras d'une main légère, souffla quelque chose à son oreille. Or, il se dégagea brutalement, en véritable malotru. « Non ! s'exclama-t-il d'une voix trop forte. Danser, j'en ai ma claque, pour l'instant. » La jeune femme pâlit, s'écarta. Catelyn se leva lentement. *Que vient-il de se passer là ?* Une espèce d'appréhension sourde lui serra le cœur, quand juste avant ne l'accablait qu'une lassitude infinie. *Ce n'est rien*, chercha-t-elle à se persuader, *c'est toi qui as des hallucinations, une vieille folle, voilà ce que tu es devenue, malade de frousse et de chagrin.* Mais l'expression de son visage avait dû trahir quelque chose de ses sentiments, car ser Wendel Manderly lui-même le remarqua. « Quelque chose qui ne va pas ? » s'inquiéta-t-il, les mains crispées sur son gigot d'agneau.

Sans seulement daigner lui répondre, elle préféra tâcher d'aller se suspendre aux basques d'Edwyn Frey. Là-haut, dans la tribune, les musiciens, qui venaient quand même enfin de réduire au plus simple appareil la reine et le roi, enchaînèrent, quasiment sans reprendre souffle, sur une chanson d'un genre tout différent. Nul n'en chantait les paroles, mais Catelyn, dès les premiers accords, reconnut là *Les pluies de Castamere*. Voyant Edwyn Frey se dépêcher vers une porte, Catelyn redoubla de hâte et, en six enjambées précipitées, réussit à le rattraper.

Et qui êtes-vous, dit le fier seigneur,
Pour que je doive m'incliner si bas ?

Elle l'empoigna par le bras pour le contraindre à lui faire face, et une sueur froide la parcourut de la tête aux pieds lorsqu'elle sentit, sous la manche de soie, jouer les maillons de fer.

Alors, elle le gifla si violemment qu'il en eut la lèvre fendue. *Olyvar*, songea-t-elle, *et Perwyn, Alesander, tous absents, tous. Et Roslin qui pleurait...*

Edwyn Frey la poussa de côté. Non contente de noyer tout autre bruit, la musique se multipliait en échos contre les murs comme si leurs moellons eux-mêmes se mêlaient aussi de jouer. Avec un regard furibond, Robb fit mouvement pour barrer le passage à Edwyn et, soudain..., tituba, le flanc percé d'un carreau, juste sous l'épaule. S'il lui échappa un cri, ce cri fut étouffé par les musettes et les cors, les crincrins. Catelyn vit un second trait lui percer la jambe, elle le vit tomber. Là-haut, dans la tribune, la moitié des musiciens brandissaient désormais des arbalètes au lieu de frapper des tambours ou de pincer des luths. Elle courait déjà vers son fils quand un projectile lui heurta le bas des reins, et puis le pavage de pierre se rua à sa rencontre pour l'assommer. « *Robb !* » hurla-t-elle. Elle vit P'tit-Jon Omble soulever à bras-le-corps le plateau d'une table à tréteaux. Des carreaux vinrent se ficher dans le bois avec un bruit sourd, un, deux, trois, pendant qu'il le rabattait vivement sur son roi pour le protéger. Robin Flint était cerné de Frey dont les poignards se levaient, s'abattaient. Ser Wendel Manderly se leva pesamment sans lâcher son gigot. Un carreau pénétra dans sa bouche ouverte et lui ressortit par la nuque. Ser Wendel s'effondra face la première et, renversant dans sa chute plateau de table et tréteaux, expédia baller par terre et s'éparpiller, rebondir, glisser, se fracasser coupes et flacons, tranchoirs, plats, dans des avalanches de navets et de betteraves, des geysers de vin.

Catelyn avait les reins en feu. *Il me faut arriver jusqu'à lui.* Armé d'un gigot de mouton, P'tit-Jon matraqua ser Raymund Frey en pleine figure, mais à peine allait-il s'emparer de son ceinturon d'épée qu'un trait d'arbalète le fit s'affaisser à genoux.

> *Fourré d'or ou fourré de rouge,*
> *Un lion, messire, a toujours des griffes.*

Elle vit Lucas Nerbosc tomber sous les coups de ser Hosteen Frey. Elle vit Walder le Noir taillader les jarrets d'un Vance pendant que celui-ci se trouvait aux prises avec ser Harys Haigh.

> *Et les miennes sont aussi longues et acérées*
> *Qu'acérées et longues les vôtres.*

Elle vit les arbalétriers descendre Owen Norroit, Donnel Locke et une demi-douzaine d'autres. Le jeune ser Benfrey avait immobilisé l'un des bras de Dacey Mormont, mais Catelyn la vit rafler de sa main libre une carafe à vin, la lui écraser sur la gueule et prendre sa course vers une porte... qui s'ouvrit à la volée avant qu'elle ne l'eût atteinte, et Catelyn vit ser Ryman Frey, heaume en tête, en franchir le seuil, intégralement revêtu d'acier. Une quinzaine d'hommes d'armes Frey bouchaient l'issue derrière lui. Et ils portaient tous des haches massives à long manche.

« *Grâce !* » cria Catelyn, mais les cors et les tambours et le fracas de l'acier couvrirent son appel. Ser Ryman enfouit le fer de sa hache dans le ventre de Dacey. Et là-dessus se déversèrent par chacune des autres portes des flots d'hommes, d'hommes tapissés de maille et qui, l'acier au poing, portaient des manteaux de fourrure hirsute. *Des gens du Nord !* Accourus à la rescousse, s'imagina-t-elle un demi-battement de cœur, loisir qu'il fallut à l'un d'eux pour trancher la tête au P'tit-Jon en deux coups de hache, et l'espoir s'éteignit telle une chandelle en plein ouragan.

Et là, au beau milieu, planté sur son trône de chêne sculpté, le sire du Pont se gorgeait du carnage, l'œil émoustillé.

À quelques pas de Catelyn se trouvait traîner sur les dalles un poignard. Soit qu'il eût voltigé jusque-là quand le P'tit-Jon avait soulevé le plateau de la table ou qu'il se fût échappé des doigts de quelque moribond. Elle se mit à ramper dans sa direction. De plomb lui semblaient ses membres, et la saveur du sang saturait sa bouche. *Je tuerai Walder Frey*, se dit-elle. Planqué sous une table, Tintinnabul avait beau se trouver plus proche qu'elle du poignard, il la laissa s'en emparer sans réagir autrement que par une reculade. *Je tuerai cette vieille crapule, ça, au moins, je peux.*

Au même instant, le plateau de table que le P'tit-Jon avait renversé sur Robb se mit à bouger, et elle vit son fils rassembler vaille que vaille ses genoux. En plus des traits fichés dans sa jambe et son flanc, un troisième émergeait de sa poitrine. Lord Walder leva une main, et la musique s'interrompit toute, à l'exception d'un seul tambour. Catelyn perçut dans le lointain le vacarme d'une bataille et, plus près, les sauvages hurlements d'un loup. *Vent Gris*, se souvint-elle, alors qu'il n'était plus temps.

« *Hé !* gloussa lord Walder à l'adresse de Robb, le roi du Nord qui nous survient. Semblerait que nous ayons tué quelques-uns de vos gens, Sire. Oh, mais je compte bien vous en présenter des *excuses*, ça les remettra tous en pleine forme, *hé !* »

Empoignant à pleines mains ses longs cheveux gris, Catelyn tira dessus pour extirper Tintinnabul Frey de sa cachette. « Lord Walder ! s'époumonat-elle, *LORD WALDER !* » Le tambour battait au ralenti, sans sourdine, *boum, boum, boum*. « Assez ! reprit-elle. *Assez*, je dis. Vous avez rendu félonie pour félonie, mettez un terme à ce jeu-là. » À peine eut-elle appliqué le poignard sur la gorge de Tintinnabul que brutalement l'assaillit, avec le souvenir de Bran et de sa chambre de mourant, celui de l'acier froid sur sa propre gorge. Le tambour ébranlait tout de ses *boum, boum, boum, boum, boum, boum*... « Je vous en prie, poursuivit-elle. Il est mon fils. Mon premier fils, et mon dernier. Laissez-le partir. Laissez-le partir et, je le jure, nous oublierons cela..., nous oublierons tout ce que vous venez de faire. Je le jure par les anciens dieux comme par les nouveaux, nous..., nous n'en tirerons pas vengeance... »

Lord Walder fixa sur elle un regard lourd d'incrédulité. « Il faudrait être idiot pour croire à ces sornettes. Me prenez-vous pour un idiot, madame ?

— Je vous prends pour un père. Gardez-moi en otage, et Edmure aussi, si vous ne l'avez tué. Mais laissez Robb partir.

— Non. » La voix de Robb n'était guère qu'un murmure presque imperceptible. « Non, Mère...

— Si. Robb, lève-toi. Lève-toi et sors, je t'en prie, je t'en *prie*. Sauve-toi..., pour Jeyne, si ce n'est pour moi.

— Jeyne ? » Robb s'agrippa au rebord de la table pour réussir, tant bien que mal, à se mettre debout. « Mère, dit-il, Vent Gris...

— Va le retrouver. Tout de suite, Robb. *Sors d'ici.* »

Lord Walder émit un reniflement. « Et pourquoi, moi, je lui permettrais de le faire, s'il vous plaît ? »

Elle accentua la pression de la lame sur la gorge du simple d'esprit, qui la conjurait sans mot dire en roulant des yeux effarés. Les narines assaillies par une affreuse puanteur, elle refusa tout aussi délibérément de s'y appesantir que de prêter l'oreille à l'obsédant et lugubre *boum, boum, boum, boum, boum, boum, boum* du tambour, là-haut. Ser Ryman et Walder le Noir faisaient mouvement pour la prendre en tenaille, par-derrière, mais cela lui était complètement égal. Libre à eux de lui faire ce qu'ils voudraient, la jeter dans quelque oubliette ou la violer, la tuer, n'importe, elle s'en moquait. Elle n'avait que trop vécu, et Ned l'attendait. Ses craintes, ses seules craintes, étaient pour Robb. « Sur mon honneur de Tully, dit-elle à lord Walder, sur mon honneur de Stark, c'est la vie de votre Aegon que je vous offre d'échanger contre celle de mon Robb. Fils pour fils. » Sa main tremblait si salement qu'elle en donnait le branle à toute la tête et aux sonnailles de Tintinnabul.

Boum, battait le tambour, *boum, boum, boum, boum*. Le vieux Walder avalait et recrachait sa lippe. Le poignard tremblait entre les doigts de Catelyn que la sueur rendait glissants. « Fils pour fils, *hé !* répéta le sire du Pont. Mais ça n'est qu'un petit-fils, là..., et ça n'a jamais servi à grand-chose. »

Un homme revêtu d'une armure sombre et dont le manteau rose pâle était maculé de sang s'avança vers Robb. « Jaime Lannister m'a chargé de vous transmettre ses salutations. » Il lui plongea son épée au travers du cœur puis se débina.

Si Robb avait manqué à sa parole, sa mère tint la sienne. Elle exerça une violente traction sur les cheveux d'Aegon puis se mit à lui cisailler le cou jusqu'à ce que la lame racle et bute nettement sur l'os. Le sang lui inondait les doigts, les ébouillantait. Et les menues clochettes tintaient, tintaient, tintaient, pendant que le tambour continuait ses *boum, boum, boum.*

Quelqu'un dut apparemment finir par lui retirer le poignard. Les larmes qui ruisselaient le long de ses joues brûlaient comme du vitriol. Dix corbeaux féroces lui labouraient le visage avec leurs serres et en arrachaient des lambeaux de chair, y laissant de profonds sillons pourpres et sanguinolents. Le sang, elle en avait la saveur âcre sur les lèvres.

Cela fait si mal, si mal, songea-t-elle. *Nos enfants, Ned, tous nos chers petits. Rickon, Bran, Arya, Sansa, Robb... Robb..., pitié, Ned, pitié, fais que cela cesse, fais que cela cesse de faire mal...* Larmes blanches et larmes rouges ruisselaient ensemble, et, finalement, son visage ne fut plus que loques et haillons, le visage qu'avait aimé Ned. Catelyn Stark leva ses mains et regarda le sang dégouliner le long de ses longs doigts, dégouliner le long de ses poignets, le regarda s'évanouir sous les manches de sa robe. Des vers, des vers rouges, se mirent à ramper lentement le long de ses bras, sous ses vêtements, partout. *Ça chatouille.* Cela la fit rire et puis, brusquement, elle se mit à hurler. « Folle, dit quelqu'un, elle est devenue folle », et quelqu'un d'autre : « Finissons-en », et une main l'empoigna par les cheveux tout juste comme elle-même l'avait fait pour Tintinnabul, et elle pensa : *Non, pas ça, ne me coupez pas les cheveux, Ned les aime, mes cheveux...* Et puis l'acier toucha sa gorge, et la morsure en fut rouge et glacée.

ARYA

Les tentes à festin se trouvaient derrière eux, désormais. En pataugeant dans la gadoue, patinant sur l'herbe écrasée, leur carriole sortit peu à peu des lumières pour se renfoncer dans le noir. Droit devant se devinait la silhouette massive de la conciergerie. Des torches aux flammes tourmentées par tous les caprices du vent s'agitaient sur le chemin de ronde en se reflétant vaguement sur la maille humide et les heaumes. Formées en colonne, pas mal d'autres se déplaçaient entre les Jumeaux parmi les ténèbres du pont, allant de la rive ouest à celle de l'est.

« Le château n'est pas fermé », dit Arya, tout à coup. C'était à tort que le sergent leur avait affirmé le contraire. On remontait la herse à l'instant, sous ses yeux, et le pont-levis se trouvait déjà abaissé pardessus la douve inondée. L'avait-elle craint, que les gardes de lord Frey ne leur refusent l'entrée... ! Trop anxieuse encore pour sourire, elle se mâchouilla la lèvre une demi-seconde.

Le Limier tira sur les rênes si brusquement qu'elle faillit tomber de la carriole. « Par les sept putains de bordels d'enfers ! l'entendit-elle jurer, tandis que leur roue gauche commençait à sombrer dans la boue liquide. La voiture prenait lentement de la gîte. « *Descends !* » rugit-il tout en lui bourrant violemment l'épaule du plat de la main pour la faire basculer de côté. Après un atterrissage en douceur et digne des leçons de Syrio Forel, elle rebondit instantanément sur pied, le museau tout crotté. « *Pourquoi vous avez fait ça ?* » glapit-elle. Il avait lui-même sauté à terre et, fébrilement, se mit à démantibuler leur siège afin de récupérer, dessous, le baudrier qu'il y avait planqué.

C'est seulement alors qu'Arya perçut, presque inaudible sous les martèlements de tambour émanant des châteaux, le tapage assourdissant des destriers montés qui, telle une rivière de flammes et d'acier, se déversaient vers la berge par le pont-levis. Hommes et bêtes étaient revêtus de plates, et un cavalier sur dix portait une torche. Les autres étaient armés de haches, de haches à long manche, à tête en pointe et à lourde lame, idéales pour fracasser les os, défoncer les armures.

De quelque part au loin monta le hurlement d'un loup. Pas bien bien fort, comparé au vacarme que faisaient la musique et le camp par-dessus les grondements sombres et lugubres de la rivière déchaînée, mais Arya l'entendit tout de même. Sauf que peut-être n'est-ce pas avec ses oreilles qu'elle l'entendit. Il vibra dans chacune des fibres de sa chair à la manière d'un poignard, d'un poignard acéré par la rage et le deuil. De nouveaux cavaliers ne cessaient de sortir du château, quatre à quatre, en colonne, et cela n'en finissait pas, tant chevaliers qu'écuyers et que francs-coureurs, haches et torches et torches et haches. Et de derrière aussi provenait un fameux chahut.

Un regard circulaire finit par lui révéler qu'à l'endroit où s'en dressaient précédemment trois, les immenses tentes à festin n'étaient plus que deux. Celle du milieu s'était évaporée. Arya mit un moment à comprendre ce qu'elle voyait. Et puis des langues de flammes léchèrent la tente écroulée, l'embrasèrent, et voici que ses deux voisines aussi s'effondraient, ensevelissant leurs occupants sous leur pesante toile huilée. Une volée de flèches enflammées stria l'atmosphère. La deuxième tente prit feu, bientôt suivie par la troisième. Les clameurs se firent si tonitruantes qu'en dépit de la musique se discernait çà et là un mot. Sur le front des flammes se mouvaient des silhouettes noires dont l'acier, de loin, paraissait n'être que moire orange.

Une bataille, se formula-t-elle. *C'est une bataille. Et les cavaliers...*

Elle n'eut plus pour lors le loisir d'observer les tentes. La rivière ayant submergé ses bords, les remous des eaux noires, au bout du pont-levis, montaient jusqu'au ventre des chevaux, mais cela n'empêcha pas les cavaliers de s'y aventurer tout de même, électrisés par la musique. Pour une fois, les deux châteaux diffusaient la même chanson. *Je connais cette chanson*, se rendit-elle subitement compte. Tom des Sept la leur avait chantée, cette nuit pluvieuse où les brigands s'étaient abrités en compagnie des frères dans la brasserie.

> *Et qui êtes-vous, dit le fier seigneur,*
> *Pour que je doive m'incliner si bas ?*

Tout empêtrés qu'ils étaient tous dans la vase et dans les roseaux, certains des cavaliers Frey avaient repéré la carriole. Trois d'entre eux se détachèrent de la colonne et, pesamment, pataugèrent dans sa direction.

> *Rien qu'un chat d'une autre fourrure,*
> *Et voilà ma vérité vraie.*

D'un seul revers, Clegane trancha la longe d'Étranger et sauta sur son dos. Le coursier comprit ce qu'on attendait de lui. Il pointa les oreilles et pivota pour se trouver face aux destriers qui survenaient au pas de charge.

> *Fourré d'or ou fourré de rouge,*
> *Un lion, messire, a toujours des griffes,*
> *Et les miennes sont aussi longues et acérées*
> *Qu'acérées et longues les vôtres.*

Alors qu'elle avait des centaines et des centaines de fois réclamé dans ses prières la mort de Clegane, eh bien, voilà que, maintenant... – et, pourtant, il se trouvait aussi que son poing serrait un gros caillou gluant de boue qu'elle ne se souvenait même pas d'avoir ramassé. *À qui est-ce que je le lance ?*

Le fracas du métal la fit sursauter, Clegane venait de parer le premier coup de hache. Tandis qu'il affrontait le porteur de celle-ci, un deuxième adversaire le tournait et visait ses reins, mais, grâce aux mouvements d'Étranger, le Limier en fut quitte pour un coup de biais qui, grâce à l'énorme accroc dont écopa sa blouse flottante de paysan, révéla la maille qu'il portait dessous. *Il est seul contre trois.* Elle étreignait toujours son caillou. *Ils sont sûrs de l'avoir.* Elle eut une pensée pour Mycah, le garçon boucher qui avait été son ami de façon si brève.

Et puis elle vit le troisième cavalier venir de son côté. Elle se réfugia derrière la carriole. *La peur est plus tranchante qu'aucune épée.* Elle entendait distinctement les tambours et les cors de guerre et les musettes, des claironnements d'étalons, les crissements stridents de l'acier qui croisait l'acier, mais tous ces bruits lui semblaient provenir de tellement loin... ! Le monde se réduisait à l'homme qui survenait là, sur son destrier, hache au poing. Par-dessus son armure, un surcot frappé de deux tours indiquait à l'évidence qu'il était un Frey. Elle trouva cela incompréhensible. Son oncle Edmure n'était-il pas venu ici épouser une fille de lord Frey ? Les Frey n'étaient-ils pas des amis de son frère ? Comme il contournait la carriole à toute bride, « *Arrêtez !* » cria-t-elle, mais il n'en tint pas le moindre compte.

En le voyant foncer sur elle, Arya lui décocha la pierre comme elle avait naguère décoché la pomme sauvage à Gendry. Mais si elle l'avait eu juste entre les deux yeux, Gendry, ce coup-là, elle dut mal ajuster, ce coup-ci, car la pierre ricocha de biais vers la tempe. Cela fut suffisant pour briser la charge, mais rien de plus. Elle battit en retraite sur la pointe des pieds, et, prompte comme un dard malgré la boue grasse, interposa derechef la carriole entre elle et son adversaire. Vertigineusement noir par la fente de sa visière, le chevalier la suivit au trot. Le caillou n'avait pas seulement cabossé son heaume. Ils firent le tour complet du véhicule une fois, deux, trois. Le chevalier se mit à l'agonir. « *Tu vas pas galoper jus...* »

La hache l'atteignit en plein derrière la tête et, lui défonçant le heaume et le crâne, l'envoya voler face la première dans la gadoue. Au-delà se tenait Clegane, toujours monté sur Étranger. *Comment avez-vous une hache ?* faillit-elle demander, mais elle avait la réponse sous les yeux. Coincé sous son cheval agonisant, l'un des autres Frey se noyait dans un pied d'eau. Le troisième, recroquevillé sur le dos, ne bougeait plus ni pied ni patte. Il n'avait pas mis de gorgerin, et un grand pan d'épée brisée lui giclait de sous le menton.

« Passe-moi mon heaume », gronda le Limier.

Son heaume, il l'avait fourré au fond d'un sac de

pommes sèches, à l'arrière de la carriole, derrière les pieds de cochon au vinaigre. Arya le lui jeta après avoir retourné le sac. Il l'attrapa au vol d'une seule main, se l'arrima sur la tête, et il n'y eut plus, à la place de l'homme qui se trouvait jusqu'alors là, qu'un chien d'acier dont les babines se retroussaient à la vue des flammes.

« Mon frère...

— Mort ! lui jappa-t-il au nez. Tu te figures qu'ils massacreraient ses hommes et le laisseraient en vie ? » Il tourna de nouveau son mufle du côté du camp. « Regarde. *Regarde-moi ça*, et le diable t'emporte. »

Le camp était devenu un champ de bataille. *L'antre d'un boucher, plutôt.* Les flammes qui dévoraient les tentes à festin s'élevaient presque jusqu'aux nues. Certaines des tentes vouées au casernement brûlaient aussi, tout comme une demi-centaine de pavillons de soie. Et de tous côtés chantaient les épées...

> *Oui, les pluies pleurent en sa tanière,*
> *Et nulle âme ne l'entend plus.*

Elle vit deux chevaliers abattre un homme qui courait à toutes jambes. Un baril de bois vint à grand fracas s'écrabouiller sur une tente en feu, et les flammes bondirent deux fois plus haut. *Une catapulte*, comprit-elle. Le château larguait sur le camp de la poix, de l'huile ou des trucs pareils.

« Allons, viens. » Du haut de sa bête, Sandor Clegane lui tendait la main. « Faut qu'on se tire, et daredare. » Étranger encensait avec impatience, les naseaux dilatés par l'odeur du sang. La chanson s'était achevée. Seul s'opiniâtrait à jouer un tambour solitaire dont les lents battements monotones repris en écho par la berge opposée vous évoquaient invinciblement les pulsations de quelque monstrueux cœur. Le ciel noir pleurait, la rivière grommelait, les hommes sacraient et crevaient. Arya avait de la boue dans les dents et le visage tout trempé. *La pluie. Ce n'est que la pluie. La pluie, et c'est tout.* « Mais on est *là* ! » cria-t-elle de toutes ses forces. Sa voix n'était guère qu'un filet de voix terrifié, une pauvre petite voix de pauvre petite fille. « Robb y est, là, dans le château, et ma mère aussi. La porte est même ouverte. » Il n'en sortait plus de cavaliers Frey. *Je suis venue jusque-là... !* « Il faut qu'on aille chercher ma *mère*.

— Bougre de petite idiote. » Les incendies qui se reflétaient sur son heaume en mufle en faisaient par intermittence étinceler les crocs d'acier. « Tu entres là, tu n'en ressortiras pas. Ta mère, peut-être que Frey te permettra d'en embrasser le cadavre.

— Peut-être qu'on peut la *sauver*...

— Peut-être que tu peux, toi. Moi, je n'ai pas encore fini de vivre. » Il poussa son cheval sur elle, menaçant de l'acculer contre la carriole. « Reste ou va-t'en, louve. Vis ou meurs. À toi de... »

Se dérobant à lui d'une pirouette, Arya fusa comme une flèche vers la porte. La herse était en train de s'abaisser, mais assez lentement. *Je dois courir plus vite.* Mais la boue la ralentissait, et puis ce fut l'eau. *Courir aussi vite qu'un loup.* On avait commencé à relever le pont-levis, et, tandis que l'eau qui le délaissait retombait en nappe de part et d'autre, la fange s'en détachait, elle, par gros caillots mous. *Plus vite.* S'entendant talonner par de gigantesques éclaboussures, un coup d'œil en arrière lui révéla qu'Étranger galopait lourdement à ses trousses, soulevant des gerbes d'eau glauque à chaque foulée. Et elle vit la hache accourir aussi, visqueuse

TYRION

Ils soupaient seul à seul, ainsi qu'ils le faisaient si souvent.

« Les pois sont trop cuits, hasarda sa femme, d'aventure.

— Pas grave, répondit-il. Le mouton aussi. »

Ce n'était qu'une plaisanterie, mais Sansa se figura qu'il s'agissait d'une critique. « J'en suis désolée, messire.

— Pourquoi donc ? C'est à je ne sais quel marmiton d'être désolé. Pas à vous. Les pois ne sont pas votre affaire, Sansa.

— Je... je suis désolée de voir mécontent messire mon époux.

— Les pois ne figurent en aucune façon parmi mes sujets actuels de mécontentement. J'ai Joffrey, j'ai ma sœur pour me mécontenter, j'ai aussi mon seigneur de père, et j'ai trois cents maudits Dorniens. » Il avait installé le prince Oberyn et sa noble suite dans un bastion d'angle, aussi loin des Tyrell que faire se pouvait sans le flanquer carrément à la porte du Donjon Rouge. Fort s'en fallait d'ailleurs que ce fût assez loin. En plus de la bagarre qui avait déjà éclaté dans un boui-boui de Culpucier, faisant un mort parmi les hommes d'armes Tyrell et deux ébouillantés du côté de lord Gargalen, il s'était produit une vilaine échauffourée dans la cour lorsque ce chétif résidu de mère dont Mace Tyrell était équipé avait qualifié Ellaria Sand de « catin de l'aspic ». Quant à lui, pour peu qu'il eût le malheur de le croiser, le prince Oberyn Martell ne manquait pas de lui demander : « Eh bien, la justice que vous nous aviez promise, c'est pour bientôt ? » Moyennant quoi le plus ou le moins de cuisson des pois..., c'était bien le cadet de ses soucis, mais il voyait mal la nécessité d'ennuyer Sansa en lui détaillant par le menu ceux qui le taraudaient vraiment. En fait de chagrins, elle avait son compte, et plus que son compte...

« Les pois ne laissent rien à désirer, reprit-il d'un ton courtois. Ils sont verts, ils sont ronds, n'est-ce pas là tout ce qu'on peut escompter de l'acabit pois ? Tenez, je vais m'en faire resservir, madame, pour vous complaire. » Sur un signe de Tyrion, Podrick Payne lui en flanqua dans l'assiette une louchée si copieuse qu'il perdit de vue son mouton. *Une belle bourde, que j'ai commis là*, se dit-il. *Je vais devoir me farcir tout ça, maintenant, si je ne veux pas qu'elle soit de nouveau toute désolée...*

À l'instar de tant d'autres de leurs soupers, ce souper-là s'acheva dans un silence compassé. Puis, pendant que Pod relevait les coupes et les plats, Sansa demanda à Tyrion la permission de se retirer pour se rendre dans le bois sacré.

« À votre aise. » Il avait fini par s'habituer aux dévotions nocturnes de son épouse. Elle allait également prier au septuaire royal et y allumait fréquemment des cierges devant la Mère, la Jouvencelle et l'Aïeule. Pour parler sans fard, Tyrion trouvait excessives toutes ces bondieuseries, mais n'aurait-il pas, à sa place, eu tout autant besoin des secours divins ? « Je l'avoue, je sais fort peu de chose des anciens dieux, dit-il dans l'espoir de lui être agréable. Vous pourriez peut-être, un de ces jours, m'édifier sur eux... ? Je vous accompagnerais même, le cas échéant.

— Oh non ! rétorqua-t-elle avec vivacité. Vous... – c'est aimable à vous de le proposer, mais c'est... – c'est sans *cérémonies*, messire. Il n'y a là ni prêtres ni chants ni cierges. Rien que des arbres et des oraisons muettes. Cela vous excéderait.

— Sans doute avez-vous raison. » *Elle me connaît mieux que je ne croyais.* « Encore que le bruissement des feuilles n'aurait pas forcément moins de charme, pour changer, que les marmonnements de septon sur les sept aspects de la grâce. » Il lui accorda d'un geste son congé. « Mais je serais fâché de vous importuner. Couvrez-vous chaudement, madame, il souffle un vent frisquet, dehors. » Il fut tenté de l'interroger sur l'objet de ses prières, mais elle était si consciencieuse qu'elle risquait de le lui révéler sans ambages, et il n'était pas vraiment sûr de souhaiter le connaître.

Il se remit à travailler quand elle fut partie, c'est-à-dire à tâcher de traquer quelques dragons d'or dans l'inextricable dédale des livres de comptes de Littlefinger. Que celui-ci n'eût pas spécialement trouvé bon de laisser l'argent moisir à force de se prélasser, nul doute à cet égard, mais plus Tyrion essayait de s'y retrouver dans sa comptabilité, plus il avait mal à la tête. Prétendre que les dragons, mieux valait les élever pour la reproduction que les claquemurer dans les coffres du Trésor, c'était très bien, en théorie, très très bien, mais il y avait dans la pratique des manigances qui fleuraient le merlan pas frais, pas très très. *Je n'aurais pas accordé si vite à Joffrey le plaisir de faire voler ces salauds d'Épois par-dessus les murs si j'avais été au courant des emprunts souscrits par tant d'entre eux auprès de la Couronne.* Il allait devoir dépêcher Bronn à la recherche de leurs héritiers, mais il craignait fort que l'entreprise ne se révèle finalement aussi fructueuse que s'il pressurait un poisson d'argent.

Aussi fut-il, et pour la première fois de sa vie, si sa mémoire ne l'abusait, ravi par la vue de ser Boros Blount, lorsque celui-ci survint le mander de la part de messire son père. Il referma les livres avec gratitude, souffla la lampe à huile et, sitôt emmitouflé dans un manteau, se mit en route cahin-caha vers la tour de la Main. Frisquet, le vent l'était *bel et bien*, comme il en avait prévenu Sansa, et l'atmosphère sentait vaguement la pluie. Une fois terminée son entrevue avec lord Tywin, peut-être ferait-il bien de passer par le bois sacré pour en ramener sa femme avant qu'elle ne se fasse saucer... ?

Mais cette idée lui sortit de la tête aussitôt qu'introduit dans la loggia il y découvrit, en compagnie de Père et du roi, Cersei, ser Kevan et le Grand Mestre Pycelle. Si Joffrey sautait quasiment sur place, et si Cersei sirotait l'un de ses petits sourires suffisants, lord Tywin se montrait plus revêche qu'oncques. *À se demander s'il lui serait possible de sourire, en eût-il envie.* « Que s'est-il passé ? » s'informa Tyrion.

Son père lui tendit un rouleau de parchemin. On avait eu beau l'aplatir et le lisser soigneusement, celui-ci s'obstinait encore à se replier. « *Roslin a ferré une belle grosse truite*, disait le message. *Ses frères lui ont offert deux peaux de loup pour son mariage.* » Tyrion retourna le document pour en examiner le sceau brisé. La cire en était d'un gris argenté, et en impression s'y voyaient les tours jumelles de la maison Frey. « Le sire du Pont se pique-t-il de poésie, maintenant ? Ou ce rébus ne vise-t-il qu'à nous déconcerter ? » Il renifla. « La truite serait Edmure Tully, les peaux...

— Il est *mort* ! » Il y avait tellement de jubilation, quelque chose de si triomphal dans ce cri du cœur que, pour un peu, vous auriez pu vous figurer que c'était Joffrey lui-même et en personne qui l'avait tué puis dépecé, Robb Stark.

Greyjoy, d'abord, et maintenant Stark... Tyrion se prit à penser à son enfant de femme, en train de prier dans le bois sacré, juste au même instant. *De prier les dieux de son père pour la victoire de son frère et pour le salut de sa mère, à coup sûr.* Apparemment, les anciens dieux avaient pour les prières autant de considération que les nouveaux. Peut-être devrait-il puiser là quelque réconfort. « Les rois tombent comme des feuilles, cet automne, constata-t-il. On dirait que notre petite guerre est en train de se gagner toute seule.

— Les guerres ne se gagnent pas toutes seules, Tyrion, répliqua Cersei avec une vénéneuse douceur. Cette guerre, c'est messire notre père qui l'a gagnée.

— Rien n'est gagné tant qu'il reste des ennemis sur le terrain, les avertit lord Tywin.

— Les seigneurs riverains ne sont pas si bêtes, insista la reine. Sans les gens du Nord, ils ne sauraient se bercer de tenir contre les forces conjuguées de Castral Roc, de Dorne et de Hautjardin. Ils aimeront sûrement mieux se soumettre qu'être anéantis.

— La plupart, convint lord Tywin. Vivesaigues demeure, certes, mais le Silure n'osera pas trop faire le méchant tant que Walder Frey détient en otage Edmure Tully. Jason Mallister et Tytos Nerbosc continueront de se battre pour l'honneur, mais les Frey sont en mesure de bloquer les Mallister à Salvemer, et quelques bons appâts devraient suffire à convaincre Jonos Bracken de changer de bord et d'attaquer les Nerbosc. Ils ploieront finalement le genou, oui. J'entends proposer de généreuses conditions. Tous les châteaux qui se rendront à nous seront épargnés. Tous sauf un.

— Harrenhal ? suggéra Tyrion, connaissant son sieur.

— Mieux vaut que le royaume soit débarrassé de ces Braves Compaings. J'ai ordonné à ser Gregor de passer la place tout entière au fil de l'épée. »

Gregor Clegane... Tout semblait indiquer que son seigneur de père comptait exploiter la Montagne jusqu'à épuisement total du filon avant de l'abandonner à la justice de Dorne. Les Braves Compaings finiraient leur carrière la tête montée sur une pique, et Littlefinger entrerait comme une fleur à Harrenhal, là, sans l'ombre de l'ombre d'une seule goutte de sang sur ces élégants atours qu'il vous trimbalait. Au fait, y était-il parvenu, au Val, à présent, le cher Petyr Baelish ? *Si les dieux ont quelque bonté, il sera tombé sur une tempête et aura coulé.* Mais quand donc les dieux s'étaient-ils montrés si bons que ce soit ?

« C'est tous qu'il faudrait les passer au fil de l'épée, déclara subitement Joffrey. Les Mallister et les Nerbosc et les Bracken..., tous tant qu'ils sont. Ce ne sont que des traîtres. Je veux qu'ils soient tués, Grand-Père. Ils n'obtiendront de moi aucune de vos *généreuses conditions.* » Il se tourna, royal, vers le Grand Mestre Pycelle. « Et je veux aussi la tête de Robb Stark. Ecrivez à lord Frey pour l'en aviser. Le roi commande. Je vais la faire servir à Sansa lors de mon banquet de noce.

— Mais, Sire..., intervint ser Kevan d'un ton scandalisé, dame Sansa est devenue votre tante, par son mariage.

« — Une plaisanterie, voyons. » Cersei sourit. « Joffrey ne parlait pas sérieusement.

— Si fait ! s'enferra Joffrey. Il était un traître, et j'exige sa stupide tête. Je compte la faire embrasser à Sansa.

— *Non*, s'étrangla Tyrion. Sansa n'est plus à ta disposition comme souffre-douleur. Mets-toi ça dans la tête, monstre. »

Joffrey eut un rictus de mépris. « Le monstre, Oncle, c'est vous.

— Ah bon ? » Tyrion inclina la tête de côté. « Alors, tu devrais peut-être me parler plus gentiment. Ce sont des fauves dangereux, les monstres, et, en ce moment, les rois meurent comme des mouches, on dirait.

— Je pourrais vous faire arracher la langue pour avoir dit ça, riposta le marmot royal en devenant tout rouge. Je suis le roi. »

Cersei posa une main protectrice sur l'épaule de son fils. « Laisse donc le gnome proférer toutes les menaces qu'il lui plaira, Joff. Je suis trop aise que messires mon père et mon oncle le voient tel qu'il est. »

Lord Tywin dédaigna ces aménités pour s'adresser spécialement à Joffrey. « Aerys éprouvait lui aussi le besoin de rappeler aux gens qu'il était le roi. Et il était lui aussi follement friand d'arracher les langues. Là-dessus, il te serait loisible de questionner ser Ilyn Payne, à ce détail près que tu n'en obtiendrais point de réponse.

— Ser Ilyn n'eut jamais le front de provoquer Aerys comme votre Lutin provoque Joff, intervint Cersei. Vous venez de l'entendre. "Monstre", il a dit. À Sa Majesté le roi. Et il l'a menacé...

— Tais-toi, Cersei. Quand tes ennemis te défient, Joffrey, ton devoir est de leur servir du fer et du feu.

Mais, lorsqu'ils tombent à genoux, ton devoir est de les aider à se relever. Autrement, personne ne consentira jamais à ployer le genou devant toi. Et tout roi qui se croit obligé d'affirmer : "Je suis le roi", est tout sauf un véritable roi. Aerys n'a jamais compris cette vérité, mais tu vas le faire, toi. Quand je t'aurai gagné ta guerre, nous restaurerons la paix du roi et la justice du roi. Quant à ces histoires de tête, eh bien, la seule et unique chose *capitale* dont tu aies à te préoccuper, Joffrey, c'est le pucelage de Margaery Tyrell. »

Joffrey tirait cette bouille maussade et boudeuse qui le caractérisait trop volontiers. Cersei le tenait fermement par l'épaule, mais elle aurait peut-être mieux fait de le tenir à la gorge. Il les prit tous à contre-pied. Au lieu de filer comme un cloporte se replanquer bien à l'abri sous son caillou, il se redressa d'un air de défi et cracha : « Aerys, vous n'arrêtez pas d'en causer, Grand-Père, mais n'empêche qu'il vous fichait une sacrée trouille. »

Peste, mais ça devient palpitant... ! songea Tyrion.

Lord Tywin considérait sans mot dire son petit-fils. Dans le vert pâle de ses prunelles étincelaient les paillettes d'or. « Présente tes excuses à ton grand-père, Joffrey », dit Cersei.

Il se dégagea de son emprise. « Et pourquoi je devrais ? Tout le monde sait que c'est vrai. C'est mon père qui a gagné toutes les batailles. C'est lui qui a tué le prince Rhaegar et qui a pris la couronne, alors que *votre* père *à vous* se planquait dans les entrailles de Castral Roc. » Il décocha à son grand-père un regard provocant. « Un roi *fort* agit hardiment, il ne se contente pas de bavarder.

— Merci pour ce sage avis, Sire, articula lord Tywin d'un ton si froidement poli qu'il avait de quoi vous givrer les oreilles. Ser Kevan, je vois que le roi n'en peut plus. Veuillez avoir l'obligeance de le faire reconduire à sa chambre. Pycelle, une bonne tisane, peut-être, pour permettre à Sa Majesté de reposer en paix ?

— Du vinsonge, messire ?

— Je ne veux pas de votre vinsonge ! » protesta Joffrey.

Le couinement d'une souris dans un coin aurait davantage ému lord Tywin. « Va pour du vinsonge. Cersei, Tyrion, vous restez là, vous. »

Ser Kevan empoigna fermement Joffrey par un bras et l'entraîna vers la porte derrière laquelle plantonnaient deux des membres de la Garde. Le Grand Mestre Pycelle se jeta dans leur sillage aussi vite que le lui autorisaient ses vieilles jambes flageolantes. Tyrion demeura où il se trouvait.

« Père, je suis navrée, lâcha Cersei, une fois que la porte se fut refermée. Joff a toujours fait preuve de ténacité, je vous avais prévenu...

— De tenace à crétin, la distance n'est pas médiocre. "Un roi fort agit hardiment"... ! De qui tient-il cela ?

— Pas de moi, je vous jure, fit-elle. Il est pis que probable qu'il a dû l'entendre dire par Robert...

— La tirade sur la planque dans les entrailles de Castral Roc est assez dans le style de Robert, effectivement. » Tyrion ne désirait pas outre mesure que messire son père oublie ce petit morceau.

« Oui, je me le rappelle, à présent, reprit Cersei, Robert lui disait *souvent* qu'un roi devait se montrer hardi.

— Et *toi*, tu lui disais quoi, je te prie ? Cette guerre, je ne l'ai pas faite pour asseoir un Robert II sur le Trône de Fer. Tu m'avais donné à entendre que son père, Joffrey s'en moquait éperdument.

— Et pourquoi s'en soucierait-il ? Robert l'ignorait. Il l'aurait *rossé* si je l'avais laissé faire. Cette brute que vous m'aviez contrainte à épouser le frappa une fois si fort, pour je ne sais quelle bêtise à propos d'un chat, qu'il lui fit sauter deux dents de lait. Je le prévins que je le tuerais pendant son sommeil s'il refaisait jamais cela, et il ne le refit pas, mais il lui arrivait de dire des choses qui...

— Des choses qu'il fallait dire, manifestement. » Lord Tywin agita deux doigts véhéments pour la congédier. « Va-t'en. »

Et elle s'en alla, furieuse.

« Pas Robert II, dit Tyrion. Aerys III.

— Il n'a que treize ans. Il reste encore du temps. » Lord Tywin gagna lentement la fenêtre. Chose qui ne lui ressemblait nullement, il était bien plus secoué qu'il ne désirait le montrer. « Il a besoin d'une leçon. Sévère. »

Sa leçon sévère à lui, Tyrion l'avait justement reçue à treize ans. Il en éprouva presque de la compassion pour son neveu. Mais, d'un autre côté, nul ne méritait davantage d'être châtié. « Assez parlé de Joffrey, lâcha-t-il. Il est des guerres qui se gagnent à la pointe de la plume et avec des corbeaux, c'est bien ce que vous m'aviez dit, n'est-ce pas ? Il me faut alors vous féliciter. Cela fait longtemps que vous et Walder Frey maniganciez ça ?

— Le mot me déplaît, fit lord Tywin avec raideur.

— Et il me déplaît de me voir laissé dans le noir.

— Il n'y avait pas lieu de t'en parler. Cette partie-là se jouait sans toi.

— Cersei en avait été informée ? » Tyrion le demandait juste pour sa gouverne.

« Personne d'autre ne l'avait été que ceux qui devaient y tenir un rôle. Et ils n'en savaient qu'autant qu'ils avaient besoin d'en savoir. Et tu devrais savoir, toi, qu'il n'y a pas d'autre façon de garder un secret – ici, en particulier. Nous défaire au prix le plus bas possible d'un ennemi dangereux, voilà quel était mon objectif, et non de satisfaire ta curiosité ou de donner à ta sœur l'illusion de son importance. » Il ferma les volets d'un air renfrogné. « Tu n'es pas sans avoir quelque astuce, Tyrion, mais la vérité toute plate est que *tu parles trop*. Cette langue si bien pendue que tu as finira par causer ta perte.

— Vous auriez dû laisser Joffrey l'arracher, suggéra Tyrion.

— Tu ferais bien de ne pas me tenter, répliqua son père. Maintenant, plus un mot là-dessus. J'ai longuement réfléchi à la meilleure manière d'apaiser Oberyn Martell et son entourage.

— Ah oui ? Et il m'est permis de savoir en quoi celle-ci consiste, ou bien me faut-il prendre congé pour vous en laisser débattre tête à tête avec vous-même ? »

Lord Tywin ignora la saillie. « La présence du prince Oberyn est malencontreuse. Son frère est un homme circonspect, un homme qui *se raisonne*, et subtil, et réfléchi, voire indolent, dans une certaine mesure. C'est un homme qui pèse et soupèse les conséquences de chaque geste et de chaque mot. Tandis qu'Oberyn a toujours été à demi dément.

— Est-il vrai qu'il ait essayé de soulever Dorne en faveur de Viserys ?

— Personne n'en parle, mais oui. Des corbeaux prirent l'air et des cavaliers la route, chargés de quels messages secrets, jamais je ne l'ai su. Jon Arryn appareilla pour Lancehélion sous couleur d'y ramener les restes du prince Lewyn, il s'y entretint avec le prince Doran, et c'en fut fini des rumeurs de guerre. Mais jamais Robert ne se rendit à Dorne par la suite, et le prince Oberyn en sortit rarement.

— Eh bien, le voilà ici, maintenant, avec à sa suite la moitié de la noblesse de Dorne, et son impatience empire de jour en jour, déclara Tyrion. Peut-être devrais-je lui montrer les bordels de Port-Réal, qui sait si ça ne le distrairait pas ? À chaque tâche son outil, c'est en appliquant ce principe que les choses marchent bien, non ? Mon outil est vôtre, Père. Jamais ne soit dit que la maison Lannister claironna l'appel sans que j'y réponde. »

La bouche de lord Tywin se pinça. « Très drôle. Te ferai-je tailler un habit bariolé complété par un petit chapeau couronné de clochettes ?

— Si je le porte, aurai-je l'autorisation de dire tout ce que je veux sur Sa Majesté le roi Joffrey ? »

Lord Tywin se rassit avant de repartir : « J'ai été obligé de supporter les folies de mon père. Je ne supporterai pas les tiennes. Assez.

— Fort bien, puisque vous le demandez si gracieusement. La Vipère Rouge n'y mettra *pas* tant de grâce, j'ai peur..., et elle ne se contentera pas non plus de la seule tête de Gregor Clegane.

— Raison de plus pour ne pas la lui donner.

— *Ne pas* la... ? » Tyrion se montra scandalisé. « Je nous croyais d'accord sur le fait que les bois étaient pleins de fauves.

— De fauves moindres. » Les doigts de lord Tywin se croisèrent sous son menton. « Nous n'avons jamais eu qu'à nous louer des services de ser Gregor. Aucun autre chevalier du royaume n'inspire autant de terreur à nos ennemis.

— Oberyn *sait* que ce fut Gregor qui...

— Il ne sait rien. Il a entendu des fables. Des ragots d'écurie et des calomnies de cuisine. Il n'a pas une miette de preuve. Ser Gregor n'est sûrement pas près de se confesser à lui. J'entends d'ailleurs le tenir à bonne distance de Port-Réal aussi longtemps qu'y séjourneront les Dorniens.

— Et quand Oberyn exigera la justice pour laquelle il est venu ?

— Je lui dirai que c'était ser Amory Lorch, l'assassin d'Elia et de ses enfants, répondit paisiblement lord Tywin. Et tu diras la même chose, s'il t'interroge.

— Ser Amory Lorch est mort, lui objecta Tyrion tout net.

— Justement. Varshé Hèvre a fait déchiqueter ser Amory par un ours après la chute d'Harrenhal. Voilà qui devrait être assez macabre pour amadouer même Oberyn Martell.

— Libre à vous d'appeler cela justice, mais...

— C'*est* justice. C'est ser Amory qui m'apporta le corps de la petite, s'il te faut à tout prix savoir. Il l'avait découverte cachée sous le lit de son père, comme si elle croyait que Rhaegar pouvait encore la protéger. La princesse Elia et le nouveau-né se trouvaient dans la nursery, un étage plus bas.

— Bien, c'est une version comme une autre, et ser Amory ne risque pas de la démentir. Que direz-vous à Oberyn lorsqu'il demandera de qui Lorch tenait ses ordres ?

— Ser Amory avait agi de son propre chef, dans l'espoir de s'attirer les faveurs du nouveau roi. La haine que Robert portait à Rhaegar n'était un secret pour personne. »

Ça pourrait marcher, dut convenir Tyrion à part lui, *mais le serpent ne sera pas content...* « Loin de moi l'idée de dénigrer votre astuce, Père, mais, à votre place, j'aurais préféré laisser Robert Baratheon se rougir les mains de sang lui-même. »

Lord Tywin le dévisagea comme on dévisage quelqu'un qui aurait perdu l'esprit. « Tu mérites ta livrée bariolée, dans ce cas. Nous nous étions tardivement ralliés à la cause de Robert. Il était indispensable de prouver notre loyauté. Après que j'eus déposé ces cadavres au pied du trône, plus personne ne put douter que nous n'eussions abandonné pour jamais la maison Targaryen. Et le soulagement de Robert fut palpable. Tout stupide qu'il était, même lui savait que, pour la sécurité de son trône, les enfants de Rhaegar devaient périr coûte que coûte. Seulement, il se voyait sous les espèces d'un héros, et les héros ne tuent pas d'enfants. » Il haussa les épaules. « Je te l'accorde, l'exécution pécha par excès de brutalité. Elia aurait dû s'en tirer sans une seule égratignure. Par elle-même, elle n'était rien. Ce fut folie pure que de la tuer.

— Pourquoi la Montagne l'a-t-il fait, alors ?

— Parce que j'avais omis de lui dire de l'épargner. Je doute même l'avoir seulement mentionnée. J'avais des soucis plus pressants. L'avant-garde de Ned Stark dévalait du Trident vers le sud, et je craignais que nous n'en venions à la lutte ouverte. Et puis il était bien dans la nature d'Aerys d'assassiner Jaime, sans autre motif que le dépit. C'était ça, ma pire crainte. Ça, et les agissements éventuels de Jaime lui-même. » Il serra l'un de ses poings. « Et je n'avais pas encore compris quel genre d'être je tenais en Gregor Clegane, je voyais seulement qu'il était gigantesque et un combattant formidable. Le viol..., j'ose espérer que, cet ordre-*là*, tu répugneras toi-même à m'accuser de l'avoir donné. Ser Amory se montra presque aussi bestial avec Rhaenys. Je lui demandai par la suite comment il se faisait qu'il eût fallu une cinquantaine de coups pour tuer une petite fille de... deux ans ? trois ? Il prétendit qu'elle lui avait donné des coups de pied et n'arrêtait pas de crier. Il aurait eu seulement la moitié de l'intelligence que les dieux concèdent au navet, il la calmait avec quelques phrases câlines et se servait d'un oreiller de soie bien douillet. » Sa bouche se tordit de dégoût. « Il avait la manie du sang. »

Mais pas vous, Père. Tywin Lannister n'a pas la manie du sang. « Est-ce un oreiller de soie bien douillet qui a tué Robb Stark ?

— Ç'a dû être une flèche, au cours du banquet de noce d'Edmure Tully. Le garçon se montrait trop prudent sur le champ de bataille. Il gardait ses hommes en bon ordre et s'entourait de gens d'escorte et de gardes du corps.

— Tant et si bien que c'est sous son propre toit, à sa propre table que lord Walder l'a assassiné ? » Tyrion serra les poings. « Et lady Catelyn ?

— Tuée aussi, je dirais. *Deux peaux de loup.* Frey comptait la garder en captivité, mais quelque chose a pu clocher.

— Autant pour les droits de l'hôte.

— C'est sur les mains de Walder Frey qu'il y a du sang, pas sur les miennes.

— Walder Frey est un vieux grincheux qui ne vit que pour caresser son tendron de femme et pour ruminer toutes les couleuvres qu'il a avalées. Cette saleté, je suis convaincu qu'il l'a lui-même mijotée, mais jamais il n'aurait osé l'exécuter sans l'assurance d'une protection.

— Je suppose que tu aurais épargné le garçon, toi, et dit à lord Frey que tu n'avais que faire de son allégeance ? Le vieux fou serait retourné tout droit dans les bras de Stark, et tu n'y aurais gagné qu'une année de guerre supplémentaire. Explique-moi donc en quoi il est plus noble de tuer dix mille hommes au combat qu'une douzaine à table. » Constatant que Tyrion demeurait court, il reprit : « C'était bon marché à tous points de vue. La Couronne accordera Vivesaigues à ser Emmon Frey dès la reddition du Silure. Lancel et Daven épouseront des filles Frey, Joy l'un des fils naturels de lord Walder quand elle atteindra l'âge requis, et Roose Bolton devient gouverneur du Nord et emmène Arya Stark chez lui.

— *Arya* Stark ? » Tyrion pencha la tête de côté. « Et Bolton ? J'aurais pu me douter que, tout seul, Frey ne faisait pas le poids. Mais Arya... Varys et ser Jacelyn l'ont cherchée pendant plus de six mois. Arya Stark est sûrement morte.

— De même que l'était Renly..., jusqu'à la Néra.

— Qu'est-ce que ça veut dire ?

— Peut-être Littlefinger a-t-il réussi là où toi et Varys aviez échoué. Lord Bolton mariera la petite à son bâtard de fils. Nous autoriserons Fort-Terreur à combattre les Fer-nés durant quelques années, et nous verrons bien s'il est capable de mettre au pas d'autres bannerets Stark. Le printemps venu, tous devraient être à bout de forces et prêts à ployer le genou. Le Nord échoira au fils que t'aura donné Sansa Stark..., si tu te découvres jamais le minimum de virilité nécessaire pour lui en faire un. De peur que tu ne l'oublies, je te signale qu'il n'y a pas que Joffrey qui ait à prendre un pucelage. »

Je ne l'avais pas oublié, mais je m'étais flatté que vous, si. « Et à quel moment vous figurez-vous que Sansa se trouvera à l'apogée de sa fécondité ? lança-t-il à son père d'un ton pour le moins saturé d'acidité. Avant que je ne lui révèle de quelle manière nous avons assassiné sa mère et son frère, ou après ? »

DAVOS

Ils eurent un bon moment l'impression que le roi n'avait pas entendu la nouvelle. Il ne manifestait ni plaisir, ni colère, ni incrédulité ni même de soulagement. Les mâchoires bloquées, il considérait fixement la Table peinte. « Vous êtes certain de ce que vous avancez ? demanda-t-il enfin.

— Le corps, je ne l'ai pas là sous les yeux, non, Votre Royale Majesté, fit Sladhor Saan. Mais, dans la ville, les lions dansent en se pavanant. *Les Noces pourpres*, la populace appelle ça. Les gens vous jurent que lord Frey a fait raccourcir le garçon, coudre sur ses épaules la tête de son loup-garou, avec une couronne clouée aux oreilles. Dame la mère a été tuée, elle aussi, puis jetée nue dans la rivière. »

Durant des noces..., songea Davos. *Assis à la propre table de son assassin, son propre hôte, sous son propre toit. Ces Frey sont maudits.* Avec une effarante netteté, il sentait à nouveau la puanteur du sang qui brûle, entendait à nouveau la sangsue siffler, cracher sur les charbons ardents du brasero.

« C'est la colère du Maître qui l'a terrassé, déclara ser Axell Florent. Il a succombé sous la main de R'hllor !

— *Loué soit le Maître de la Lumière !* entonna la reine Selyse, plus pincée, dure et sèche que jamais, vastes oreilles et lèvre velue.

— La main de R'hllor est-elle tremblante et tavelée ? lança Stannis. Cette belle ouvrage porte plutôt la signature de Walder Frey que celle d'un dieu.

— R'hllor choisit tels instruments que de besoin. » Le rubis rutilait sur la gorge de Mélisandre. « Ses voies sont mystérieuses, mais il n'est homme qui ne plie devant son intraitable volonté.

— *Tout plie devant lui !* glapit la reine.

— Taisez-vous, femme. Ce n'est ni le lieu ni l'heure de vos feux nocturnes. » Son regard s'abîma sur la Table peinte. « Le loup ne laisse pas d'héritiers, la seiche en laisse trop. Les lions vont les dévorer, à moins... Saan, je vais vous demander vos bateaux les plus rapides pour emmener des émissaires aux îles de Fer et à Blancport. J'offrirai le pardon. » Le claquement de dents dont il accompagna « pardon » montrait à quel point l'écorchait le terme. « Un pardon sans réserve pour tous ceux qui se repentiront de leur félonie et jureront fidélité à leur souverain légitime. Ils doivent se rendre compte que...

— Ils n'en feront rien. » La voix de Mélisandre n'était que douceur. « Je suis navrée, Sire. Les choses ne s'achèvent pas là. Il va sous peu se dresser de nouveaux faux rois pour les couronnes de ceux qui sont morts.

— De nouveaux ? » À l'air dont il la regardait, Stannis l'aurait volontiers étranglée. « De *nouveaux* usurpateurs ? De *nouveaux* félons ?

— C'est ce que j'ai vu dans les flammes. »

La reine Selyse se porta aux côtés du roi. « Le Maître de la Lumière a envoyé Mélisandre pour vous guider vers votre gloire. Suivez ses avis, je vous en conjure. Les saintes flammes de R'hllor ignorent le mensonge.

— Il y a mensonge et mensonge, femme. Lors même que ces flammes sont véridiques, elles foisonnent de vilains tours, à mon point de vue.

— À la fourmi qui les entend, les paroles d'un roi sont incompréhensibles, dit Mélisandre, et tous les hommes sont des fourmis devant l'auguste face divine. S'il m'est parfois arrivé de prendre à tort un avertissement pour une prophétie ou une prophétie pour un avertissement, la faute en incombe à la lectrice et non au livre. Mais ceci, je le sais sans risque d'erreur, émissaires et pardons ne vous avanceront à rien maintenant, pas plus que les sangsues. Il vous faut adresser un signe au royaume. Un signe qui prouve votre puissance.

— *Puissance ?* » Le roi renifla. « J'ai treize cents hommes à Peyredragon, trois centaines d'autres à Accalmie. » Sa main balaya l'espace au-dessus de la Table peinte. « Le reste de Westeros se trouve aux mains de mes adversaires. Je n'ai pas d'autre flotte que celle de Sladhor Saan. Pas d'argent pour louer les services de mercenaires. Pas de perspective de gloire ou de butin à faire miroiter pour rallier à ma cause des francs-coureurs.

— Sire mon époux, fit la reine Selyse, vous avez plus d'hommes qu'Aegon n'en avait voilà trois cents ans. Il ne vous manque que des dragons. »

Le regard dont Stannis la gratifia n'était pas précisément affable. « Neuf mages furent mandés d'outre la mer à seule fin de faire éclore les œufs de la cache d'Aegon III. Baelor le Bienheureux s'abîma en oraisons sur le sien durant une demi-année. Aegon IV fabriqua des dragons de bois bardé de fer. Aerion le Flamboyant se gorgea de grégeois pour opérer sa métamorphose. Les mages échouèrent, les prières du roi Baelor demeurèrent inexaucées, les dragons de bois brûlèrent, et la mort du prince Aerion fut un concert de hurlements. »

Il en fallait davantage pour ébranler la reine Selyse. « Aucun d'entre eux n'était l'élu de R'hllor. Aucun d'entre eux n'eut pour héraut de sa venue l'embrasement des cieux par une comète rouge. Aucun d'entre eux ne brandit Illumination, l'épée rouge des héros. Et aucun d'entre eux ne paya le prix. Dame Mélisandre vous le dira, messire, seule la mort peut payer la vie.

— Le môme ? » Stannis avait quasiment craché ces mots.

« Le môme, confirma la reine.

— Le môme, reprit ser Axell en écho.

— Il n'était pas seulement né que j'en avais jusque-là, de ce maudit môme, gémit le roi. Son seul nom fait à mes oreilles l'effet d'un rugissement et à mon âme celui d'un nuage noir.

— Donnez-le-moi, dit Mélisandre, et plus jamais vous n'aurez à souffrir d'entendre proférer son nom. »

Non, mais vous l'entendrez hurler lorsqu'elle le brûlera. Davos retint sa langue. Il était plus sage de rester coi tant que le roi ne lui commandait pas de parler.

« Donnez-le-moi pour R'hllor, insista la femme rouge, et l'ancienne prophétie se trouvera pleinement réalisée. Votre dragon se réveillera et déploiera ses ailes de pierre. Le royaume vous appartiendra. »

Ser Axell mit un genou en terre. « C'est genou ployé que je vous en conjure, Sire. Éveillez le dragon de pierre, et que tremblent les traîtres. À l'instar d'Aegon, vous débutez en seigneur de Peyredragon. Vous allez conquérir, à l'instar d'Aegon. Faites sentir vos flammes à l'inconstant et au fallacieux.

— Votre propre épouse vous en conjure également, mon seigneur et maître, et à deux genoux. » La reine Selyse se laissa tomber devant lui, mains jointes achevant d'expliciter ses dires. « Robert et Delena profanèrent notre couche et jetèrent un sort sur notre union. Cet enfant est le fruit fétide de leurs fornications. Ôtez son ombre de mon sein, et je vous porterai, je le sais, maint fils légitime. » Elle lui jeta ses bras autour des jambes. « Lui n'est jamais rien d'autre que le produit de la lubricité de votre frère et de l'opprobre de ma cousine.

— Il est mon propre sang à moi. Cessez de vous cramponner à moi, femme. » Il lui mit une main sur l'épaule et, gauchement, la repoussa pour se dégager. « Il se peut que Robert ait ensorcelé notre lit nuptial. Il me jura qu'il n'avait jamais eu l'intention de me bafouer, qu'il était ivre et ne s'était pas seulement douté, cette nuit-là, dans quelle chambre il pénétrait. Mais quelle importance, s'il vous plaît ? Quelle que soit la vérité, le gamin ne fut pour rien là-dedans, lui. »

Mélisandre lui posa sa main sur le bras. « Le Maître de la Lumière chérit l'innocent. Il n'est pas pour lui de sacrifice plus précieux. Du sang royal et du feu sans tache de celui-ci ne peut que naître un dragon. »

Stannis ne se déroba pas au contact de Mélisandre comme il l'avait fait à celui de la reine. La femme rouge était tout ce que Selyse n'était pas : jeune, gironde et belle d'une beauté bizarre, avec son visage en forme de cœur, ses cheveux cuivrés, ses déconcertantes prunelles rouges. « Ce serait sans doute un spectacle faramineux que l'accession de la pierre à la vie, convint-il comme à contrecœur. Et une expérience faramineuse que de chevaucher un dragon... La première fois que mon père me mena à la cour, je me rappelle, il fallut que Robert me tienne la main. Je ne devais pas avoir plus de quatre ans, ce qui lui en faisait par conséquent cinq ou six. Nous fûmes d'accord par la suite pour décréter aussi noble l'accueil du roi que terrifiant l'aspect des dragons. » Il renifla. « Des années plus tard, notre père nous révéla qu'Aerys s'étant tailladé sur le trône, c'était, ce fameux matin-là, sa Main qui occupait sa place. L'homme qui nous avait si fort impressionnés n'était autre que Tywin Lannister. » Ses doigts effleurèrent la Table peinte et, parmi les collines vernies, se frayèrent un sentier ailé. « Si Robert fit décrocher les crânes lorsqu'il ceignit la couronne, il ne put néanmoins supporter l'idée qu'on les détruisît. Des ailes de dragon survolant Westeros..., ce serait un tel...

— *Sire !* » Davos s'avança. « Me serait-il permis de prendre la parole ? »

Stannis referma si violemment le bec qu'il en claqua des dents. « Messire du Bois-la-Pluie. Dans quel but vous figurez-vous que je vous ai fait Main, sinon pour prendre la parole ? » Il agita une main. « Allez, dites ce que vous avez envie de dire. »

Rends-moi brave, Guerrier. « Je sais peu de chose sur les dragons et moins encore sur les dieux..., mais la reine a parlé de malédictions. Au regard des dieux comme à celui des hommes, il n'est pire maudit que le parricide.

— Il n'existe pas d'autres dieux que R'hllor et que l'Autre dont le nom ne doit pas être prononcé. » La bouche de Mélisandre ne formait plus qu'un dur trait rouge. « Et les pygmées maudissent ce qu'il leur est impossible d'appréhender.

— Je suis un pygmée, convint Davos. Aussi, dites-moi pourquoi vous avez tant besoin du petit Edric Storm pour réveiller votre gigantesque dragon de pierre, madame. » Il était résolu à prononcer le nom du garçon le plus souvent qu'il le pourrait.

« Seule la mort peut payer la vie, messire. À grand don grand sacrifice.

— En quoi consiste la grandeur d'un marmot bâtard ?

— Il a dans ses veines du sang de roi. Vous avez vu ce qu'étaient susceptibles de faire ne fût-ce que quelques gouttes de ce sang-là, et...

— Je vous ai vue brûler des sangsues.

— Et deux faux rois sont morts.

— Robb Stark a été assassiné par lord Walder du Pont, et nous avons ouï dire que Balon Greyjoy était tombé d'une passerelle. Qui vos sangsues ont-elles donc tué ?

— Doutez-vous du pouvoir de R'hllor ? »

Non. Il ne se rappelait que trop nettement l'ombre animée qui, au cours de l'affreuse nuit passée dans les entrailles d'Accalmie, s'était, toute frétillante, et lui plaquant aux cuisses des mains noires, extirpée du ventre de Mélisandre. *Me faut y aller mollo, là, ou bien quelque ombre du même genre risque aussi de s'en prendre à moi...* « Même un contrebandier d'oignons sait compter de deux à trois. Il vous manque un roi, madame. »

Stannis émit un ricanement nasal. « Il vous marque un point, madame. Deux ne font pas trois.

— Assurément, Sire. Qu'un roi, voire deux, meure par hasard, il n'y aurait là rien d'inconcevable..., mais trois ? S'il advenait que Joffrey mourût au cœur même de tout son pouvoir, malgré la protection de sa Garde et de ses armées, pareille mort ne prouve-rait-elle pas la puissance du Maître à l'œuvre ?

— É-ven-tu-e-lle-ment. » Stannis avait articulé chaque syllabe comme à regret.

« Ou pas. » Davos faisait de son mieux pour cacher sa peur.

« Joffrey *va* mourir, déclara la reine Selyse, imperturbable à force de confiance.

— Il se peut même qu'il soit déjà mort », ajouta ser Axell.

Stannis les dévisagea d'un air exaspéré. « Êtes-vous des corbeaux dressés, pour me croasser tour à tour aux oreilles ? Assez !

— Écoutez-moi, cher époux..., commença néanmoins la reine.

— À quoi bon ? la coupa-t-il. Deux ne font pas trois. Les rois savent aussi bien compter que les contrebandiers. Vous pouvez disposer. » Et il leur tourna carrément le dos.

Après que Mélisandre l'eut aidée à se relever, Selyse quitta la pièce avec raideur, la femme rouge dans son sillage. Ser Axell s'étant pour sa part juste assez attardé pour le foudroyer d'un dernier coup d'œil et se faire prendre en flagrant délit, *Vilaine grimace d'un vilain museau*, songea Davos.

Une fois tout le monde parti, celui-ci s'éclaircit la gorge. Le roi leva les yeux. « Pourquoi êtes-vous encore là ?

— Sire, à propos d'Edric Storm... »

Stannis fit un geste sec. « De grâce. »

Davos persista. « Votre fille prend ses leçons en sa compagnie et l'a chaque jour pour compagnon de jeux dans le jardin d'Aegon.

— Je sais cela.

— Son cœur se briserait s'il arrivait rien de fâcheux à...

— Je sais également cela.

— Si vous consentiez seulement à le voir...

— Je l'ai vu. Il ressemble à Robert. Mouais, et l'idolâtre. Lui révélerai-je avec quelle insigne fréquence son bien-aimé père avait une pensée pour lui ? Les enfants, mon frère en aimait assez la fabrication, mais, une fois nés, ils lui cassaient les pieds.

— Il demande après vous chaque jour, il...

— Vous allez me mettre en colère, Davos. Je n'entendrai pas un mot de plus sur ce petit bâtard.

— Son nom est Edric Storm, Sire.

— Je connais son nom. Y eut-il jamais nom mieux adapté ? Il proclame sa bâtardise, sa haute naissance et les turbulences *orageuses*, les *orages* dont il est porteur. Edric *Storm*. Voilà, je l'ai dit. Êtes-vous satisfait, messire Main ?

— Edric..., commença Davos.

— ... n'est *qu'un gamin*, *qu'un seul*. Il pourrait être le meilleur à avoir jamais respiré en ce monde-ci, cela ne changerait strictement rien. C'est au royaume que je me dois. » Sa main balaya l'espace au-dessus de la Table peinte. « Combien en vit-il, de gamins, à Westeros ? Combien de gamines ? Combien d'hommes, combien de femmes ? Les ténèbres vont les dévorer tous, dit-elle. La nuit qui jamais ne finit. Elle invoque des prophéties... – un héros rené dans la mer, des dragons vivants éclos de la pierre morte... –, elle parle de *signes* et jure que c'est moi qu'ils désignent. Jamais je n'ai demandé cela, pas plus que je n'ai demandé à être roi. Puis-je pour autant me permettre de les mépriser, elle et ses assertions ? » Il fit grincer ses dents. « Nous ne choisissons pas nos destinées. Mais il n'empêche que nous devons... – nous devons bien accomplir notre devoir, non ? Petit ou grand, *nous devons accomplir notre devoir*. Mélisandre jure m'avoir vu dans ses flammes, elle jure m'avoir vu affronter les ténèbres en brandissant Illumination haut et clair. *Illumination !* » Il émit un reniflement de dérision. « Elle scintille joliment, je te l'accorde, cette épée magique, mais elle ne m'a pas mieux servi qu'une épée banale, à la Néra. Durant cette bataille, un dragon aurait retourné la situation, lui. Aegon s'est tenu jadis à la place même que j'occupe, les yeux attachés sur cette même table. Penses-tu que nous l'appellerions aujourd'hui "le Conquérant", s'il n'avait pas disposé de *dragons* ?

— Mais, Sire, fit Davos, le prix...

— *Je connais le prix !* La nuit dernière, alors que je scrutais cet âtre-ci, moi aussi j'ai vu des choses dans les flammes. J'ai vu un roi qui, le front ceint d'une couronne de feu, brûlait... – oui, *brûlait*, Davos. C'était sa propre couronne qui consumait sa propre chair et qui le réduisait en cendres. Penses-tu que j'aie besoin de Mélisandre pour m'expliquer ce que cela signifie ? Ou de *toi* ? » Au mouvement que fit alors le roi, son ombre tomba sur Port-Réal. « S'il advenait que Joffrey mourût..., que pèse la vie d'un petit bâtard auprès de celle d'un royaume ?

— Tout », fit doucement Davos.

Stannis le fixa, mâchoires bloquées. « File, dit-il enfin, file avant de te retrouver à soliloquer dans ton cachot. »

Il arrivait parfois que les vents d'orage soufflent avec tant de furie qu'un homme n'eût rien de mieux ni d'autre à faire que de ferler ses voiles. « Oui, Sire. » Davos s'inclina, mais Stannis semblait l'avoir déjà oublié.

Il faisait un froid de canard dans la cour, lorsqu'il sortit de la tour Tambour. Une bise acerbe soufflait de l'est par rafales qui faisaient battre et claquer bruyamment les bannières, le long des remparts. L'atmosphère était saturée de sel. *La mer...* Il adorait cette odeur. Elle lui donnait envie de fouler de nouveau un pont, de hisser la toile et d'appareiller vers le sud où l'attendaient Marya et les deux petits derniers. Il pensait à eux désormais presque tous les jours et, la nuit, davantage encore. Une partie de lui n'aspirait à rien tant qu'à récupérer Devan et à rentrer bien vite à la maison. *Je ne peux pas faire ça. Pas encore. Pas maintenant que je suis lord et Main du roi. Je n'ai pas le droit de faillir à Stannis.*

Il leva les yeux vers les créneaux. En guise de merlons l'y narguaient mille grotesques et gargouilles tous différents les uns des autres : griffons, vouivres et démons, manticores, minotaures, basilics, cerbères, cocatrix et des nuées de créatures plus fantastiques encore hérissaient les murs du château comme s'ils en étaient les pousses et les surgeons. Et il y avait des dragons partout. La grand-salle affectait la forme d'un dragon vautré à plat ventre, et son entrée celle d'une gueule béante. Les cuisines imitaient un dragon roulé en boule par les narines duquel s'évacuaient la vapeur et la fumée des fourneaux. Les tours étaient des dragons tantôt au repos sur les fortifications, tantôt en posture d'essor imminent ; le Venvœur avait l'air de vociférer un défi, tandis que l'Ondin portait sur la houle un regard serein. Des dragons encadraient les portes. Des griffes de dragon jaillies des parois tenaient lieu de torchères, d'immenses ailes de pierre enveloppaient la forge et l'armurerie, cependant que des queues se contorsionnaient en arcades, ponts et volées de marches extérieures.

Davos avait maintes fois ouï dire que, loin de travailler la pierre comme le faisaient les vulgaires tailleurs et maçons, les sorciers de Valyria la modelaient et l'ouvrageaient par la flamme et les sortilèges aussi aisément qu'un potier la glaise. Or, voici qu'il se perdait en perplexités. *Et s'il s'agissait de dragons véritables que, d'une manière ou d'une autre, on aurait pétrifiés ?*

271

« Que la femme rouge les amène à la vie, j'étais en train de me dire, et le château s'écroulera de fond en comble. C'est quelle espèce de dragons, dites, qui est farcie de pièces, d'escaliers, de meubles ? Et de fenêtres. Et de cheminées. Et de descentes de chiottes. »

Davos se retourna et découvrit Sladhor Saan planté non loin de lui. « Dois-je en déduire que vous m'avez pardonné mon entourloupette, Sla ? »

Le vieux pirate le tança du doigt. « Pardonné, oui. Oublié, non. Tout ce bon or de Pince-Isle que j'aurais pu m'approprier, rien que d'y penser, je prends dix ans, je suis vanné. Quand je trépasserai ruiné, mes épouses et mes concubines vous maudiront, sire Oignon. Lord Celtigar possédait quantité de vins fins que je ne sirote pas, un aigle de mer qu'il avait dressé comme oiseau de poing, et un cor magique qui faisait surgir les poulpes abyssaux. Très utile que ça serait, un tel cor, pour naufrager les Tyroshis et autres enrageantes engeances. Mais je l'ai à souffler, moi, ce cor ? Nenni, parce que le roi s'est avisé de faire sa Main de mon vieil ami. » Il glissa son bras sous celui de Davos et reprit : « Les gens de la reine ne vous aiment pas, vieil ami. À ce que je me suis laissé dire, il est certaine Main qui est en train de se faire des amis de sa façon. C'est vrai, ça, oui ? »

Vous vous en laissez dire un tout petit peu trop, vieux forban que vous êtes. Un contrebandier avait intérêt à connaître les hommes aussi à fond que les marées, sans quoi sa pratique de la contrebande avait la brièveté de ses jours. Les gens de la reine pouvaient bien s'entêter dans leur ferveur pour le Maître de la Lumière, ce que Peyredragon comptait d'habitants moins huppés retournait aux dieux qu'il avait révérés durant toute son existence. On disait Stannis ensorcelé, on disait que Mélisandre ne l'avait détourné des Sept que pour le prosterner devant un diable issu de l'ombre et, péché mortel entre tous..., qu'elle et son dieu lui avaient failli. Or, au nombre de ceux qui jugeaient ainsi se trouvaient des chevaliers et des hobereaux. Davos les avait repérés puis sélectionnés avec autant de soin qu'il en apportait jadis à l'enrôlement de ses équipages. Ser Gerald Goüer s'était vaillamment comporté, à la Néra, mais on l'avait ensuite entendu déclarer que ce R'hllor devait être un dieu bien débile pour laisser balayer ses adeptes par un gnome et un mort. Ser Andrew Estremont n'était rien de moins qu'un cousin du roi, auquel il avait en outre servi d'écuyer des années plus tôt. Et si c'était bien lui qui, en sa qualité de commandant de l'arrière-garde, avait permis à Stannis de regagner sain et sauf les galères de Sladhor Saan, le Bâtard Séréna vouait au Guerrier une foi aussi indomptable que sa personne. *Des gens du roi, pas de la reine.* Seulement, se vanter de leur sympathie n'aurait que des inconvénients.

« Certain pirate lysien m'a dit un jour qu'un bon contrebandier passait inaperçu, répliqua prudemment Davos. Voiles noires et rames feutrées, plus un équipage expert à tenir sa langue. »

Saan se mit à rire. « Un équipage privé de langues vaut encore mieux. Des gros costauds muets ne sachant ni lire ni écrire. » Mais il s'assombrit, là-dessus. « Je me réjouis toutefois de savoir que quelqu'un veille sur vos arrières, mon vieil ami. Le roi donnera-t-il le gosse à la prêtresse rouge, d'après vous ? Un petit dragon pourrait mettre fin à cette grande grosse guerre. »

L'habitude invétérée fit se porter la main de Davos vers son col, mais vainement tâtonna-t-elle, car il y avait belle lurette que l'amulette aux phalanges n'y pendait plus. « Il n'y consentira pas, affirma-t-il. Il serait incapable de faire du mal à son propre sang.

— Lord Renly sera enchanté d'apprendre cela.

— Lord Renly était un félon doublé d'un rebelle armé. Edric Storm n'est coupable d'aucun crime, lui. Sa Majesté est un homme juste. »

Sladhor Saan haussa les épaules. « Nous verrons bien. Enfin, vous. Pour ma part, je reprends la mer. À cette heure même, il se peut que des canailles de contrebandiers sillonnent en catimini la baie de la Néra dans l'espoir de ne pas acquitter les droits dus au légitime seigneur et maître des lieux. » Il lui administra une claque dans le dos. « Soyez prudent. Vous, ainsi que vos muets d'amis. Tout prodigieusement grand que vous voici devenu, songez-y bien, plus un homme s'élève haut, plus vertigineuse est sa chute. »

Cet avertissement, Davos ne se fit pas faute de le méditer pendant qu'il gravissait l'escalier de la tour Mervouivre pour aller chez le mestre, sous la roukerie. Il n'avait pas besoin de Sla pour se rendre parfaitement compte qu'il s'était élevé trop haut. *Je ne sais pas lire, je ne sais pas écrire, les lords me méprisent, j'ignore tout du gouvernement, comment puis-je être Main du roi ? Ma place est sur le pont d'un bateau, pas dans une tour de château.*

Tout cela, il l'avait dit et répété à mestre Pylos. Lequel, en substance, répliquait invariablement : « Votre réputation de capitaine n'est plus à faire. Un capitaine gouverne bien son vaisseau, n'est-ce pas ? C'est bien à lui qu'incombe la navigation dans les eaux traîtresses, à lui de hisser les voiles pour prendre le vent qui se lève, à lui de prévoir la survenue de la tempête et de décider comment y parer au mieux, non ? Eh bien, quelle différence avec votre tâche actuelle ? »

274

Le mestre avait la gentillesse de penser ce qu'il disait là, mais ses assertions n'en sonnaient pas moins creux. « Ça n'a strictement rien à voir ! s'insurgeait Davos. Un royaume n'est pas un navire..., et tant mieux, sinon ce royaume-ci serait déjà en train de couler. Je m'y connais en bois, en cordages et en eaux, oui, mais à quoi ce type de connaissances va-t-il me servir en l'occurrence ? Où je le trouve, le vent censé pousser Stannis jusque sur son trône ? »

La réflexion fit pouffer Pylos. « Mais vous le tenez là, messire ! Les mots sont du vent, vous savez, et vous m'éparpillez les miens, avec votre bon sens. Sa Majesté sait exactement ce qu'Elle peut escompter de vous, m'est avis.

— Des oignons, riposta Davos avec morosité, voilà ce qu'Elle peut escompter de moi. La Main du Roi devrait être un seigneur de haute naissance, un homme avisé, instruit, un stratège ou un chevalier éminent...

— Ser Ryam Redwyne fut le plus éminent chevalier de son temps et, en tant que Main, l'une des pires qu'on ait jamais vues au service d'un roi. Les prières de septon Murmison opéraient des miracles, mais à peine fut-il devenu Main que le royaume tout entier se mit à prier pour qu'il meure. Lord Butterwell était célèbre pour son esprit, Myles Petibois pour son courage, ser Otto Hightower pour son instruction, mais ils se révélèrent des Mains consternantes, tous. Pour ce qui est de la naissance, les rois dragons choisirent souvent leurs Mains parmi leur propre parentèle, avec des résultats aussi divers et variés que Baelor Briselance et Maegor le Cruel. Comme contre-exemple, vous avez septon Barth, fils de forgeron, que le Vieux Roi cueillit dans la bibliothèque du Donjon Rouge, et à qui le royaume fut redevable de quarante années de paix et d'opulence. » Pylos se mit à sourire. « Lisez votre histoire, lord Davos, et vous verrez que vos scrupules sont sans fondement.

— Comment lirais-je mon histoire, alors que je ne sais pas lire ?

— Tout homme est capable de lire, messire, avait affirmé mestre Pylos. Sans qu'il soit besoin de haute naissance ou de recours à la magie. Je suis en train d'y initier votre fils, sur ordre du roi. Permettez-moi de vous y initier aussi. »

L'offre était des plus aimables, et telle que Davos pouvait l'accepter en conscience. Et voilà comment il grimpait chaque jour tout en haut de la tour Mervouivre jusqu'aux appartements du mestre froncer les sourcils sur des rouleaux et des parchemins et d'énormes volumes de cuir pour tâcher d'y déchiffrer quelques mots de plus. Les efforts qu'il faisait là lui donnaient pas mal de maux de crâne, et l'impression d'être, en outre, un aussi parfait crétin que Bariol. À moins de douze ans, son Devan avait sur lui une grosse avance, et, pour la princesse Shôren comme pour Edric Storm, lire semblait être une chose aussi naturelle que de respirer. Et, en venait-on aux opérations, là, Davos se retrouvait encore plus gosse qu'aucun d'entre eux. Il s'acharnait quand même. Il était à présent la Main du Roi, et la lecture figurait parmi les obligations d'une Main du Roi.

Les étroites marches tournicotantes de la tour Mervouivre avaient été un supplice d'enfer pour mestre Cressen, après sa fracture de la hanche. Davos regrettait encore le vieil homme, et il soupçonnait Stannis de le regretter aussi. Pylos ne manquait à l'évidence ni d'intelligence ni de diligence ni de bon vouloir, mais il était si jeune... ! et puis le roi ne se fiait pas à lui comme il s'était fié à Cressen. Mais aussi, Cressen avait passé tant et tant d'années auprès de Stannis... *Jusqu'à ce qu'il entre en collision avec Mélisandre et finisse par en mourir.*

Du palier supérieur parvinrent à Davos de légers tintements qui ne pouvaient annoncer que Bariol. Le fou de la princesse attendait celle-ci devant la porte du mestre, tel un chien fidèle. Bonne pâte et l'échine basse, sa face épatée tatouée de motifs géométriques arlequinés rouges et verts, il portait un heaume taillé dans un seau d'étain où étaient plantés des andouillers de daim. Une douzaine de clochettes y tintaient pour peu qu'il bougeât..., c'est-à-dire en permanence, car il ne tenait guère en place. Ses *dingding dongdong* indiquaient tout du long son passage en tous lieux, et il n'était pas étonnant dès lors que Pylos l'eût exclu des leçons de Shôren. « Dans les profondeurs de la mer, le vieux poisson mange le jeune poisson », bougonna-t-il à l'adresse de Davos. Il pencha la tête de côté, faisant sonner, carillonner, fredonner ses clochettes. « Oh, je sais, je sais, holà.

— À ces hauteurs-ci, le jeune poisson sert de maître au vieux poisson », fit Davos, qui ne se sentait jamais si caduc que quand il s'asseyait pour essayer de lire. Il n'aurait peut-être pas éprouvé ce sentiment-là si, au lieu de Pylos, assez jeune pour être son fils, il avait eu pour professeur le vénérable mestre Cressen.

Il trouva le mestre installé à sa longue table de bois couverte de livres et de rouleaux, face aux trois enfants. La princesse Shôren était assise entre les deux garçons. La vue de son propre sang tenant compagnie à une princesse et à un bâtard royal continuait de procurer à Davos un immense plaisir. *Devan sera lord, maintenant, et pas simplement chevalier. Sire du Bois-la-Pluie.* Envisager cela l'enorgueillissait plus que d'en porter lui-même le titre. *Et il lit. Il lit et il écrit comme de naissance.* Pylos n'avait de son propre aveu qu'à se louer du zèle de Devan, et le maître d'armes le disait aussi prometteur à l'épée qu'à la lance. *Ce qui ne l'empêche pas d'être pieux.* « Mes frères sont montés prendre place aux côtés du Maître en la salle de la Lumière, avait-il déclaré après que son père lui eut annoncé la mort de ses quatre aînés. Je prierai pour eux devant nos feux nocturnes, et pour vous aussi, Père, afin que vous puissiez marcher dans la lumière du Maître jusques à la fin de vos jours. »

Comme le gamin l'accueillait d'un chaleureux : « Bonjour à vous, Père ! », Davos pensa : *C'est fou ce qu'il ressemble à Dale au même âge...* Jamais son premier-né n'avait, certes, porté d'élégances comparables à la tenue d'écuyer de Devan, mais leurs traits étaient tout pareils, francs et carrés, d'un marron tout pareil leur regard direct, tout pareils leurs fins cheveux rebelles et châtains. Il avait beau avoir les joues et le menton duvetés de blondeurs vaporeuses à rendre jalouse une pêche, le cadet n'en était que plus farouchement faraud de sa « barbe ». *Tout à fait comme Dale de la sienne, autrefois.*

Bien que Devan fût le plus âgé des enfants présents dans la pièce, Edric Storm avait néanmoins trois pouces de plus que lui, le torse plus large et les épaules plus carrées. Il était bien le fils de son père à cet égard, et ne manquait jamais non plus de s'exercer, le matin, au maniement de l'épée et du bouclier. Les témoins assez vieux pour avoir connu Robert et Renly enfants affirmaient que le petit bâtard leur ressemblait plus que ne leur avait jamais ressemblé Stannis ; il en avait les cheveux charbonneux, les prunelles bleu sombre, la bouche, la mâchoire, les pommettes. Seules ses oreilles vous rappelaient qu'il avait eu pour mère une Florent.

« Oui, bonjour, messire », reprit Edric en écho. Si fougueux et fier qu'il fût de par sa nature, il tenait des divers mestres, gouverneurs et maîtres d'armes qui l'avaient élevé des manières extrêmement courtoises. « Venez-vous de chez mon oncle ? Comment se porte Sa Majesté ?

— Bien », mentit Davos. À la vérité, il trouvait au roi la mine d'un homme épuisé, hanté, mais il ne voyait pas la nécessité d'alarmer le gosse avec ses propres appréhensions. « J'espère n'avoir pas perturbé votre leçon.

— Nous venions juste de terminer, messire, dit mestre Pylos.

— Nos lectures portaient sur le roi Daeron Premier. » La princesse Shôren était une enfant triste, douce, gentille et tout sauf jolie. Alors que Stannis lui avait déjà donné sa ganache et Selyse ses oreilles Florent, les dieux s'étaient cruellement complu à la disgracier davantage encore en l'affligeant d'une léprose dès le berceau. Tout en épargnant finalement ses jours et sa vision, le mal avait affecté l'une de ses joues et la moitié de son cou d'une croûte dure et grise et craquelée. « Il entra en guerre et conquit Dorne. Le Jeune Dragon, on l'appelait.

— Il adorait de faux dieux, dit Devan, mais, à part cela, il fut un grand roi, et déploya une bravoure insigne comme guerrier.

— En effet, convint Edric Storm, mais mon père était encore plus brave. Le Jeune Dragon ne remporta jamais trois batailles le même jour, lui. »

La princesse le regarda d'un œil écarquillé. « Oncle Robert avait remporté trois batailles le même jour ? »

Le bâtard acquiesça d'un hochement de tête. « Cela eut lieu la fois qu'il rentra chez lui pour convoquer d'abord son ban. Les lords Grandison, Cafferen et Fell s'étaient concertés pour regrouper leurs forces respectives à Lestival et pour marcher de conserve ensuite contre Accalmie, mais il eut vent de leurs projets par un mouchard et entra tout de suite en campagne avec tout ce qu'il avait d'écuyers et de chevaliers. Et, au fur et à mesure que chacun des conspirateurs atteignait Lestival, il les défaisait successivement avant qu'ils ne parviennent à se joindre les uns aux autres. Il tua lord Fell en combat singulier et captura son fils, Hache d'argent. »

Devan consulta Pylos du regard. « Est-ce ainsi que les choses se passèrent ?

— C'est bien ce que j'ai *dit*, non ? lança Edric Storm sans laisser au mestre le loisir de répondre. Il les écrasa tous les trois, et ses prouesses au combat furent telles qu'après coup lord Grandison et lord Cafferen devinrent des hommes à lui, et Hache d'argent pareil. Mon père, personne ne l'a jamais battu.

— Gardez-vous de ces vantardises, Edric, dit mestre Pylos. Le roi Robert connut la défaite aussi bien que tout autre. Il fut vaincu par lord Tyrell à Cendregué, et il perdit aussi maintes joutes, en tournoi.

— Il gagna plus qu'il ne perdit, toujours. Et il tua le prince Rhaegar au Trident.

— Cela, oui, lui concéda le mestre. Mais il me faut à présent me consacrer à lord Davos, qui a attendu jusqu'ici avec tant de patience. Demain, nous pousserons plus avant la lecture du roi Daeron et de sa *Conquête de Dorne*. »

Après que la princesse Shôren et les garçons eurent poliment pris congé et se furent retirés, mestre Pylos se rapprocha de Davos. « Peut-être aime-riez-vous, messire, un peu tâter, vous aussi, de *La Conquête de Dorne* ? » Il fit glisser vers le bord opposé de la table un mince volume relié de cuir. « Le style du roi Daeron se distingue par une élé-gante simplicité, et son histoire est riche de sang, de batailles et de beaux exploits. Votre fils en est tout à fait captivé.

— Mon fils n'a pas tout à fait douze ans. Je suis la Main du roi. Donnez-moi une autre lettre, si vous voulez bien.

— Comme il vous plaira, messire. » Mestre Pylos fourragea sur la table, déroula, rejeta des bouts de parchemins divers. « Il n'y a pas de nouvelles lettres. Peut-être qu'une ancienne... »

Davos avait beau se divertir autant que quiconque des bonnes histoires, son sentiment était que Stan-nis n'avait pas fait de lui sa Main pour lui fournir un sujet de divertissement. Son premier devoir était d'aider le roi à gouverner, et il avait à cet effet besoin de comprendre coûte que coûte ce que disaient les messages apportés par les corbeaux. Or, la meil-leure façon d'apprendre une chose était de la faire, avait-il découvert ; voiles ou rouleaux, point de dif-férence.

« Ceci pourrait répondre à notre objectif. » Pylos lui passa une lettre.

Davos aplatit le petit carré de parchemin gaufré puis loucha vers les caractères en pattes de mou-che. Lire vous mettait les yeux à rude épreuve, cela du moins, il avait eu tôt fait de l'apprendre. Parfois, il se demandait si la Citadelle ne décernait pas un prix au mestre doté de la plus imperceptible écri-ture. Pylos avait ri de l'idée, mais quand même...

« Aux... cinq rois, lut Davos, après avoir brière-ment bronché sur *cinq*, qu'il n'avait encore guère eu l'occasion de voir noir sur blanc. Le roi... d'au... le roi d'au... trefois ?

— *Delà* », corrigea le mestre.

Davos fit une grimace. « Le roi d'au-delà du Mur vient... vient *au sud*. Il mène une... une... intense...

— Immense.

— ... une *immense* armée de sa... sau... sauvageons. Lord M...mmmor... Mormont a expédié un... corbeau de la... fo... fo...

— Forêt. La *forêt hantée.* » Pylos souligna les mots du bout du doigt.

« ... la forêt hantée. Il s'y... s'y trouve... *attaqué*, c'est ça ?

— Oui. »

Tout content, il continua de défricher. « D'au... tres oiseaux sont arrivés depuis, sans aucun message. Nous... craignons que Mormont n'ait... n'ait été tué avec tout son dé... dé... dé... tachement, oui, *détachement*. Nous craignons que Mormont n'ait été tué avec tout son détachement... » Brusquement, Davos saisit le sens de ce qu'il venait de lire. Il retourna la lettre, et vit que la cire utilisée pour la sceller était noire. « Mais cette lettre provient de la Garde de Nuit... ! Est-ce qu'on l'a communiquée au roi, mestre ?

— Je l'ai transmise à lord Alester dès son arrivée. C'était lui, la Main, à l'époque. Je croyais qu'il en parlerait avec la reine. Mais quand je lui ai demandé s'il souhaitait expédier une réponse, il m'a prié poliment de ne pas faire l'imbécile. "Alors, m'a-t-il dit, que la pénurie d'hommes lui interdit de livrer ses propres batailles, vous ne vous figurez quand même pas que Sa Majesté en a un seul à gaspiller contre des sauvageons, si ?" »

Le raisonnement n'était pas si faux. Et la mention de cinq rois n'aurait pas manqué de mettre Stannis en rogne. « Il faut être le dernier des affamés pour mendier son pain auprès d'un mendiant, marmonna-t-il.

— Pardon, messire ?

— Un mot de ma femme, une fois. » Il tambourina sur la table avec ses doigts écourtés. La première fois qu'il avait vu le Mur, il était plus jeune que Devan et servait à bord du *Chat de gouttière* sous Roro Uhoris, un Tyroshi connu du haut en bas du détroit sous le sobriquet de Bâtard aveugle, quoiqu'il ne fût pas plus aveugle que bâtard. Dépassant Skagos, Roro s'était aventuré en mer Grelotte, y visitant une centaine de calanques qui voyaient un navire marchand pour la première fois. Il avait de l'acier – épées, haches, heaumes, hauberts de belle et bonne maille – à troquer contre fourrures, ivoire, ambre et obsidienne. En repartant vers le sud, *Le Chat de gouttière* avait les cales pleines à craquer, mais il s'était fait arraisonner dans la baie des Phoques et ramener à Fort Levant par trois galères noires. Tant et si bien que, convaincu de trafic d'armes avec les sauvageons, le Bâtard avait payé ce crime de sa tête, en plus de sa cargaison.

Du temps où il pratiquait lui-même la contrebande, Davos avait encore pas mal fréquenté Fort Levant. Si les frères noirs faisaient de rudes ennemis, ils faisaient aussi de bons clients pour qui possédait le fret adéquat. Mais, quitte à empocher leur fric, il s'était gardé de jamais oublier les rebonds qu'avait faits la tête du Bâtard aveugle sur le pont du *Chat de gouttière*. « J'en ai croisé, de ces sauvageons, quand j'étais gamin, dit-il à mestre Pylos. Ils étaient de beaux voleurs, mais nuls pour le marchandage. Il y en eut un qui nous piqua notre fille de cabine. Mais, l'un dans l'autre, ils avaient l'air

283

d'être tout à fait comme vous et moi, des chics types certains et certains des fumiers.

— Les hommes sont des hommes, approuva le mestre. Reprendrons-nous notre lecture, messire Main ? »

Je suis la Main du roi, oui. De nom, Stannis pouvait bien être roi de Westeros, il n'était de fait que roi de la Table peinte. Il tenait Peyredragon, il tenait Accalmie, et il avait pour allié (on ne peut plus précaire) Sladhor Saan, bon, mais c'était tout. Comment la Garde avait-elle pu se figurer qu'il l'aiderait jamais ? *Peut-être ignore-t-elle à quel état de faiblesse il se trouve réduit, à quel point sa cause est perdue...* « Le roi n'a jamais vu cette lettre, vous en êtes absolument certain ? Mélisandre non plus ?

— Non. Devrais-je la leur apporter ? Même maintenant ?

— Non, trancha-t-il d'emblée. Vous avez fait ce que vous deviez en la transmettant à lord Alester. » *Et si Mélisandre avait eu connaissance de cette lettre...* Au fait, c'était quoi, ce qu'elle avait dit ? « *Celui dont le nom ne doit pas être prononcé concentre ses pouvoirs en ce moment même, Davos Mervault. Bientôt va venir le froid, bientôt va tomber la nuit éternelle* »... Et Stannis avait eu cette vision, dans les flammes, un cercle de torches au milieu de la neige et, tout autour, l'horreur.

« Vous ne vous sentez pas bien, messire ? » demanda Pylos.

J'ai peur, mestre, aurait-il pu répondre. Il était en train de se remémorer la légende contée naguère par Sladhor Saan et selon laquelle Azor Ahai avait trempé l'acier d'Illumination en le plongeant dans le sein de son épouse bien-aimée. *Il tua sa femme afin de combattre les ténèbres. Si Stannis est véritablement Azor Ahai ressuscité, cela signifie-t-il qu'Edric*

Storm doit jouer le rôle de Nissa Nissa ? « Je réflé-
chissais, mestre. Mille pardons. » *Où est le mal,
si quelque roi sauvageon conquiert le Nord ?* Ce
n'était pas comme si Stannis *tenait* le Nord. On pouvait difficilement attendre de lui qu'il défende des
gens qui refusaient de reconnaître sa souveraineté.
« Donnez-moi une autre lettre, dit-il d'un ton brusque. Celle-ci est trop...

— ... difficile ? » suggéra Pylos.

« *Bientôt va venir le froid*, souffla Mélisandre,
bientôt va tomber la nuit éternelle. » « Troublante,
dit Davos. Trop... troublante. Une autre lettre, s'il
vous plaît. »

JON

C'est la fumée qui, à leur réveil, les alerta. La Mole brûlait.

De la terrasse de la tour du Roi, Jon Snow, bien appuyé sur la béquille matelassée dont l'avait pourvu mestre Aemon, scrutait le déploiement sur l'horizon du panache gris. En le laissant lui-même s'échapper, Styr avait certes perdu tout espoir de prendre Châteaunoir à l'improviste, mais quel besoin avait-il de signaler son approche avec autant d'effronterie ? *S'il vous est encore loisible de nous tuer*, songea-t-il, *personne en tout cas ne sera massacré dans son lit. Toujours ça, que je nous aurai épargné.*

Des flambées de douleur persistaient à le lanciner, pour peu qu'il portât son poids sur sa jambe blessée. Il avait encore dû se faire aider par Clydas, ce matin, pour enfiler ses noirs lessivés de frais puis lacer ses bottes et, malgré cela, se serait volontiers, la séance achevée, noyé dans le lait du pavot. Quitte, en fin de compte, à se contenter d'une demi-coupe de vinsonge et, tout en chiquant de l'écorce de saule, à empoigner la béquille. Le feu de guet flambait, là-bas, sur la crête de Revertemps, et la Garde de Nuit avait besoin de chacun de ses hommes.

« Mais je peux me battre... ! s'était-il insurgé lorsqu'on avait tenté de le dissuader.

— Ta jambe est guérie, n'est-ce pas ? » Noye renifla. « Ça te fait rien, alors, si j'y flanque un petit coup
de pied ?

— J'aimerais mieux pas. Elle est toujours raide,
mais je peux clopiner de-ci de-là sans trop de peine
et rester debout et me battre, si vous avez besoin
de moi.

— J'ai besoin de chaque gus qui sait par quel
bout de la pique on se farcit du sauvageon.

— Le pointu. » Jon se souvint d'avoir déjà dit un
jour à sa petite sœur quelque chose comme ça.

Noye se gratta le poil du menton. « Se pourrait
que tu serves, au fond... Bon, on va te percher sur
une tour avec un arc, mais, si tu te casses ta putain
de gueule, viens pas me chialer dans les pattes. »

Sous ses yeux, la route Royale courait en lacet
vers le sud à travers les champs bruns et cailouteux
et à l'assaut des collines battues par les vents. C'était
par là qu'avant la fin du jour surviendrait le Magnar,
ses Thenns derrière lui, piques et haches au poing,
boucliers de bronze et de cuir en travers du dos. *Et,
avec eux, Grigg la Bique, Quort, Gros Cloque et tous
les autres. Ainsi qu'Ygrid.* Les sauvageons n'avaient
jamais été ses amis, jamais il ne les avait *autorisés*
à être ses amis, mais elle...

Les élancements de sa cuisse ne lui permettaient
pas d'oublier bien longtemps la flèche qui, déchi-
quetant chair et muscle, était venue naguère s'y
ficher. Il ne se rappelait aussi que trop bien les yeux
du vieil homme et le sang noir qui giclait de sa gorge
alors que tonnait et se déchaînait la tornade. Mais
sa mémoire lui représentait plus nettement que tout
la grotte éclairée par la torche et la nudité d'Ygrid
et le goût de sa bouche s'ouvrant à la sienne. *Reste*

à l'écart, Ygrid. Va vers le sud et razzie, pille, va te cacher dans une des tours rondes qui te plaisaient tant. Tu ne trouveras rien d'autre ici que la mort.

De l'autre côté de la cour, un des archers postés sur le toit du vieux Quartier Flint avait dénoué ses braies, et il pissait par un créneau. *Mully,* le reconnut-il à sa tignasse orange et graisseuse. Des hommes en manteaux noirs se voyaient sur d'autres toits comme au sommet des tours, mais neuf sur dix n'étaient faits que de paille. « Les sentinelles épouvantails », les appelait Donal Noye. *Seulement, les corbeaux, c'est nous,* rêvassa Jon, *et nous sommes pour la plupart assez épouvantés déjà...*

De quelque nom qu'on les affublât, les soldats de paille étaient une invention de mestre Aemon. Puisqu'on avait dans les magasins plus de braies, de justaucorps et de tuniques que d'hommes pour les emplir, pourquoi ne pas bourrer de paille un certain nombre de mannequins, leur draper un manteau aux épaules et leur faire monter la garde ? Noye en avait disposé sur toutes les tours et à la moitié des fenêtres. D'aucuns même étreignaient une pique ou portaient, coincée sous l'aisselle, une arbalète. On espérait qu'à les entr'apercevoir de loin les Thenns trouveraient Châteaunoir trop bien défendu pour oser l'attaquer.

En l'occurrence, Jon se trouvait partager la terrasse de la tour du Roi avec six épouvantails et deux frères bel et bien vivants. Les fesses bien calées dans un créneau, Sourd-Dick Follard nettoyait et huilait méthodiquement le mécanisme de son arbalète pour être sûr que la manivelle en tourne avec le moelleux requis, tandis que le gars de Villevieille faisait sans trêve ni cesse le tour du parapet pour rajuster l'accoutrement des hommes de paille. *Peutêtre s'imagine-t-il qu'ils se battront mieux s'ils sont* exactement *au garde-à-vous. Ou peut-être est-ce l'attente qui lui met comme à moi les nerfs en pelote.*

Il se targuait d'avoir dix-huit ans, plus que Jon, mais cela ne l'empêchait nullement d'être plus bleu qu'azur d'été. Satin, qu'on l'appelait, nonobstant les lainages et la maille et le cuir bouilli de la Garde de Nuit ; le nom lui était resté du bordel qui l'avait vu naître et où il avait grandi. Il avait la joliesse d'une fille, avec ses yeux noirs, sa peau douce et ses longues boucles aile de corbeau. Une demi-année de Châteaunoir lui avait durci néanmoins les menottes, et Noye le disait passable à l'arbalète. Mais quant à savoir de quel cœur il affronterait ce qui leur venait dessus, ça...

Jon recourut à sa béquille pour traverser clopin-clopant la terrasse. La tour du Roi n'était pas la plus haute du château – cet honneur revenait encore à la svelte Lance délabrée, si prête à crouler fût-elle, à en croire Othell Yarwyck. Elle n'était pas non plus la plus forte – la tour des Gardes, au bord de la route, serait un morceau beaucoup plus coriace. Mais elle était suffisamment haute, suffisamment forte et, en plus, très bien placée par rapport au Mur, puisqu'elle surplombait tout à la fois la porte et le pied de l'escalier de bois.

Dès l'instant où il avait pour la première fois posé les yeux sur Châteaunoir, Jon en était resté pantois. Par quelle aberration l'avait-on construit sans le doter de remparts ? Comment dès lors pouvait-il être défendu ?

« Il ne peut l'être, avait reconnu Oncle Ben. Tu as mis le doigt dessus. Depuis toujours, ses vœux engagent la Garde de Nuit à ne jamais prendre parti dans les querelles du royaume. Il n'en est pas moins vrai qu'au cours des siècles un certain nombre de lords

Commandants, plus glorieux que sages, oublièrent leur serment et la mirent à deux doigts de sa perte par leurs ambitions. Le lord Commandant Runcel Hightower essaya de la léguer à son fils bâtard. Le lord Commandant Rodrik Flint rumina de se faire roi-d'au-delà-du-Mur. Tristan d'Alluve, Marq Rankenfell le Fol, Robin Hill..., savais-tu qu'il y a six cents ans les commandants de Glacière et Fort Nox entrèrent en guerre *l'un contre l'autre* ? Et que, lorsque le lord Commandant tenta de les arrêter, ils se coalisèrent pour l'assassiner ? Le Stark de Winterfell se vit contraint d'intervenir... et de les raccourcir tous deux. Ce qui lui fut aisé, parce que *leurs forteresses étaient indéfendables*. Avant Jeor Mormont, la Garde de Nuit a eu neuf cent quatre-vingt-seize lords Commandants, pour la plupart hommes de courage et d'honneur..., mais auprès desquels ont également figuré des lâches et des ânes, nos propres tyrans et nos propres fous. Notre survie, nous la devons au fait que les seigneurs et les rois des Sept Couronnes savent que nous ne constituons pas de menace pour eux, quelle que soit *l'identité* de notre chef. Nos seuls et uniques adversaires à nous se trouvent au nord et, au nord, nous avons le Mur. »

Seulement, ces adversaires ont franchi le Mur, et c'est du sud qu'ils viennent, à présent, se dit Jon, *tandis que les seigneurs comme les rois des Sept Couronnes nous accablent de leurs dédains. Nous voilà pris entre le marteau et l'enclume.* Faute de rempart, Châteaunoir était impossible à tenir, et Donal Noye le savait aussi bien que quiconque. « Le château n'a strictement aucun intérêt pour nos agresseurs, avait déclaré l'armurier à sa maigre garnison. Cuisines et salle commune, écuries, tours elles-mêmes..., laissez-les-moi prendre tout ça. On va vider l'armurerie, déménager au sommet du Mur le plus de provisions possible, et c'est autour de la porte qu'on résistera. »

Ainsi Châteaunoir se trouvait-il finalement posséder un semblant de rempart, une barricade en demi-lune, haute de dix pieds, bricolée avec le surplus des stocks : caisses de clous et barils de mouton salé, cageots, ballots de drap noir, bûches empilées, madriers sciés, pieux durcis au feu et sacs, sacs, sacs de grain. Cette enceinte rudimentaire enfermait les deux choses qu'il fallait défendre par-dessus tout, la porte d'accès au nord et le pied du gigantesque escalier de bois qui se cramponnait sur la face méridionale du Mur et y grimpait avec des zigzags d'ivrogne, étayé par des poutres énormes et profondément enfoncées dans la glace.

Les dernières taupes, une poignée, vit Jon, s'échinaient encore à l'interminable ascension, talonnées par les encouragements de ses frères. Grenn portait dans ses bras un petit garçon, pendant que, deux volées plus bas, Pyp prêtait l'appui de son épaule à un vieil homme. Les plus âgés des villageois attendaient en bas que la cage redescende les embarquer. Il vit une mère tirer deux gosses, un par chaque main, tout du long, et un gamin plus grand la dépasser quatre à quatre dans l'escalier. Deux cents pieds au-dessus de ceux-là, Su Bleu Ciel et lady Meliana (qui n'était pas du tout lady, ses amies étaient unanimes) regardaient vers le sud, plantées sur un palier. Sans doute y jouissaient-elles d'une meilleure vue que lui sur la fumée. Il se demanda ce qu'il adviendrait des gens qui s'étaient refusés à fuir. Il y en avait toujours quelques-uns, soit par trop entêtés, soit par trop bêtes ou par trop courageux, qui, plutôt que de détaler, préféraient se cacher, se battre ou ployer le genou systématiquement. Peut-être les Thenns les épargneraient-ils... ?

La chose à faire serait de prendre les devants et de les attaquer, songea-t-il. *Avec cinquante patrouilleurs montés, on pourrait les tailler en pièces, sur la route.* L'ennui, c'est qu'on n'avait pas cinquante patrouilleurs, ni moitié autant de chevaux. Les détachements de la garnison n'étaient pas revenus, et n'y avait aucun moyen de savoir où ils se trouvaient au juste, ni même si les cavaliers expédiés à leur recherche par Noye étaient parvenus à les atteindre.

La garnison, c'est nous, se dit-il encore, *et visemoi le ramassis... !* Exactement comme annoncé par Donal Noye, Bowen Marsh n'avait laissé là que des vieux, des infirmes et des bleus. Il en distinguait certains qui, tout là-haut, manipulaient des fûts, d'autres, en bas, sur la barricade ; ce vieux patapouf de Muids, plus lambin que jamais, Botte-en-rab, sautillant vivement sur sa quille de bois sculptée, ce demi-fou d'Aisé qui se prenait pour la réincarnation de Florian le Fol, et Sacré Dornien, Alyn le Rouge des Roseraies, Henly Junior (la cinquantaine très avancée), Henly Senior (près de quatre-vingts), Hal Velu, Pat le Tavelé de Viergétang. S'apercevant qu'il les lorgnait du haut de la tour du Roi, deux d'entre eux agitèrent la main dans sa direction. D'autres se détournèrent. *Ils continuent de me prendre pour un tourne-casaque.* C'était dur à avaler, mais comment le leur reprocher ? Il n'était qu'un bâtard, après tout. Et nul n'ignorait que les bâtards étaient viscéralement tricheurs et débauchés, vu qu'ils étaient issus de la luxure et de la fraude. Puis il s'était fait autant d'ennemis que d'amis, à Châteaunoir..., Rast entre autres, tiens. Tout ça pour l'avoir un jour menacé de le faire égorger par Fantôme s'il n'arrêtait pas de martyriser Samwell Tarly, et c'était le genre de trucs que Rast n'oubliait pas. Pour l'instant, il était en train, armé d'un râteau, d'empiler des feuilles mortes sous l'escalier, mais ses innombrables pauses, il les prolongeait toujours assez pour gratifier Jon d'un regard bien torve.

« Non ! rugit Donal Noye à trois types de La Mole, en bas. La poix va au palan, l'huile en haut des marches, les carreaux d'arbalète aux quatrième, cinquième et sixième paliers, les piques aux premier et deuxième. Entassez le saindoux sous l'escalier, oui, là, derrière les planches. Les barils de viande sont pour la barricade. Et *de suite*, bouseux vérolés, *DE SUITE !* »

Il a une voix de seigneur, songea Jon. Lord Eddard avait toujours dit à ses fils qu'au combat les poumons d'un capitaine étaient plus capitaux que sa main d'épée. « Il peut bien être aussi brave et brillant qu'il voudra, quel intérêt, si l'on n'entend pas ses ordres ? » insistait-il. Aussi Robb et lui-même grimpaient-ils volontiers chacun dans une tour de Winterfell afin de se gueuler des choses l'un à l'autre par-dessus la cour. Donal Noye les aurait couverts tous les deux. Il était la terreur des taupes, et à juste titre, puisqu'il n'arrêtait pas de les menacer de leur arracher la tête.

Les trois quarts de La Mole ayant suffisamment pris au pied de la lettre les avertissements de Jon pour courir se réfugier à Châteaunoir, Noye avait décrété que tout homme encore assez gaillard pour brandir une pique ou balancer une hache prendrait part à la défense de la barricade, et qu'à moins de le faire il n'aurait qu'à foutrement retourner dans sa taupinière et à tâcher de se démerder tout seul avec les Thenns. Il avait vidé l'armurerie pour équiper chacun de bel et bon acier – grosses haches à double tranchant, dagues affûtées comme des rasoirs, épées, masses ou plommées hérissées de pointes. Une fois en justaucorps de cuir clouté et haubert de maille, une fois munies de jambières et colletées d'un gorgerin censé leur maintenir la tête sur les épaules, quelques-unes de ces recrues avaient même un vague air de soldats. *Si l'éclairage est mauvais. Et à condition de loucher.*

Noye avait également mis au travail les femmes et les enfants. Ceux qui étaient trop jeunes pour se battre charrieraient de l'eau et entretiendraient les feux, la sage-femme de La Mole assisterait Clydas et mestre Aemon pour soigner les blessés, et Hobb Trois-Doigts se retrouvait sans préavis secondé par plus de tournebroches, fouille-au-pot, pluche-oignons que de besoin pour savoir qu'en faire. Deux des putains s'étaient même proposées comme combattants, et elles avaient déployé suffisamment d'adresse à l'arbalète pour se voir attribuer un poste sur les marches, à quarante pieds de haut.

« Fait froid. » Satin se tenait devant lui, les mains coincées au creux de ses aisselles, sous son manteau. Ses joues étaient d'un rouge éclatant.

Jon se força à sourire. « Dans les Crocgivre, oui. Simple fraîcheur d'automne, ici.

— J'espère alors ne jamais les voir, les Crocgivre. À Villevieille, je connaissais une fille qui aimait glacer son vin. Y a pas mieux, je crois, comme endroit, pour la glace. Le vin. » Il jeta un coup d'œil vers le sud, fronça les sourcils. « Vous pensez que les sentinelles épouvantails ont réussi à les épouvanter, messire ?

— On peut toujours l'espérer. » La chose n'était pas impossible, conjecturait-il, ...sauf à trouver beaucoup plus probable que les sauvageons s'étaient simplement arrêtés à La Mole pour s'y offrir un brin de pillage et de viol. À moins encore que Styr le Magnar n'attendît la tombée du jour pour se remettre en route à la faveur des ténèbres.

Midi survint, midi passa sans que les Thenns se fussent encore manifestés d'aucune manière sur la grand-route. Jon entendit toutefois des pas sonner à l'intérieur même de la tour, et, finalement, de la trappe émergea, congestionnée par la longue ascension, la tête d'Owen Ballot. Il portait sous un bras une corbeille de petits pains, sous l'autre une forme de fromage, et un panier d'oignons se balançait dans une de ses mains. « Hobb a dit de vous amener à bouffer, en cas que vous êtes coincés là un bout de temps. »

Ça, ou pour notre dernier repas. « Remercie-le de notre part, Owen. »

Si Dick Follard était aussi sourd qu'un caillou, son nez marchait en revanche assez passablement. À peine sortis du four, les petits pains étaient encore tout chauds lorsqu'il farfouilla dans la corbeille et en piqua un. Il dénicha aussi un pot de beurre et, armé de son poignard, se mit à tartiner. « Raisins secs, annonça-t-il gaiement. Plus amandes. » Il avait un parler pâteux mais assez facile à comprendre, une fois qu'on s'y était habitué.

« Tu peux prendre aussi les miens, fit Satin. J'ai pas faim.

— Mange, lui dit Jon. Il est impossible de savoir quand l'occasion s'en représentera. » Il s'en adjugea deux, pour sa part. Les prétendues amandes étaient des pignons, et, en plus des raisins secs, il y avait des morceaux de pomme séchée.

« C'est aujourd'hui qu'ils vont arriver, les sauvageons, lord Snow ? demanda Owen.

— Tu le sauras bien s'ils le font, répondit Jon. Tu n'as qu'à prêter l'oreille aux sonneries de cor.

— Deux. C'est deux qu'y a, pour les sauvageons. » Owen était un grand diable à cheveux filasse, aussi sympathique qu'infatigable et laborieux, d'une étonnante dextérité dès lors qu'il s'agissait de travailler le bois, d'installer des catapultes et autres engins de ce genre ; seulement, sa mère, ainsi qu'il le contait volontiers lui-même, l'avait si fâcheusement laissé choir sur le ciboulot quand il était tout mioche qu'il avait eu une grosse grosse fuite d'esprit par l'oreille.

« Tu te rappelles où tu dois aller ? lui demanda Jon.

— Je dois aller à l'escalier, Donal Noye a dit. Je dois monter au troisième et tirer mes carreaux sur les sauvageons s'ils essayent de grimper par-dessus la barrière. Au *troisième*, un, deux, trois. » Il hocha convulsivement la tête. « S'ils attaquent, les sauvageons, le roi viendra bien nous aider, hein ? C'est un guerrier de première, le roi Robert. Il est sûr de venir. Même que mestre Aemon y a envoyé un oiseau. »

Il ne servait à rien de lui dire que Robert Baratheon était mort. Il l'oublierait comme il l'avait déjà oublié. « C'est ça, mestre Aemon lui a envoyé un oiseau », confirma Jon. Ce qui eut l'air d'enchanter Owen.

Des oiseaux, mestre Aemon en avait envoyé des tas..., mais pas à un seul roi, à quatre. *Sauvageons à la porte*, indiquait le message, lapidaire. *Royaume en danger. Dépêchez tous secours possibles à Châteaunoir.* Il s'était envolé des corbeaux jusques et y compris à destination de Villevieille et de la Citadelle, ainsi que d'une cinquantaine de hauts et puissants seigneurs en leurs châteaux. À chacun de ceux du Nord, sur qui se fondaient les espérances les plus solides, mestre Aemon en avait même expédié deux. Aux Omble et aux Bolton, à Castel-Cerwyn et à Quart Torrhen, Karhold et Motte-la-Forêt, à l'île aux Ours et à Châteauvieux, La Veuve et Blancport, Tertre-bourg, aux Rus comme aux nids d'aigles des Lideuil, Harclay, Burley, Wull et Norroit, les oiseaux noirs avaient apporté la supplique : *Sauvageons à la porte. Nord en danger. Venez avec toutes vos forces.*

Toujours est-il que les corbeaux pouvaient avoir des ailes, eh bien, pas les seigneurs et pas les rois. Si tant était que des secours fussent en route, ils n'arriveraient pas aujourd'hui.

Comme l'après-midi succédait à la matinée, les fumées de La Mole se dispersèrent, et, au sud, le ciel recouvra sa limpidité. *Pas un nuage*, songea Jon. C'était une bonne chose. La pluie, la neige auraient risqué d'être leur perte à tous.

Clydas et mestre Aemon se firent treuiller dans la cage au faîte du Mur, ainsi que la plupart des femmes de La Mole. Ils y seraient en sécurité. Des hommes en manteau noir arpentaient inlassablement la terrasse des tours et se hélaient de l'une à l'autre par-dessus les cours. Septon Cellador entraîna dans une prière les défenseurs de la barricade et conjura le Guerrier de leur donner de l'énergie. À peine Sourd-Dick Follard se fut-il recroquevillé sous son manteau qu'il dormait. À force et à force et à force de tracer des cercles incessants le long du parapet, Satin finissait par se taper des centaines de lieues. Le Mur larmoyait sous le ciel d'un bleu dur que doucement grignotait le soleil. Aux approches du crépuscule, Owen Ballot reparut avec une miche de pain noir et un bidon du meilleur mouton d'Hobb, mitonné dans une soupe épaisse de bière et d'oignons. Même Dick se réveilla pour ça. Ils n'en laissèrent pas une miette, allant jusqu'à saucer avec des mouillettes de pain le fond du bidon. Quand ils eurent terminé, le soleil, à l'ouest, frôlait l'horizon, des ombres noires et pointues se faufilaient au travers du château. « Allume le feu, dit Jon à Satin, et remplis d'huile le chaudron. »

Il descendit lui-même au rez-de-chaussée pour barrer la porte et, ce faisant, tâcher de faire un peu travailler sa jambe raide. C'était une gaffe, et il ne tarda pas à s'en rendre compte, mais, agrippé à sa béquille, il alla néanmoins jusqu'au bout. La porte d'accès à la tour du Roi était en chêne clouté de fer. Elle suffirait à retarder les Thenns, le cas échéant, mais sûrement pas à les arrêter s'ils se mettaient en tête d'entrer coûte que coûte. Jon rabattit bruyamment la barre dans ses encoches, passa par le petit coin – autant sauter sur l'occasion, qui sait ? ce pouvait être la dernière... – et, grimaçant de douleur, remonta en boitillant marche après marche jusqu'à la terrasse.

Des couleurs d'ecchymose saignante pochaient l'ouest, à présent, mais le firmament, bleu cobalt, tendait vers un violet de plus en plus foncé que quelques étoiles entreprenaient de piqueter. Jon s'assit entre deux merlons, sans autre compagnie qu'un épouvantail, et regarda l'Étalon gravir au grand galop le ciel. Mais n'était-ce pas plutôt le Seigneur aux Cornes ? Il se demanda où pouvait bien rôder Fantôme, à cette heure-ci. Il se le demanda aussi à propos d'Ygrid, mais c'était s'exposer à perdre la boule que de s'appesantir sur un pareil sujet.

Ils survinrent en pleine nuit, naturellement. *Comme des voleurs*, pensa Jon. *Comme des assassins.*

Satin se trempa les chausses en entendant retentir les cors, mais Jon affecta de n'en rien remarquer. « Va me secouer Dick par l'épaule, ordonna-t-il, sans ça, il est fichu de roupiller tout le long des combats.

— J'ai la trouille. » Il était livide, Satin.

« Eux aussi. » Il mit sa béquille debout contre un merlon et, empoignant son arc, en fit ployer l'if de Dorne lisse et massif pour ajuster la corde dans les encoches. « Ne lâche tes carreaux que si tu es sûr et certain de taper dans le mille, dit-il lorsque Satin le rejoignit après avoir réveillé Dick. Pas de gâchis, hein ? Nous avons là des réserves copieuses, mais *copieux* ne veut pas dire inépuisable. Et retire-toi toujours à l'abri d'un merlon pour recharger, n'essaie surtout pas de te planquer derrière un épouvantail. Bourrés de paille comme ils sont, une flèche traversera. » Il ne s'échina pas à dire à Dick Follard quoi que ce soit. Non seulement Dick savait très bien lire sur vos lèvres, s'il y avait assez de lumière pour ça, mais, ce que vous disiez, il s'en foutait éperdument, et là, de toute manière, tous ces trucs, il les connaissait.

Ils prirent tous trois position sur la tour ronde à intervalles à peu près réguliers. Après avoir suspendu un carquois à son baudrier, Jon en retira une flèche. La hampe en était noire, l'empennage gris. Comme il l'encochait sur la corde lui revint en mémoire ce qu'avait un jour dit Theon Greyjoy au retour de la chasse. « Grand bien fassent au sanglier ses boutoirs et à l'ours ses griffes, avait-il déclaré en souriant de ce petit air entendu qu'il avait toujours, tout ça, c'est de la gnognotte. Il n'y a rien de si mortel qu'une plume d'oie grise. »

Sans être jamais arrivé à la cheville de Theon comme archer, Jon n'était tout de même pas un novice. Il voyait bien des ombres se glisser, dos au mur, autour de l'armurerie, mais il ne les distinguait pas assez nettement pour les tirer à coup sûr. Des clameurs lointaines se firent entendre, et il aperçut les archers de la tour des Gardes qui décochaient des traits vers le sol. Tout ça se passait trop loin pour qu'il s'en occupe. Mais, lorsque, à soixante pas tout au plus, il entrevit trois silhouettes qui se détachaient des anciennes écuries, il s'aventura au créneau, leva l'arc, le banda, visa en avant de la cible et, comme celle-ci courait, patienta, patienta...

En quittant la corde, la flèche émit un *sifflement* soyeux. Au bout d'un instant se perçut un grognement, et, tout à coup, il n'y eut plus que deux ombres à détaler à travers la cour. Elles n'en filaient que plus vite, mais une deuxième flèche avait déjà quitté le carquois de Jon. Il se hâta trop de tirer, cette fois, rata son coup. Le temps qu'il encoche à nouveau, les sauvageons avaient disparu. Il se chercha une autre cible et en découvrit quatre qui se ruaient dans les parages de l'ancienne résidence, une coquille vide..., du lord Commandant. Le clair de lune qui faisait miroiter leurs piques et leurs haches permettait aussi d'entrevoir les affreux emblèmes ornant leurs rondaches de cuir : têtes de mort et tibias, serpents, pattes d'ours, masques démoniaques. *Le peuple libre*, sut-il aussitôt. Abstraction faite de leurs bordures et bossages en bronze, les boucliers en cuir noir des Thenns étaient unis, sans la moindre décoration. En l'espèce, il s'agissait des boucliers d'osier, plus légers, de razzieurs.

Jon attira la plume d'oie jusque derrière son oreille, visa, décocha, rencocha, banda, décocha derechef. La première flèche transperça le bouclier à la patte d'ours, la seconde une gorge. Le sauvageon poussa un cri en s'effondrant. Sur sa gauche, Jon entendit le *vrrroum* grave produit par l'arbalète de Sourd-Dick et, un instant plus tard, celui que faisait celle de Satin. « J'en ai eu un ! s'exclama le garçon d'une voix enrouée. Dans la poitrine, je l'ai eu !

300

— Fais-t'en un autre », lança Jon.

Il n'avait plus à se chercher des cibles, maintenant, il n'avait plus qu'à les choisir. Il descendit un archer sauvageon juste en train d'encocher une flèche puis en décocha une à la hache en train de démolir la porte de la tour de Hardin. Il rata le type, mais les trépidations de la flèche dans le vantail de chêne amenèrent celui-ci à se raviser en prenant ses jambes à son cou, et c'est seulement alors que Jon reconnut en lui Gros Cloque. Auquel, moins d'une seconde plus tard, le vieux Mully, du haut du toit du Quartier Flint, ficha une flèche à la jambe, ce qui le mit à quatre pattes et pissant le sang. *Comme ça, il arrêtera de râler sur ses écrouelles*, songea Jon.

Quand il eut vidé son carquois, il alla en chercher un autre et, changeant de créneau, s'installa aux côtés de Sourd-Dick Follard. Pour un carreau que tirait celui-ci, lui-même décochait trois flèches, mais uniquement parce qu'en cela consistait justement l'avantage de l'arc. L'arbalète offrait celui de la pénétration, selon certains, mais elle était lente et encombrante à recharger. Les sauvageons, cependant, se vociféraient quelque chose mutuellement, et un cor de guerre sonnait, quelque part à l'ouest. Le monde n'était qu'ombres et clair de lune, et le temps finissait par se résoudre en l'obsédante ritournelle d'encocher, bander, décocher. Une flèche sauvageonne défonça près de Jon la gorge d'une sentinelle de paille, mais à peine le remarqua-t-il. *Accordez-moi d'atteindre sans bavures le Magnar de Thenn*, demandait-il aux dieux de Père. Avec le Magnar, au moins, il tenait un adversaire qu'il pouvait haïr sans difficulté. *Accordez-moi Styr.*

Il commençait à avoir les doigts tout ankylosés, son pouce était en sang, mais il n'en continuait pas moins à toujours encocher, bander, décocher. Du coin de l'œil, il devina des éclaboussures de flammes et, se retournant, vit en feu la porte de la salle commune. Il suffit là-dessus de quelques secondes au vaste édifice de bois pour n'être plus qu'un prodigieux brasier. Hobb Trois-Doigts et ses lieutenants de La Mole se trouvaient certes en sécurité au sommet du Mur, mais assister à ça vous en foutait quand même un coup dans l'estomac. « *JON !* aboya Sourd-Dick de sa voix pâteuse, *l'armurerie... !* » Sur le toit, ils étaient, vit-il. Et l'un d'eux tenait une torche. D'un bond, Dick se jucha sur le créneau pour mieux ajuster son tir, se jeta l'arbalète à l'épaule et décocha un carreau vrombissant au type à la torche. Rata son coup.

Pas le sien, lui, l'archer d'en bas dessous.

Sans émettre le moindre son, Follard bascula dans le vide, tête la première. Cent pieds plus bas l'attendait le pavé de la cour. Jon l'entendit s'écraser avec un bruit sourd au moment même où, jetant un coup d'œil de derrière un soldat de paille, il essayait de repérer le point de départ de la flèche. À moins de dix pieds du corps de Sourd-Dick, il entr'aperçut un bouclier de cuir, un manteau en loques et le flamboiement d'une tignasse rouge. *Baisée par le feu*, songea-t-il, *veinarde*. Il haussa son arc, mais ses doigts refusèrent de se desserrer, et aussi soudain qu'elle s'était concrétisée se volatilisa l'apparition. Il pivota sur lui-même en jurant et, par manière de compensation, lâcha sa flèche sur les types du toit de l'armurerie, sans les toucher non plus du reste.

Entre-temps, les écuries de l'est s'étaient embrasées à leur tour, dégorgeant des flots de fumée noire et des bouchons de foin ardents. Lorsque d'un coup s'effondra la toiture, l'incendie bondit en rugissant si fort qu'il couvrait presque les mugissements des cors de guerre eux-mêmes. Cinquante Thenns remontaient pesamment la grand-route en peloton serré, boucliers brandis au-dessus de leurs têtes. Il en fourmillait d'autres dans le potager, dans la cour dallée, tout autour de l'ancien puits à sec. Après en avoir fracassé les portes, trois s'étaient introduits dans les appartements de mestre Aemon, sous la roukerie, et des combats désespérés continuaient à opposer, sur la terrasse de la tour Muette, les longues épées aux haches de bronze. Rien de tout cela ne comptait. *Le bal est ouvert*, songea Jon.

Clopin-clopant, il alla rejoindre Satin et, l'empoignant par l'épaule, « Suis-moi ! » gueula-t-il, et ils se jetèrent ensemble du côté nord, là où la tour du Roi surplombait la porte et le rempart de sacs de grain, de bûches et de barriques improvisé par Donal Noye. Les Thenns s'y trouvaient déjà. Ils étaient coiffés de demi-heaumes, et leurs longues chemises de cuir étaient tapissées de disques de bronze légers. Maints d'entre eux maniaient des haches de bronze, mais il s'en voyait aussi quelques-unes en pierre taillée. Le grand nombre était armé de courtes piques de poing à fers en forme de feuille et sur lesquels l'incendie faisait danser des rougeoiements. Et tous hurlaient en vieille langue en montant à l'assaut de la barricade, piques dardées convulsivement, haches de bronze tournoyant, tous répandaient le grain, le sang avec une égale désinvolture, tandis que les hommes postés sur l'escalier par Donal Noye leur faisaient à verse pleuvoir dessus traits, flèches et carreaux.

« On fait *quoi* ? s'époumona Satin.

— On les tue ! » répondit Jon à pleins poumons, une flèche noire entre les doigts.

Pour un archer, là, c'était du gâteau, du gâteau de roi. Pour attaquer la demi-lune et, tout en gravissant tant bien que mal les amas de fûtailles et de sacs, tenter d'accéder aux hommes en noir, les Thenns tournaient carrément le dos à la tour du Roi. Il se trouva d'aventure que Jon et Satin choisirent la même cible au même moment. Le type venait juste d'atteindre le haut de la barricade quand une flèche lui fleurit au col et un carreau entre les omoplates. Un demi-battement de cœur plus tard, c'est une épée qui le prenait aux tripes, et il se renversa d'un bloc sur l'homme qui le suivait. Jon tâtonna vers son carquois et, le trouvant vide à nouveau, planta là Satin, qui était en train de retendre son arbalète, pour aller se réapprovisionner en flèches. Mais il n'avait pas seulement fait trois pas que la trappe s'ouvrit à grand bruit presque sous ses pieds. *Bordel de bordel, même pas entendu la porte céder !*

L'urgence ne lui permettant ni de réfléchir ni de rien prévoir ni même d'appeler à l'aide, Jon laissa tomber l'arc, lança la main par-dessus l'épaule, dégaina Grand-Griffe et l'enfouit dans la première tête qu'il vit émerger du colimaçon. Entre bronze et acier valyrien, la lutte était inégale. Le coup fendit franchement le heaume et une bonne partie du crâne du Thenn qui dégringola aussi sec par où il était venu. Mais pas venu seul, ainsi que l'apprirent à Jon les clameurs des autres. Il battit en retraite et fit appel à Satin. C'est d'un carreau en plein museau qu'écopa le grimpeur suivant. Et de disparaître à son tour. « L'huile », fit Jon. Satin acquiesça d'un simple hochement. D'un même mouvement, ils raflèrent les moufles capitonnées qu'ils avaient déposées près du feu et, à eux deux, soulevèrent le gros chaudron d'huile bouillante et, d'un seul coup, la déversèrent par l'ouverture sur les assaillants. Les hurlements consécutifs, jamais Jon n'en avait entendu de pires, et Satin lui sembla tout près de dégueuler. D'un coup de pied, Jon referma la trappe, plaça dessus pour la caler le lourd chaudron de fer puis secoua comme un prunier le mioche au joli minois. « Vomiras plus tard, lui jappa-t-il, *viens !* »

Ils avaient eu beau ne s'éloigner du parapet que quelques instants, la situation s'était, en bas, singulièrement dégradée. Une douzaine de frères noirs et quelques types de La Mole occupaient bien toujours la crête des barriques et des cageots, mais les sauvageons qui pullulaient désormais tout le long de la demi-lune étaient en train de les en refouler. Jon en vit un remonter si violemment sa pique à travers les tripes de Rast qu'il le souleva en l'air. Henly Junior était mort, et, cerné d'ennemis, Henly Senior était en train de mourir. Aisé, lui, n'arrêtait pas de tourbillonner, de bondir, manteau envolé, d'un baril à l'autre, rigolant comme un dingue et taillant, taillant. Une hache de bronze l'atteignit juste en dessous du genou, et son hilarité fit place à une espèce de glouglou strident.

« Ils sont en train de rompre, dit Satin.

— Non, fit Jon, ils sont rompus. »

Cela se passa très vite. Une taupe s'enfuit, puis une deuxième, et, subitement, ce furent tous les villageois qui, jetant bas leurs armes, abandonnaient la barricade comme un seul homme. Les frères étaient trop peu nombreux pour tenir seuls. Jon les regarda s'évertuer à se mettre en ligne afin de se retirer en bon ordre, mais, comme les Thenns, hérissés de piques et de haches, menaçaient de les submerger, ils prirent la fuite à leur tour. Sacré Dornien glissa, s'étala à plat ventre, et un sauvageon lui planta sa pique entre les épaules. Hors d'haleine, ce lambin de Muids avait presque atteint la première marche de l'escalier quand un Thenn l'attrapa par le bas de son manteau et, d'une traction saccadée, le faisait déjà se tourner... lorsqu'un carreau l'épingla lui-même avant que sa hache n'ait pu s'abattre. « L'ai *eu !* » croassa Satin, tandis qu'en titubant Muids touchait au but et commençait à grimper les marches à quatre pattes.

La porte est perdue. Donal Noye l'avait certes verrouillée et entortillée de chaînes, mais il ne restait plus qu'à se donner la peine de la prendre, avec ses barreaux de fer que faisaient luire les reflets rouges de l'incendie, avec les ténèbres glacées du tunnel qui béait derrière. Personne n'aurait fait demi-tour pour la défendre ; il n'y avait de sécurité qu'au sommet du Mur, tout au bout de l'interminable zigzag de bois, sept cents pieds plus haut.

« Quels sont les dieux que tu pries ? demanda Jon à Satin.

— Les Sept, répondit le gars de Villevieille.

— Eh bien, prie, lui conseilla Jon. Prie tes nouveaux dieux, et je prierai mes anciens, moi. » Tout était là, finalement.

Le coup de la trappe lui avait fait complètement oublier de remplir son carquois. Il traversa la terrasse en boitant pour s'en occuper et en profita aussi pour ramasser son arc. Le chaudron n'ayant pas bougé, tout semblait indiquer qu'il n'y avait pas grand-chose à craindre pour l'instant de ce côté-là. *Le bal continue, et nous y assistons du haut du balcon*, se dit-il en retournant cahin-caha de l'autre côté. Entre chacun des carreaux qu'il décochait aux sauvageons dans l'escalier, Satin se planquait derrière un merlon pour réarmer son arbalète. *Rapide, tout mignon qu'il est...*

La véritable bataille avait lieu dans l'escalier. Noye avait posté des piques sur les deux paliers inférieurs, mais, la fuite éperdue des villageois les ayant affolées, celles-ci s'étaient jointes aux fuyards pour se précipiter vers le troisième, talonnées par les Thenns qui massacraient tous les retardataires, et sur lesquels les archers et les arbalétriers des paliers supérieurs tâchaient de tirer. Jon encocha une flèche, banda, lâcha et vit avec plaisir un sauvageon rouler au bas des marches. La chaleur des feux faisait larmoyer le Mur, et la glace reflétait la danse des flammes avec force miroitements. Le bois trépidait sous les pas des hommes courant dans l'espoir de sauver leur vie.

Une fois de plus, Jon encocha, banda, lâcha, mais il n'y avait qu'un seul Snow et qu'un seul Satin, alors qu'ils étaient bien soixante ou soixante-dix Thenns à marteler les marches et, enivrés par leur victoire, à tuer à chaque foulée. Sur le quatrième palier se tenaient trois frères en manteaux noirs, épaule contre épaule et flamberge au poing, de sorte que la bataille reprit là, mais brièvement. Ils n'étaient en effet que trois, et la marée sauvageonne ne fut pas plus longue à les balayer que leur sang à dégoutter le long de l'escalier. « Jamais un homme n'est si vulnérable sur le champ de bataille que lorsqu'il fuit, avait un jour dit lord Eddard à Jon. Un homme qui détale fait aux soldats l'effet d'une bête blessée. Il surexcite leur soif de sang. » Les archers du cinquième palier prirent, eux, la fuite avant même d'être menacés par les combats. Une déroute, c'était, une déroute rouge...

« Va chercher les torches », dit Jon à Satin. Il y en avait quatre, entassées près du feu, la tête emmitouflée dans des chiffons huilés. Ainsi qu'une douzaine de flèches incendiaires. Le gars de Villevieille mit l'une des torches au feu jusqu'à ce qu'elle flambe haut et clair et la lui apporta, non sans avoir glissé tout le reste aussi, mais tel quel, sous son bras.

Il semblait être de nouveau on ne peut plus effrayé. Mais, effrayé, Jon l'était lui-même.

C'est alors qu'il repéra Styr. Le Magnar était en train d'escalader la barricade, enjambant sacs de grain éventrés, barriques en pièces et cadavres d'amis comme d'ennemis. La lumière de l'incendie faisait briller d'un sombre éclat son armure à écailles de bronze. Il avait retiré son heaume pour mieux contempler la scène de son triomphe, et là, chauve, essorillé, le fils de pute, il souriait. Dans son poing se trouvait une longue pique en bois de barral que surmontait une pointe de bronze ouvragé. En découvrant la porte, il brandit sa pique vers elle et puis aboya quelque chose en vieille langue à la demi-douzaine de Thenns qui l'entouraient. *Trop tard*, songea Jon. *Tu aurais dû conduire en personne tes hommes à l'assaut de la barricade, cela t'aurait peut-être permis d'en sauver quelques-uns.*

De là-haut provint, longue et grave, une sonnerie de cor. Non pas du faîte du Mur, tout là-haut, mais du neuvième palier sur lequel, à quelque deux cents pieds au-dessus du sol, se tenait Donal Noye.

Après avoir encoché sur sa corde une flèche incendiaire qu'embrasa la torche de Satin, Jon s'avança vers le parapet, banda, visa, lâcha. Déroulant dans son sillage des rubans de flammes crépitantes, le trait se précipita vers le bas et, avec un bruit sourd, atteignit sa cible.

Pas Styr. Les marches. Ou, plus précisément, les caisses et les sacs et les fûts que Donal Noye avait fait empiler *sous* les marches jusqu'au ras du premier palier : barils de saindoux et d'huile de lampe, sacs de feuilles et de chiffons huilés, bûches débitées, écorces et copeaux de bois. « Encore », dit Jon, et « Encore », et « Encore ». D'autres archers tiraient de même, de la terrasse de chacune des tours à portée, certains d'entre eux faisant décrire à leurs flèches une parabole quasi verticale afin qu'elles retombent en avant du Mur. Une fois épuisées les flèches incendiaires, Jon et Satin se mirent à allumer les torches et à les balancer par les créneaux.

Au-dessus de leurs têtes s'épanouissait un autre incendie. Les antiques marches de bois s'étaient gorgées d'huile comme des éponges, et Donal Noye les en avait arrosées toutes depuis le neuvième jusqu'au septième palier. Jon espéra seulement que la plupart de leurs propres hommes étaient parvenus à se mettre à l'abri avant que Noye ne lance ses torches. Du moins les frères noirs étaient-ils informés du plan, mais les villageois non.

Les flammes et le vent firent le reste. Jon n'avait plus rien d'autre à faire que regarder. Littéralement pris entre deux feux, dessus et dessous, les sauvageons n'avaient nulle part où aller. Certains poursuivirent l'escalade, et ce fut leur perte. Certains redescendirent, et ce fut leur perte. Certains restèrent où ils se trouvaient, et ce fut également leur perte. Beaucoup se précipitèrent dans le vide avant de périr brûlés, et ils périrent de leur chute. Une vingtaine de Thenns étaient encore pelotonnés entre les deux feux quand, la chaleur ayant fait se lézarder la glace, il s'en détacha des tonnes et des tonnes, ainsi que tout le tiers inférieur de l'escalier, d'un bloc. Ainsi Jon venait-il tout juste d'avoir sa dernière image de Styr, Magnar de Thenn. *Le Mur se défend tout seul*, songea-t-il.

Il pria Satin de l'aider à descendre dans la cour. Sa jambe blessée le faisait si atrocement souffrir qu'à peine pouvait-il marcher, même appuyé sur la béquille. « Emporte la torche, ajouta-t-il. J'ai quelqu'un à chercher. » Dans l'escalier, les victimes avaient été pour la plupart des Thenns. Des gens du peuple libre avaient sûrement réussi à s'échapper. Des gens de Mance et non du Magnar. Il se pouvait qu'elle en fît partie. Toujours est-il que c'est sa béquille coincée d'un côté sous l'aisselle et de l'autre son bras enlaçant les épaules d'un garçon que Villevieille avait connu putain que Jon, après avoir dépassé les cadavres des types qui s'étaient risqués du côté de la trappe, opéra la descente et finit par s'aventurer dans le noir.

Les écuries et la salle commune n'étaient plus pour lors que des cendres fumantes, mais le feu faisait toujours rage le long du Mur, escaladant marche après marche et dévorant palier après palier. De loin en loin s'entendait un grondement sourd que ne tardait pas à suivre un *crrraaac* formidable, et un nouveau pan de glace venait s'écraser au sol. L'air était plein d'escarbilles et de cristaux de givre.

Jon trouva Quort mort et Pouces-en-pierre moribond. Il trouva morts ou moribonds des Thenns qu'il n'avait jamais véritablement connus. Il trouva Gros Cloque extrêmement faible, en raison de tout le sang qu'il avait perdu, mais encore en vie.

Il trouva Ygrid étendue dans une flaque de vieille neige au bas de la tour du lord Commandant, une flèche plantée entre les seins. Les cristaux de givre s'étaient déposés sur son visage et, au clair de lune, ils scintillaient comme si elle portait un masque d'argent.

La flèche était noire, vit Jon, mais elle était empennée de plumes blanches de canard. *Pas la mienne*, se dit-il, *pas l'une des miennes.* Mais il éprouvait le même sentiment que si ç'avait été le cas.

Quand il s'agenouilla dans la neige à ses côtés, elle ouvrit les yeux. « Jon Snow », dit-elle d'une voix presque inaudible. La flèche avait dû lui percer un poumon. « C'est un vrai château, cette fois, *ça* ? Pas rien qu'une tour ?

— Oui. » Il lui prit la main.

« Bon, murmura-t-elle. Je voulais voir un vrai château, avant... avant de...

— Tu verras cent châteaux, lui promit-il. La bataille est finie. Mestre Aemon va s'occuper de toi. » Il lui toucha les cheveux. « Tu es baisée par le feu, te souviens ? Chanceuse. Va falloir plus qu'une flèche pour te tuer. Aemon va te l'extraire et puis te rafistoler, et on te trouvera du lait de pavot contre la douleur. »

La remarque la fit simplement sourire. « Te souviens, la grotte ? On aurait dû rester, nous deux, dans cette grotte. Je te l'avais dit.

— Nous retournerons à la grotte, dit-il. Tu ne vas pas mourir, Ygrid. Tu ne vas pas.

— Hm. » Elle lui enferma la joue dans le creux de sa main. « T'y connais rien, Jon Snow », soupira-t-elle en expirant.

BRAN

« Ce n'est rien de plus qu'un autre château à l'abandon », déclara Meera Reed en parcourant des yeux le chaos de gravats, de ruines et d'herbes folles.

Non, répliqua Bran à part lui, *c'est Fort Nox, et nous voici parvenus aux confins du monde.* Alors que, dans les montagnes, il n'avait eu qu'une obsession, parvenir au Mur et dénicher la corneille à trois yeux, à présent qu'on se trouvait là, ce qui le tenaillait, c'était la peur, des peurs de toutes sortes. Le rêve qu'il avait fait... – le rêve qu'*Été* avait fait... *Non, il me faut à tout prix éviter de penser à ce rêve-là.* Il n'en avait pas même parlé aux Reed, mais il lui semblait qu'au moins Meera se doutait que quelque chose clochait. S'il n'en soufflait mot, jamais, de ce rêve, peut-être en viendrait-il à oublier même qu'il l'avait fait, et, alors, *ça* n'aurait pas eu lieu, voilà, et Robb et Vent Gris seraient encore en...

« Hodor. » Hodor se déporta de toute sa masse, y inclus Bran, sur l'autre jambe. Il n'en pouvait plus. Ça faisait des heures et des heures qu'on marchait. *Du moins n'est-il pas effrayé.* L'endroit fichait à Bran une frousse bleue, et l'avouer aux Reed lui fichait une frousse presque aussi bleue. *Je suis un prince du Nord, un Stark de Winterfell, presque un homme fait, je dois me montrer aussi courageux que Robb.*

Jojen leva vers lui ses prunelles vert sombre. « Il n'y a rien ici de dangereux pour nous, Prince. »

Bran n'en était pas si sûr. Fort Nox servait de théâtre à certains des contes les plus effroyables de Vieille Nan. C'était ici même qu'avait régné ce roi de la Nuit dont la mémoire humaine avait fini par effacer le nom. C'était ici que le Rat Coq avait servi au roi andal sa tourte de prince au lard, ici que montaient la garde les soixante-dix-neuf sentinelles, ici que le jeune et preux Danny Flint s'était fait violer puis assassiner. Ce château-là était celui d'où le roi Sherrit avait appelé la malédiction, jadis, sur les Andals, celui où les petits apprentis s'étaient trouvés confrontés à la chose qui venait la nuit, celui où Symeon Prunelles étoilées l'aveugle avait vu se battre les chiens infernaux. Hache-en-folie avait une fois arpenté ces cours et hanté ces tours et massacré ses frères dans le noir.

Tous ces trucs, bien sûr, avaient eu lieu voilà des centaines et des milliers d'années, et certains, peut-être, pas du tout, jamais. Mestre Luwin le disait toujours, les contes de Vieille Nan, il ne fallait pas les gober tout entiers. Mais, un jour qu'Oncle était venu voir Père, Bran l'avait pressé de questions à propos de Fort Nox. Or, si Benjen Stark s'était bien gardé de dire que ces contes étaient vrais, il s'était tout autant gardé de dire qu'ils ne l'étaient pas ; il avait simplement haussé les épaules et déclaré : « Nous avons abandonné Fort Nox il y a deux cents ans », comme si ça constituait une réponse.

Bran se contraignit à examiner l'alentour. Il faisait froid mais beau, ce matin-là, le soleil brillait de tous ses feux dans un ciel d'un bleu minéral, mais ce qui n'était pas pour lui plaire, c'étaient *les bruits*. En allant grelotter parmi les tours croulantes, le vent faisait entendre un sifflement nerveux, les forts se tassaient en geignant, et des grouillements de rats se percevaient distinctement sous le dallage de la grande salle. *Les enfants du Rat Coq cherchant à échapper à leur père.* Telles de véritables petites forêts, les cours étaient hérissées d'arbres grêles entrechoquant leurs branches nues et jonchées de plaques de neige pourrie où les feuilles mortes filaient comme des cafards. Des arbres poussaient dans les décombres de ce qui avait été les écuries, et un barral blême se contorsionnait dans les cuisines octogonales pour émerger tant bien que mal de leur voûte en coupole crevée. Même Été se sentait là mal à son aise. Bran se glissa dans sa peau, juste une seconde, pour flairer les lieux, et il n'aima pas davantage les remugles qui s'en exhalaient.

Et il n'y avait pas moyen, pour passer de l'autre côté.

Bran les avait bien prévenus qu'il n'y en aurait pas. Il le leur avait dit et *redit*, mais Jojen Reed avait tout de même tenu à s'en assurer par lui-même. Il avait eu un rêve vert, à ce qu'il disait, et ses rêves verts ne mentaient pas. *Ils n'ouvrent pas non plus les portes*, songea Bran.

La porte que gardait Fort Nox se trouvait scellée depuis le jour où les frères noirs avaient chargé leurs mules et, sur leurs bourrins, pris la route de Noirlac. On en avait abaissé la herse de fer, retiré les chaînes qui servaient à la relever, bouché le tunnel en le bourrant jusqu'à la gueule de pierres et de gravats qui, sitôt gelés, l'avaient rendu aussi compact que le restant du Mur. Ce que voyant, « Nous aurions mieux fait de suivre Jon », dit Bran. Il pensait souvent à son frère bâtard, depuis la nuit où Été avait vu celui-ci prendre la fuite dans la tempête. « Nous aurions fini par trouver la route Royale et gagné Châteaunoir.

— C'eût été là témérité, de notre part, mon prince, répliqua Jojen. Je vous ai déjà expliqué pourquoi.

— Mais il y a des *sauvageons*. Ils ont tué un homme, et ils voulaient tuer Jon aussi. Ils étaient bien *cent*, Jojen...

— C'est ce que vous nous avez dit. Nous sommes quatre. Vous avez secouru votre frère, si tant est qu'il s'agît véritablement de lui, mais peu s'en est fallu que cela ne vous coûte Été.

— Je sais », admit Bran d'un ton piteux. Le loup-garou leur avait tué trois hommes et peut-être davantage, mais ils s'étaient quand même à la fin révélés trop nombreux pour lui seul. En les voyant se resserrer autour d'un grand diable sans oreilles, il avait bien tenté de s'esquiver sous la pluie, mais une de leurs flèches y avait fusé à ses trousses, et la soudaineté de l'impact, jointe à la violence de la douleur, avait expulsé Bran de la peau du loup, lui faisant réintégrer du même coup la sienne. L'orage ayant fini par se calmer, les Reed et lui étaient restés pelotonnés dans le noir à grelotter, faute de feu, à ne se parler, si peu qu'ils se parlent, qu'en chuchotant, à écouter le souffle épais d'Hodor et à se demander si les sauvageons n'essaieraient pas, le matin venu, de traverser le lac. Bran avait une fois et une autre tâché d'établir le contact avec Été mais, invariablement, la souffrance qu'il percevait le rejetait en arrière de la même façon que la chaleur excessive de la bouilloire que vous prétendiez saisir vous faisait en sursaut retirer la main. Hodor fut le seul à dormir, cette nuit-là, non sans se tourner et se retourner, tout en marmonnant des « hodor, hodor ». Quant à l'idée que, quelque part, Été se mourait dans le noir, elle atterrait Bran. *S'il vous plaît, dieux anciens*, pria-t-il, *pitié, vous avez pris*

Winterfell et Père et mes jambes, ne prenez pas Été en plus. Et veillez aussi sur Jon Snow, et faites que les sauvageons s'en aillent.

Des barrals, il n'en poussait aucun dans l'îlot rocheux que cernait le lac, mais les anciens dieux devaient avoir quand même entendu. Non contents d'en prendre plus qu'à leur aise avec leurs apprêts de départ le lendemain matin, de dépouiller tout à loisir leurs propres morts et le vieil homme qu'ils avaient tué, les sauvageons poussèrent, il est vrai, la désinvolture jusqu'à taquiner les poissons du lac. Et il y eut aussi l'affreux moment où, ayant découvert la chaussée, trois d'entre eux entreprirent de l'emprunter..., mais elle bifurqua, pas eux, et il s'en serait noyé deux si leurs compères ne les avaient tirés de ce mauvais pas. Enfin, le grand diable chauve leur aboya des ordres qui, portés par les eaux, se révélèrent en une langue que Jojen en personne ne connaissait pas, et, peu de temps après, tout ce joli monde reprenait ses boucliers, ses piques et se mettait en marche vers l'est pour gagner le nord, ainsi que l'avait fait Jon. Bran aurait bien voulu partir, lui aussi, et se lancer à la recherche d'Été, mais il s'était heurté au refus des Reed. « Nous allons rester une nuit de plus, décréta Jojen. Laisser se creuser quelques lieues entre nous et les sauvageons. Vous ne tenez pas spécialement à les rencontrer de nouveau, si ? » Ce n'est qu'en fin d'après-midi qu'Été, délaissant la cachette où il avait dû rester jusqu'alors tapi, refit surface, tirant sa patte amochée. Après s'être repu dans l'auberge aux dépens des cadavres et au détriment des corbeaux, il avait gagné l'île à la nage. Meera l'y délivra de la flèche brisée qu'il traînait depuis la veille puis frotta sa plaie avec le suc de certaines plantes qui se trouvaient par chance abonder au pied de la tour. S'il persistait à boiter depuis, il le faisait toutefois un peu moins chaque jour, estimait Bran. Les dieux l'avaient exaucé.

« Peut-être nous faudrait-il tenter notre chance dans un autre château, suggéra Meera à son frère. Peut-être qu'ailleurs nous réussirions à franchir la porte. Je pourrais partir en éclaireur, si tu le voulais, j'irais plus vite, toute seule. »

Bran secoua la tête. « Si vous allez vers l'est, vous tomberez sur Noirlac puis sur Porte Reine. À l'ouest se trouve Glacière. Mais ce sera pareil, en plus petit, simplement, qu'ici. Toutes les portes sont condamnées, toutes, excepté celles de Châteaunoir, de Tour Ombreuse et de Fort Levant. »

Hodor fit : « Hodor », à cette assertion, et les Reed échangèrent un regard. « Il faudrait au moins que je monte au sommet du Mur, fit Meera d'un air décidé. Peut-être que, de là-haut, je verrai quelque chose.

— Que diable espérerais-tu voir ? demanda Jojen.

— *Quelque chose* », maintint-elle, et sur un ton catégorique, pour une fois.

Ce devrait être moi. Bran se démancha le col pour regarder le Mur, et il s'imagina en train d'en faire l'ascension, ligne après ligne, d'insérer ses doigts dans les fissures de la glace et, à coups de pied, d'assurer des prises pour ses orteils. Cela le fit sourire en dépit de tout, en dépit des rêves et des sauvageons et de Jon et de *tout*. Il avait escaladé les murailles de Winterfell quand il n'était encore qu'un bambin, les murailles et les tours, toutes, aussi, mais rien de tout ça n'était aussi haut, et puis tout ça n'était que de la pierre. Le Mur, lui, il pouvait *avoir l'air*, comme ça, tout rongé, tout gris, d'être en pierre, mais que les nuages s'entrouvrent, que le soleil le frappe autrement, et alors tout de suite il se transformait, et vous l'aviez là, devant vous, tout bleu, tout blanc, tout scintillant. Il marquait les confins du monde, Vieille Nan répétait toujours. De l'autre côté, bon, il y avait des monstres et des goules et des géants mais, tant que le Mur se dressait contre eux de toute sa force, il leur était impossible de passer de ce côté-ci. *Je veux me tenir tout là-haut avec Meera*, songea Bran. *Je veux me tenir tout là-haut pour voir.*

Mais, comme il était un gamin rompu aux jambes inutiles, eh bien, tout ce qu'il pouvait faire, c'était regarder Meera grimper à sa place.

Elle ne *grimpait* pas véritablement, pas à la manière dont lui grimpait, avant. Elle gravissait seulement des marches taillées des centaines et des milliers d'années plus tôt par la Garde de Nuit. À en croire mestre Luwin, se rappela-t-il, Fort Nox était l'unique château dont l'escalier eût été sculpté à même la glace du Mur. Mais n'était-ce pas plutôt Oncle Benjen qui l'affirmait ? Les châteaux plus récents possédaient des escaliers soit en bois, soit en pierre, ou bien de longues rampes de terre et de gravier. *C'est trop traître, la glace.* Ça, c'est de son oncle qu'il le tenait. Et que le Mur, s'il lui arrivait de pleurer des larmes de glace, c'était de façon toute superficielle, parce que son cœur, en dessous, ne se dégelait jamais et restait dur comme de la pierre. Les marches, ici, devaient avoir fondu puis regelé mille et mille fois depuis que les derniers frères avaient abandonné le fort, mais, ce faisant, elles s'étaient chaque fois rétrécies d'un rien, faites un rien plus lisses, un rien plus rondes et plus traîtresses un rien.

Et amenuisées un rien. *C'est un peu comme si le Mur se les ravalait en lui-même.* Bien que Meera

Reed eût le pied très sûr, elle y allait néanmoins tout doux, ne bougeant qu'à gestes comptés. En deux endroits où les marches étaient quasiment inexistantes, elle se laissa choir à quatre pattes. *Ce sera pire à la descente...*, songea Bran, tout yeux. Et, malgré cela, il aurait donné cher pour que ce soit lui, là-haut, contre la paroi. C'est quasiment en rampant sur les vagues ressauts de glace qui étaient tout ce qui restait des plus hautes marches que Meera finit par atteindre le faîte et y disparut.

« Quand redescendra-t-elle ? demanda Bran à Jojen.

— Quand elle en aura terminé. Elle va avoir envie de bien tout reluquer... – le Mur et ce qui se trouve au-delà. Nous devrions faire pareil ici, en bas.

— Hodor ? fit Hodor d'un ton sceptique.

— Il se pourrait que nous trouvions quelque chose », décréta Jojen.

Ou que quelque chose nous trouve. Mais Bran préféra garder la réflexion pour lui. Il n'avait pas la moindre envie de passer pour un pleutre aux yeux de Jojen.

Ainsi partirent-ils en exploration, Jojen Reed menant le train, Bran juché dans sa hotte sur le dos d'Hodor, Été trottinant à leurs côtés. Une fois, le loup-garou s'engouffra tout à coup dans les ténèbres d'une porte et, lorsqu'il reparut, ses mâchoires tenaient un rat gris. *Le Rat Coq*, songea Bran, avant de s'avouer que la couleur du poil n'était pas la bonne, et la taille, celle d'un matou, non plus. Le Rat Coq était blanc, lui, et presque aussi colossal qu'une truie...

Des portes pleines de ténèbres, ça pullulait, à Fort Nox, comme y pullulaient les rats. Bran ne les entendait que trop grouiller dans les souillardes et dans les caves et dans les labyrinthes de tunnels qui, d'un noir de poix, vagabondaient des unes aux autres. Jojen serait volontiers descendu jeter un coup d'œil là-dedans, mais à peine s'en ouvrit-il à eux que « *Hodor* », fit Hodor, et que Bran dit : « Non. » Il y avait des choses pires que les rats, dans les ténèbres, sous Fort Nox.

« Ça m'a l'air d'être très très vieux, ici, déclara Jojen comme on suivait une galerie par les baies dévastées de laquelle le soleil dardait des rayons poudreux.

— Deux fois plus vieux que Châteaunoir, lui apprit Bran, fort de ses souvenirs. Ce château fut le premier que l'on construisit sur le Mur, et le plus vaste aussi. » Mais il avait également été le premier à être déserté, et ce dès l'époque du Vieux Roi. D'un entretien trop onéreux, il se trouvait, même alors, aux trois quarts laissé à l'abandon. La bonne Reine Alysanne avait suggéré à la Garde de le remplacer par un château de moindres dimensions qui pourrait se dresser, sept milles à peine plus à l'est, là où le Mur s'incurvait sur les bords d'un lac émeraude sombre. Et c'est ainsi qu'une fois Noirlac payé par les joyaux de la reine et bâti par les gens que le Vieux Roi avait spécialement dépêchés au nord, les frères noirs en étaient venus à confier le soin de Fort Nox aux rats.

Seulement, il s'était écoulé deux siècles, depuis. Aujourd'hui, Noirlac était aussi désert que le château qu'il avait supplanté, et Fort Nox...

« Il y a des fantômes, ici », dit Bran. Hodor connaissait déjà toutes les histoires, mais Jojen pas forcément. « Des fantômes *très très vieux*, d'avant le Vieux Roi, d'avant même Aegon le Dragon, soixante-dix-neuf déserteurs qui partirent se faire bandits dans le sud. L'un d'entre eux était le plus jeune fils de lord Ryswell, alors, quand ils arrivèrent dans le coin des tertres, ils coururent chercher refuge dans son château, mais lord Ryswell les mit au cachot puis les renvoya à Fort Nox. Le lord Commandant avait fait tailler des trous dans la glace au sommet du Mur, on y jeta les déserteurs, et on les emmura vivants. Ils sont munis de piques et de cors et sont tous tournés face au nord. Les soixante-dix-neuf sentinelles, on les appelle. Comme ils avaient abandonné leurs postes durant leur vie, morts, ils sont condamnés à monter la garde éternellement. L'âge venu, la mort venant, lord Ryswell se fit, bien des années après, transporter à Fort Nox afin d'y prendre le noir et de se retrouver aux côtés de son fils. Il ne l'avait jadis renvoyé au Mur que pour satisfaire à l'honneur, mais, l'aimant encore comme au premier jour, il venait maintenant partager sa garde. »

Ils passèrent la moitié de la journée à fureter un peu partout dans le château. Certaines des tours s'étaient écroulées, d'autres semblaient peu sûres, mais ils grimpèrent en haut du beffroi (les cloches avaient disparu) et dans la roukerie (les oiseaux avaient disparu). Ils découvrirent dans les caves voûtées de la brasserie de gigantesques foudres de bois qui tonnèrent creux quand Hodor se mit à toquer dessus. Ils découvrirent une bibliothèque (les étagères et les casiers s'étaient effondrés, les livres avaient disparu, et il y avait des rats dans tous les recoins). Ils découvrirent un cachot humide et obscur qui comportait assez de cellules pour abriter cinq cents captifs, mais le barreau rouillé qu'agrippa Bran lui resta dans la main. De la grande salle ne subsistait qu'un mur, un seul et menaçant ruine, les bains avaient l'air de sombrer dans la terre, et un prodigieux roncier s'était arrogé, devant l'armurerie, la cour où les frères noirs avaient jadis fait l'exercice et manié l'épée, la pique et le bouclier. La forge était en revanche, ainsi que l'armurerie, toujours debout, mais les lames, les soufflets, l'enclume avaient cédé la place aux toiles d'araignées, aux rats et à la poussière. Par moments, Été percevait des sons auxquels Bran se révélait sourd, ou bien il découvrait ses crocs vis-à-vis de rien, l'échine hérissée..., mais le Rat Coq ne fit aucune apparition, non plus que les soixante-dix-neuf sentinelles ou Hache-en-folie. Bran en fut extrêmement soulagé. *Peut-être au fond n'y a-t-il là que les ruines d'un château désert.*

Quand revint Meera, le soleil n'était plus qu'à un fil d'épée des collines occidentales. « Qu'as-tu vu ? lui demanda son frère.

— J'ai vu la forêt hantée, répondit-elle d'un ton lourd de nostalgie. Des collines sauvages à perte de vue, couvertes d'arbres qu'aucune cognée n'a jamais touchés. J'ai vu étinceler un lac avec tout l'éclat du soleil et des nuages accourir en masse de l'ouest. J'ai vu des flaques de vieille neige et des stalactites de glace aussi longues que des pertuisanes. J'ai même vu un aigle planer en cercle. Je crois que lui aussi m'a vue. Je lui ai fait signe.

— As-tu vu un chemin pour descendre ? » demanda Jojen.

Elle secoua la tête. « Non. La paroi est à pic, et la glace tellement lisse... J'aurais été capable à la rigueur d'opérer la descente si j'avais eu une bonne corde et une hache pour me tailler des prises pour les mains, mais...

— ... mais nous, non, termina Jojen.

— Non, reconnut-elle. Es-tu certain que cet endroit soit celui que tu as vu durant ton rêve ? Peut-être n'est-ce pas le bon château que nous tenons là.

— Si. C'est bien le bon. Il y a une porte, ici. »

Oui, songea Bran, *mais murée de pierres et de glace.*

Alors que le soleil commençait à sombrer, tandis que les ombres des tours s'allongeaient indéfiniment, le vent se mit à souffler avec plus de violence et à soulever des rafales crissantes de feuilles mortes au travers des cours. Devant l'obscurité grandissante, Bran se ressouvint d'un autre des contes de Vieille Nan, le conte du roi de la Nuit. Le treizième homme à avoir conduit la Garde de Nuit, prétendait-elle, et un guerrier qui ne connaissait pas la peur. « Et c'était là son vice, car la peur, ajoutait-elle immanquablement, tous les hommes doivent la connaître. » Une femme avait causé sa perte, une femme entr'aperçue du sommet du Mur et qui avait la peau aussi blanche que la lune et des yeux semblables à des étoiles bleues. Et lui qui ne craignait rien au monde, il la poursuivit, la rattrapa, l'aima, bien qu'elle eût la peau aussi froide que la glace, et, en lui donnant sa semence, il lui donna son âme aussi.

Il la ramena à Fort Nox et la proclama reine et se proclama lui-même son roi, non sans asservir à sa volonté les frères jurés par des maléfices étranges. Treize années dura le règne du roi de la Nuit et de son cadavre de reine, treize, avant qu'enfin le Stark de Winterfell et le Joramun sauvageon ne se liguent afin d'affranchir la Garde de sa tutelle. Et lorsque, après sa chute, il s'avéra qu'il avait offert des sacrifices aux Autres, on anéantit toute trace de sa mémoire, et son nom même fut proscrit.

« D'aucuns prétendent qu'il était un Bolton, ne manquait jamais de conclure Vieille Nan. D'aucuns prétendent qu'il était un magnar de Skagos, d'aucuns prétendent un Omble, un Flint, un Norroit. D'aucuns voudraient vous faire accroire qu'il était un de ces Piébois qui gouvernaient l'île-aux-Ours avant l'arrivée des Fer-nés. Il ne fut jamais rien de tel. Il était un Stark, le propre frère de celui qui le renversa. » Elle pinçait alors le nez de Bran, et pas de sitôt, tiens, qu'il oublierait cela. « Il était un Stark de Winterfell et, qui sait ? peut-être bien qu'il s'appelait *Brandon*... Peut-être bien qu'il a dormi dans ce lit que voici, justement, et justement dans cette chambre-ci... »

Non, songea Bran, *mais il a bel et bien arpenté ce château dans lequel nous allons dormir cette nuit, nous.* Il n'était pas particulièrement séduit par cette perspective. Le jour, Vieille Nan le disait toujours, le roi de la Nuit n'était qu'un homme comme vous et moi, mais la nuit était son royaume. *Et il fait de plus en plus nuit.*

Les Reed décidèrent que l'on coucherait dans les cuisines, qui leur paraissaient devoir offrir un meilleur abri que la plupart des autres bâtiments, malgré leur coupole crevée vers laquelle, assoiffé de lumière, se déhanchait, blanchâtre et contrefait, le barral surgi d'entre le dallage d'ardoise, auprès de l'immense puits central. Un drôle de barral, à la vérité. Le plus squelettique d'abord qu'eût jamais vu Bran, puis sans face, en plus. Mais il vous donnait du moins l'impression que les anciens dieux se trouvaient avec vous, là, quelque part.

Même que c'était la seule chose à peu près plaisante, dans ces cuisines. Bon, il y restait bien assez de toit pour qu'on soit à couvert s'il se remettait à pleuvoir, mais quant à jamais avoir *chaud*, là-dedans, c'était une tout autre affaire. Le froid, vous le sentiez suinter du dallage, en catimini. Puis ces ombres, toutes ces ombres, oh, qu'il n'aimait pas ça... ! Ni les gigantesques fours de brique, tout autour de lui, avec leurs gueules grandes ouvertes.

Ni les crocs à viande pourris de rouille, ni les entailles et les taches qui se voyaient, le long d'un mur, sur la table de boucherie. *C'est là-dessus*, se persuada-t-il, *que le Rat Coq débita le prince, et dans l'un de ces fours qu'il fit cuire sa tourte.*

Au demeurant, ce qu'il y avait là de moins à son goût, c'était le puits. Il était large d'une bonne douzaine de pieds, tout en pierre, et il comportait, implantées en son sein, des *marches* qui plongeaient vers les ténèbres en tournant, tournant. Sa maçonnerie moite était couverte de salpêtre, mais aucun d'entre eux, pas même Meera, malgré son regard acéré de chasseur, n'avait réussi à discerner l'eau, tout au fond. « Peut-être qu'il n'a pas de fond », supposa Bran d'une voix pas très assurée.

Hodor risqua un œil par-dessus la margelle – elle lui montait à peu près au genou – puis lança : « HODOR ! », que le puits reprit en échos successifs, « hodorhodorhodorhodor », qui allèrent en s'affaiblissant, « hodorhodorhodorhodor », jusqu'à n'être plus guère qu'un chuchotement. Hodor eut l'air abasourdi. Puis il se mit à rire et se baissa pour ramasser par terre un morceau d'ardoise.

« Hodor, *non* ! » cria Bran, mais il était trop tard. Hodor venait de jeter l'ardoise par-dessus bord. « Tu n'aurais pas dû faire ça. Tu ne sais pas ce qui se trouve là-bas dessous. Tu pourrais avoir blessé quelque chose ou bien... – ou bien réveillé quelque chose. »

Hodor le lorgna d'un air innocent. « Hodor ? »

De loin, loin, loin dessous leur parvint enfin le bruit de la pierre atteignant l'eau. Ce n'était pas un *plouf*, pas vraiment. C'était plutôt un *ouf*, comme si ça, le truc qui se trouvait en bas, quoi, ç'avait ouvert une bouche toute grelottante et gobé d'un coup l'ardoise d'Hodor. Là-dessus, le puits régurgita de vagues échos, et Bran eut un moment l'impression d'entendre bouger quelque chose, d'entendre barboter dans l'eau. « Nous ferions peut-être mieux de ne pas rester là, dit-il avec anxiété.

— Près du puits ? demanda Meera. Ou à Fort Nox ?

— Oui », affirma Bran.

Elle se mit à rire et puis dépêcha Hodor ramasser du bois. Été s'esquiva aussi. Avec la nuit presque tombée l'empoignait l'envie de chasser.

Hodor revint les bras chargés de bois mort et de branches brisées. Jojen Reed s'arma de son poignard et de son briquet et entreprit de faire démarrer le feu, pendant que Meera vidait les poissons qu'elle avait harponnés au passage du dernier ruisseau. Bran se demanda combien d'années s'étaient écoulées depuis qu'il n'avait été apprêté de repas dans les cuisines de Fort Nox. Il se demanda aussi qui diable avait pu s'en charger, mais mieux valait peut-être l'ignorer, justement.

Quand le feu se fut mis à flamber haut et clair, Meera posa le poisson dessus. *Au moins n'est-ce pas une tourte.* Le Rat Coq avait mitonné le prince andal dans une énorme croûte, avec des oignons, des carottes, des champignons, des masses de poivre et de sel, une bonne tranche de lard fumé, plus un rouge de Dorne on ne peut plus sombre, et puis il l'avait servi à son père qui, non content d'en vanter le goût, en réclama une seconde portion. À la suite de quoi les dieux, métamorphosant le cuisinier en un monstrueux rat blanc, l'avaient condamné à ne manger rien d'autre que ses propres petits. Il hantait Fort Nox depuis lors mais, si fort qu'il s'y repût de sa progéniture, sa faim demeurait toujours inassouvie. « Or, ce ne fut pas le meurtre perpétré qui lui valut la malédiction divine, disait Vieille Nan, ni le fait d'avoir servi au roi andal son propre fils en tourte. La vengeance est un droit de l'homme. Mais il avait tué un *hôte* sous son propre toit, et, ce crimelà, les dieux ne sauraient en aucune manière le pardonner. »

« Nous ferions bien de dormir », dit Jojen d'un ton solennel, sitôt que l'on fut rassasié. Le feu commençait à baisser. Il le tisonna du bout d'un bâton. « Peut-être aurai-je un nouveau rêve vert qui nous indiquerait la voie. »

À peine en boule, Hodor se mit à ronfloter. De temps à autre, il s'agitait sous son manteau et exhalait en un gémissement quelque chose qui avait quelque chance d'être « hodor ». À force de se tortiller, Bran réussit à se rapprocher du feu. C'était bon, d'avoir chaud, et le léger crépitement des flammes était apaisant, mais quant à s'assoupir, hélas, peine perdue. Dehors, le vent mettait en mouvement des cohortes de feuilles mortes qui, de cour en cour, allaient timidement gratter à chaque porte et chaque fenêtre. Et ces bruits rappelaient forcément les contes de Vieille Nan. Peu s'en fallait qu'il n'entendît les sentinelles fantômes s'interpeller làhaut, tout en haut du Mur, et sonner de leurs cors fantômes. Le clair de lune blême qui se faufilait en biais par le trou béant de la voûte barbouillait de blanc les blanches branches que le barral brandissait convulsivement vers ce bout de ciel. On aurait juré que l'arbre essayait d'agripper la lune pour l'entraîner au fond du puits. *Si vous m'entendez, dieux anciens*, se mit à prier Bran, *n'envoyez pas de rêve, cette nuit. Ou bien, si vous en envoyez un, faites qu'il soit bon.* Les dieux ne répondirent ni oui ni non.

Bran se contraignit à fermer les yeux. Peut-être même qu'il dormit un brin, ou bien peut-être qu'il somnolait, voilà tout, qu'il flottait comme on fait lors-

qu'on est à demi éveillé, à demi assoupi, qu'il somnolait donc, tout en s'efforçant de ne pas penser au
Rat Coq ou à Hache-en-folie ou à la chose qui venait
la nuit.

Et puis il entendit le bruit.

Ses yeux se rouvrirent. *Qu'est-ce que c'était ?* Il
retint son souffle. *L'ai-je rêvé ? Étais-je encore en
train de faire un de ces cauchemars stupides ?* Il
répugnait à réveiller Meera et Jojen pour un mauvais
rêve, et cependant... *là...* comme un léger bruit de
bagarre, dans le lointain. *Des feuilles, ce sont des
feuilles qui grattent les murs, dehors, et s'entrechoquent, ou le vent, ça pourrait être le vent, oui...* Seulement, le bruit ne venait pas du dehors. Bran sentit
le duvet de ses bras commencer à se hérisser. *Le
bruit est dedans, il est ici même, avec nous, dedans,
et il est en train de devenir plus fort.* Il se dressa sur
un coude, l'oreille tendue. Il y avait *bien* du vent, il
y avait *bien* des volées de feuilles, aussi, mais il y
avait encore quelque chose d'autre. *Des pas.* Il
y avait quelqu'un qui venait par là. Quelque *chose*
qui venait par là.

Ce n'étaient pas les sentinelles, se convainquit-il.
Les sentinelles ne quittaient jamais le Mur. Mais il
se pouvait fort qu'il y eût d'autres fantômes, à Fort
Nox, et des fantômes d'une espèce encore plus terrible. Il se rappela tout ce que Vieille Nan avait dit
de Hache-en-folie ; qu'il retirait ses bottes et rôdait
de salle en salle dans le noir, nu-pieds, sans jamais
faire le moindre bruit pour te dire où il se trouvait,
sinon le bruit du sang qui dégouttait, goutte à goutte,
et de sa hache et de ses coudes et du bas de sa
barbe, toute rouge, tout imbibée. Mais peut-être
n'était-ce pas là du tout Hache-en-folie, peut-être
était-ce la chose qui venait la nuit. « Les petits
apprentis avaient tous eu beau la voir, disait Vieille

Nan, eh bien, après, voilà-t-il pas que, pour en parler à leur lord Commandant..., les descriptions qu'ils en firent furent toutes différentes ? » *Et trois d'entre eux moururent dans l'année, et le quatrième devint fou, et quand, cent ans plus tard, la chose revint de nouveau, les témoins virent qu'à sa suite, enchaînés, se traînaient les petits apprentis.*

Mais ce n'était qu'un conte, bah. Il était simplement en train de s'effrayer tout seul. Il n'en existait pas, de chose qui vienne la nuit, mestre Luwin avait été formel. S'il en avait jamais existé de pareille, eh bien, elle n'était plus de ce monde, maintenant, pas plus que les géants et les dragons. *Ce n'est rien*, se dit Bran.

Mais les bruits étaient désormais plus forts.

Ça vient du puits, saisit-il tout à coup. Ce qui ne fit qu'aggraver sa frousse. Quelque chose était en train de venir de dessous la terre, en train de venir du fond des ténèbres. *Hodor l'a réveillé. Il l'a réveillé avec son bout d'ardoise idiot, et voilà que ça vient.* C'était dur d'entendre, sous les ronflements d'Hodor et sous la chamade, que son propre cœur battait follement. C'était quoi, ce bruit ? Le bruit que faisait le sang dégouttant d'une hache ? Ou bien était-ce le léger, le lointain cliquetis de chaînes fantômes ? Bran redoubla d'attention. *Des pas.* C'étaient indubitablement des pas, chacun d'eux plus fort un rien que le précédent. Mais combien, cela, impossible à dire. Le puits se plaisait à multiplier les échos. Il ne se percevait là aucune espèce de dégouttement, non, ni le moindre cliquetis de chaînes, mais il y avait *bel et bien* quelque chose d'autre..., une sorte de son ténu, strident, geignard comme de quelqu'un qui souffre, et un halètement lourd et feutré. Mais c'étaient les pas qui s'entendaient le mieux. Les pas en train de se rapprocher.

Bran crevait trop de peur pour pouvoir crier. Le feu s'était consumé jusqu'à n'être plus que de vagues braises, et ses amis dormaient, tous les trois. Il faillit se glisser hors de sa peau pour rejoindre son loup, mais Été risquait de se trouver à des lieues de là. Puis pouvait-il abandonner ses amis et les laisser là, dans le noir, affronter sans défense – affronter quoi ? – affronter ce qui était en train de venir et qui allait – qui allait sortir tôt ou tard du puits ? *Je leur avais dit de ne pas venir ici*, songea-t-il lamentablement. *Je leur avais dit qu'il s'y trouvait des fantômes. Je leur avais dit que nous ferions bien mieux d'aller à Châteaunoir.*

Les pas lui faisaient, avec leur lenteur, leur pesanteur, leur façon d'érafler les marches, l'effet d'être ceux d'une masse en plomb. *Ça doit être énorme.* Les contes de Vieille Nan faisaient de Hache-en-folie plus ou moins un colosse, et de la chose qui venait la nuit, là, franchement, une monstruosité. À Winterfell, dans le temps, Sansa s'était portée garante que les démons des ténèbres ne pouvaient pas te toucher si tu te cachais bien sous tes couvertures. La tentation le prit de le faire, et il se trouvait près d'y céder quand il se souvint de ce qu'il était, un prince et presque un homme fait.

En se tortillant comme un ver, il réussit à traîner ses jambes mortes jusqu'au coin où dormait Meera et, s'étirant de son mieux, à lui toucher un pied. Elle s'éveilla instantanément. Jamais il n'avait connu personne qui s'éveille aussi vite que Meera Reed ou qui soit d'attaque aussi promptement. Il se mit un doigt sur les lèvres pour l'avertir de ne pas parler. Tout de suite, il le lut sur sa physionomie, elle entendit le bruit – les pas et leurs échos, le halètement lourd et le vague vague son geignard.

Sans un mot, Meera se leva, récupéra ses armes

puis, son trident à grenouilles dans la main droite et, prêt à se déployer, son filet dans la gauche, elle se glissa, nu-pieds, vers le puits. Jojen dormait toujours, sans se douter de rien, tandis que dans son sommeil Hodor n'arrêtait pas de marmonner tout en se démenant. Attentive à toujours demeurer dans l'ombre, Meera contourna le rayon de lune, aussi silencieuse qu'un chat. Et Bran avait beau ne pas la lâcher de l'œil un instant, c'est à peine s'il discernait sur sa pique l'infime reflet laiteux. *Je ne peux pas la laisser combattre la chose toute seule*, songea-t-il. Été se trouvait au loin, mais...

... Bran quitta sa peau pour essayer d'endosser celle d'Hodor.

Seulement, ce n'était pas comme se glisser dans celle du loup-garou. Avec ce dernier, c'était devenu tellement facile qu'il le faisait presque sans y penser. Là, c'était plus dur, c'était comme quand tu tâchais d'enfiler ta botte de gauche au pied droit. Ça t'allait tout de travers, et la botte était *affolée*, en plus, la botte ne comprenait pas ce qui lui arrivait, la botte refoulait le pied de toutes ses forces. La saveur de vomi qu'il tasta dans l'arrière-gorge d'Hodor faillit suffire à le mettre en fuite. Au lieu de quoi il se trémoussa, poussa, se mit sur son séant, rassembla ses jambes sous lui – ses jambes énormes et tout en muscles – et se leva. *Je me tiens debout.* Fit un pas. *Je marche.* Cela lui fit éprouver une sensation tellement bizarre qu'il manqua tomber. Il lui était possible de se voir, là, sur les dalles de pierre froide, un petit truc, une babiole, démantibulé, mais, démantibulé, il ne l'était plus. Il empoigna la rapière d'Hodor. Ça haletait maintenant aussi bruyamment que des soufflets de forgeron.

Du puits surgit une sorte de feulement, de *miaaaou* perçant qui lui fit l'effet d'un coup de poignard. En voyant une énorme forme noire se hisser péniblement dans les ténèbres puis se mettre à tanguer vers le clair de lune, Bran fut envahi d'une peur tellement panique qu'avant d'avoir seulement pu *penser* à tirer l'épée d'Hodor comme il s'était promis de le faire il se retrouva de nouveau par terre, dans sa propre peau, tandis qu'Hodor mugissait aussi follement : « *Hodor hodor HODOR* », que la nuit où la foudre s'amusait à prendre pour cible la tour du lac. Seulement, la chose qui venait la nuit poussait elle-même des glapissements, tout en se débattant farouchement dans les plis du filet de Meera. Bran vit le trident fuser des ténèbres afin de frapper la chose, et il vit la chose tituber, tomber, s'enchevê-trer toujours plus avant dans les rets. Du puits per-sistait à monter, mais beaucoup plus net désormais, le miaulement plaintif. Alors que la chose noire, affalée, piaillait en se démenant sur les dalles : « *Non ! non ! pas ça, s'il vous plaît..., NO-OON... !* »

Meera lui était dessus, et le clair de lune argentait les dents de sa pique à grenouilles. « Qui êtes-vous ? demanda-t-elle impérieusement.

— *SAM... !* hoqueta la chose noire. Je suis Sam, Sam, Sam je suis, délivrez-*moi*..., vous m'avez *blessé*... ! » Il se roulait dans la flaque de clair de lune, et il achevait de s'empêtrer dans les mailles qui l'emprisonnaient toujours plus étroitement. « Hodor hodor hodor », continuait à beugler pour sa part Hodor.

C'est Jojen qui eut le bon esprit de jeter du bois sur le feu puis de souffler dessus jusqu'à ce que s'en élèvent en pétillant des flammes. À la faveur de la lumière qui se fit alors, Bran aperçut la fille qui, toute pâle et maigre, à la bouche du puits, tout emmitou-flée de fourrures et de peaux sous un manteau noir gigantesque, cherchait à faire taire le nouveau-né

qu'elle tenait entre ses bras. La chose par terre cherchait, elle, à dégager l'un de ses bras pour attraper
son couteau, mais le filet le lui interdisait. Elle n'avait
absolument rien d'un fauve monstrueux, ni même
de Hache-en-folie dégouttant de sang, elle n'était
qu'un grand gars obèse tout empaqueté de lainages
noirs et de fourrure noire et de cuir noir et de maille
noire. « C'est un frère noir, dit Bran. Il appartient à
la Garde de Nuit, Meera.

— Hodor ? » Hodor se mit à croupetons pour reluquer l'homme pris dans le filet. « Hodor, fit-il encore,
mais cette fois comme en s'esclaffant.

— La Garde de Nuit, oui. » L'obèse haletait toujours comme un soufflet de forge. « Je suis un frère
de la Garde. » Comprimant ses fanons, l'une des
cordes l'obligeait à relever la tête, et d'autres s'im-
primaient profondément dans le gras des joues.
« Un corbeau je suis, s'il vous plaît. Tirez-moi de ce
machin-là. »

Bran fut brusquement assailli d'un doute. « C'est
vous, la corneille à trois yeux ? » *C'est impossible
qu'il soit la corneille à trois yeux.*

« Je ne crois pas. » L'obèse eut beau rouler des
yeux, non, il n'en avait que deux. « Je ne suis que
Sam. Samwell Tarly. Tirez-moi de *là*, ça fait mal, à
la fin... » Il recommença à se débattre.

Meera fit entendre un son de dégoût. « Arrêtez
donc de gigoter. Si vous me déchirez mon filet, je
vous reflanque au fond du puits. Tenez-vous seulement tranquille, je vais vous démêler ça.

— Qui es-tu ? demanda Jojen à la fille qui portait
l'enfant.

— Vère, dit-elle. À cause de la primevère. Et c'est
Sam, lui. On a jamais voulu vous faire peur. » Elle
berça son petit tout en murmurant, et il finit par
cesser de pleurer.

Meera s'affairait à délivrer le gros lard de frère. Jojen s'approcha du puits et y jeta un œil. « Vous arrivez d'où ?

— De chez Craster, fit la fille. C'est vous, le bon ? » Jojen la dévisagea vivement. « Le bon... ?

— Il a dit que Sam était pas le bon, expliqua-t-elle. C'était quelqu'un d'autre, il a dit, le bon. Celui qu'on l'avait envoyé chercher.

— Qui l'a dit ? s'enquit Bran d'un ton pressant.

— Mains-froides », répondit Vère, tout bas.

Meera releva l'un des pans de son filet, et l'obèse en profita pour retrouver vaille que vaille son séant. Il était tout tremblant, remarqua Bran, et il avait toujours autant de mal à recouvrer son souffle. « Il a dit qu'il y aurait des gens, haleta-t-il. Dans le château, ces gens. Mais je ne savais pas que je tomberais sur vous juste en haut des marches. Je ne savais pas que vous alliez me jeter un filet dessus ou me larder le ventre. » Il se le tâta d'une main gantée de noir. « Est-ce que je saigne ? Je ne peux pas voir...

— Je n'ai piqué que pour vous faire perdre l'équilibre, dit Meera. Enfin, montrez toujours. » Elle mit un genou en terre et palpa l'homme autour du nombril. « Mais vous portez de la *maille*... ! Je ne vous ai pas seulement éraflé la peau...

— Eh bien, n'empêche que ça m'a fait mal quand même, gémit Sam.

— Vous êtes *vraiment* un frère de la Garde de Nuit ? » lança Bran.

Les fanons de l'obèse se trémoussèrent quand il acquiesça d'un hochement. Il avait la peau flasque et blafarde. « Rien qu'à l'intendance. C'est moi qui soignais les corbeaux de lord Mormont. » Il parut être un moment sur le point d'éclater en sanglots. « Je les ai perdus au Poing, toutefois. Par ma seule faute. Et puis c'est nous-mêmes que j'ai perdus. Je n'ai pas même été fichu de retrouver le Mur. Il a cent lieues de long et sept cents pieds de haut, et *je n'ai pas été fichu de le retrouver !*

— Eh bien, ça y est, vous le tenez, maintenant, dit Meera. Soulevez-moi donc votre croupe, un peu, que je récupère mon filet.

— Comment vous y êtes-vous pris pour franchir le Mur ? demanda Jojen, pendant que Sam se remettait pesamment sur pied. Est-ce que le puits permet d'accéder à une rivière souterraine, et c'est de là que vous venez ? Vous n'êtes même pas mouillé...

— Il y a une porte, dit le gros Sam. Une porte dérobée, aussi ancienne que le Mur lui-même. *La porte Noire*, il l'a appelée. »

Les Reed échangèrent un coup d'œil. « Nous trouverons cette porte au fond du puits ? » demanda Jojen.

Sam secoua la tête. « *Vous*, non. Il me faut vous y mener moi-même.

— Pourquoi cela ? regimba Meera. S'il y a une porte...

— Vous ne la découvririez pas. Et la découvririez-vous qu'elle ne s'ouvrirait pas. Pas pour vous. C'est la porte *Noire*. » Sam pinça le noir délavé de sa manche. « Il n'y a qu'un homme de la Garde de Nuit qui puisse l'ouvrir, il a dit. Un frère juré qui a prononcé ses vœux.

— *Il* a dit. » Jojen se renfrogna. « Ce... Mains-froides ?

— Ce n'était pas son vrai nom, précisa Vère sans cesser de bercer l'enfant. C'est rien que nous, moi et Sam, qu'on l'a appelé comme ça. Parce que ses mains étaient froides comme de la glace, mais il nous a sauvés des morts, lui et ses corbeaux, et il nous a tous les trois pris jusqu'ici en croupe sur son orignac.

— Son orignac ? répéta Bran, émerveillé.

— Son orignac ? fit Meera, suffoquée.

— Ses *corbeaux* ? fit Jojen.

— Hodor ? fit Hodor.

— Était-il vert ? » Bran brûlait de savoir. « Est-ce qu'il avait des andouillers ? »

L'obèse perdit pied. « L'orignac ?

— *Mains-froides !* s'impatienta Bran. Les hommes verts montent des orignacs, Vieille Nan le disait toujours. Et, parfois, ils ont aussi des andouillers.

— Ce n'était pas un homme vert. Il était tout vêtu de noir, comme un frère de la Garde, mais il était aussi pâle qu'une créature, et il avait les mains si glacées que ça m'a terrifié, d'abord. Mais les créatures ont des yeux bleus, et elles n'ont pas de langue, ou alors elles ont oublié comment on s'en sert. » L'obèse se tourna vers Jojen. « Nous le faisons attendre. Il faudrait y aller. Vous n'avez rien de plus chaud à vous mettre sur le dos ? Il fait froid, à la porte Noire, et encore plus froid de l'autre côté du Mur. Vous...

— Pourquoi n'est-il pas venu avec vous ? » Meera montra d'un geste Vère et son enfant. « *Eux* vous ont bien accompagné, pourquoi pas lui ? Pourquoi ne l'avez-vous pas amené par cette fameuse porte Noire, lui aussi ?

— Il... – il ne peut pas.

— Pourquoi pas ?

— Le Mur. Le Mur est bien plus qu'un simple amas de glace et de pierre, il a dit. Des sortilèges y sont ourdis..., des très très anciens, très puissants. Lui ne peut pas passer au-delà du Mur. »

Il se fit alors un silence tellement profond dans les cuisines du château que Bran percevait sans avoir à tendre l'oreille l'infime crépitement des flammes, le crissement des feuilles agitées par le vent nocturne, les craquements du barral qui s'éreintait toujours à saisir la lune. *Au-delà des portes vivent les monstres et les géants et les goules*, se souvint-il que Vieille Nan disait, *mais il leur est impossible de les franchir aussi longtemps que le Mur se dresse là dans toute sa force. Aussi, dors en paix, mon petit Brandon, endors-toi, bout de chou chéri. Tu n'as rien à craindre. Il n'y a pas de monstres, ici.*

« Je ne suis pas non plus le bon, dit Jojen Reed à ce gros lard de Sam qui trouvait le moyen de flotter dans ses noirs crasseux, je ne suis pas celui qu'on vous a chargé de ramener. Le bon, c'est *lui*.

— Oh. » Sam abaissa sur Bran un regard des plus incertains. Peut-être venait-il tout juste de s'apercevoir qu'il avait affaire à un estropié. « Je... je n'ai... je ne suis pas assez fort pour vous porter, je...

— J'ai Hodor, pour ça. » Bran indiqua sa hotte d'un geste. « Je circule là-dedans, perché sur son dos. »

Sam le regardait fixement. « Vous êtes le frère de Jon Snow. Celui qui est tombé de...

— Non, dit Jojen. Ce garçon-là est mort.

— Chut, avertit Bran. De grâce. »

Après avoir eu l'air un bon moment déconcerté, Sam finit par bredouiller : « Je... je suis capable de garder un secret. Vère aussi. » Il la consulta d'un coup d'œil, et elle acquiesça d'un signe de tête. « Jon... Jon était aussi mon frère *à moi*. Il était le meilleur ami que j'aie jamais eu, mais il est parti en reconnaissance dans les Crocgivre avec Qhorin Mimain, et il n'en est pas revenu. Nous l'attendions sur le Poing, nous, quand... quand...

— Jon se trouve de ce côté-ci, dit Bran. Été l'a vu. Il était en compagnie de sauvageons, mais ils

337

ont tué un homme, et lui s'est emparé d'un cheval et enfui. Je gagerais volontiers qu'il est parti pour Châteaunoir. »

Sam tourna de grands yeux vers Meera. « Vous êtes sûre que c'était Jon ? Vous l'avez vu de vos propres yeux ?

— Moi, c'est Meera, dit Meera avec un sourire. Été est... »

Une ombre se détacha de la coupole béante, au-dessus d'eux, et bondit dans le clair de lune. En dépit de sa patte blessée, le loup toucha terre sans plus de bruit ni de pesanteur qu'un flocon de neige. Un hoquet d'effroi échappa à la petite Vère qui referma si violemment les bras sur lui que son enfant se remit à pleurer.

« Il ne vous fera pas de mal, dit Bran. C'est *lui*, Été.

— Jon le disait bien, que vous aviez tous un loup chacun. » Sam retira l'un de ses gants. « Je connais Fantôme. » Il étendit une main tremblante aux doigts blanchâtres et lisses et dodus comme de petites saucisses. Été s'en approcha à pas feutrés, les flaira, les gratifia d'un coup de langue.

Du coup, Bran cessa de balancer. « Nous viendrons avec vous.

— Tous ? » Sam ne dissimulait même pas son étonnement.

Meera ébouriffa les cheveux de Bran. « Il est notre prince. »

Été, lui, faisait le tour du puits en reniflant. Il s'immobilisa près de la marche supérieure et se retourna vers Bran. *Il brûle d'y aller.*

« Vère ne risque rien, si je la laisse ici jusqu'à mon retour ? leur demanda Sam.

— Sans doute pas, dit Meera. Elle est la bienvenue auprès de notre feu.

— Le château est désert », ajouta Jojen.

Vère jeta un regard circulaire. « Craster nous racontait des tas d'histoires sur les châteaux, mais penser que ça serait si grand, ça, j'aurais jamais. »

Et ce ne sont que les cuisines. Bran se demanda ce qu'elle penserait en voyant Winterfell, si tant est qu'elle le vît un jour.

Il ne leur fallut que quelques minutes pour rassembler leurs affaires et le hisser, lui, dans sa hotte d'osier, sur le dos d'Hodor. Vère s'était cependant installée près du feu pour donner le sein. « Vous reviendrez bien me chercher, n'est-ce pas ? demanda-t-elle à Sam quand elle les vit tous prêts à partir.

— Aussitôt que je le pourrai, promit-il, et puis nous irons nous mettre quelque part au chaud. » Ce qu'entendant, quelque chose en Bran s'inquiéta de l'aventure où il se jetait. *Irai-je plus jamais, moi, me mettre quelque part au chaud ?*

« Je vais passer le premier, je connais la route. » Au bord du trou, Sam parut hésiter. « C'est qu'il y en a des tas et des tas, de *marches*... », soupira-t-il avant de se décider à descendre. Jojen lui emboîta le pas, puis Été, puis Hodor chevauché par Bran. Meera ferma le ban, pique et filet au poing.

Ce fut une longue longue longue descente. Si le clair de lune en baignait la bouche, à chaque tour que l'on y faisait, le puits devenait de plus en plus sombre et de plus en plus resserré. L'écho des pas se répercutait indéfiniment sur la pierre humide de la paroi, et les rumeurs d'eau allaient sans cesse s'amplifiant. « N'aurions-nous pas dû emporter des torches ? demanda Jojen.

— Vos yeux vont s'accoutumer, répondit Sam. En laissant la main toujours au contact du mur, vous ne risquez pas de tomber. »

À chaque nouveau tour s'aggravait le froid et s'épaississaient les ténèbres. Et lorsque Bran, finalement, renversa sa tête en arrière pour évaluer le chemin parcouru, la margelle n'était, tout là-haut, pas plus grosse qu'une demi-lune. « *Hodor* », chuchota Hodor, et « *hodorhodorhodorhodorhodorhodor* », riposta le puits dans un chuchotement. Tout proches étaient désormais les tumultes d'eau, mais Bran eut beau se pencher pour scruter le noir, du noir fut tout ce qu'il vit.

Un ou deux tours plus loin, Sam s'arrêta subitement. Il n'avait jamais qu'un quart de tour d'avance sur Hodor, il se trouvait au pire six pieds plus bas, et Bran arrivait à peine à le discerner – mais la porte, oui, la porte, il la voyait. *La porte Noire*, Sam l'avait appelée, bien qu'elle ne fût pas noire, pas du tout.

Elle était de barral bien blanc, et elle portait une face.

Du bois émanait comme une lueur, une lueur laiteuse ou lunaire, si faible qu'elle ne semblait pas même effleurer quoi que ce soit d'autre que le panneau lui-même, pas même effleurer Sam qui se tenait juste devant, pourtant. La face était vieille et blême, toute fripée, toute rabougrie. *Elle a l'air morte.* Elle avait la bouche fermée, les paupières aussi ; les joues avalées, le front flétri, le menton décroché. *S'il était possible à un homme d'avoir vécu un millier d'années sans mourir et de continuer simplement à vieillir, sa figure pourrait à la longue en venir à ressembler à ça.*

La porte ouvrit les yeux.

Des yeux qui étaient eux aussi blanchâtres et qui n'y voyaient pas. « Qui es-tu ? » demanda la porte, et le puits chuchota : « *Qui-qui-qui-qui-qui-qui-qui-qui.* »

« Je suis l'épée dans les ténèbres, dit Samwell Tarly. Je suis le veilleur au rempart. Je suis le feu qui flambe contre le froid, la lumière qui rallume l'aube, le cor qui secoue les dormeurs. Je suis le bouclier protecteur des royaumes humains.

— Passe, alors », déclara la porte. Ses lèvres s'entrebâillèrent et s'ouvrirent et s'ouvrirent de plus en plus grand, de plus en plus grand, jusqu'à ce qu'enfin ne subsistât rien d'elle, rien qu'une vaste gueule béante entourée de rides. Sam fit un pas de côté et, d'un geste, invita Jojen à passer devant. Été suivit, la truffe en émoi, et puis ce fut au tour de Bran. Hodor se baissa bien, mais pas tout à fait assez. La lèvre supérieure de la porte frôla doucement le sommet du crâne de Bran, et une goutte d'eau s'en détacha qui, lentement, lui dégoulina tout le long du nez. Une goutte étrangement chaude c'était, et aussi salée qu'une larme.

DAENERYS

Meereen était aussi grande qu'Astapor et Yunkaï réunis. À l'instar de ses cités sœurs, elle était en briques, mais, au lieu d'être rouges comme celles d'Astapor ou jaunes comme celles de Yunkaï, ses briques à elle étaient multicolores. Plus hauts que ceux de Yunkaï et en meilleur état, ses remparts étaient ponctués de bastions et puissamment ancrés à chaque angle sur de grandes tours défensives. Derrière eux se détachait, tel un colosse au revers du ciel, le sommet de la Grande Pyramide, monstrueux machin de huit cents pieds de haut que couronnait une impressionnante harpie de bronze.

« Y a rien de si pleutre qu'une harpie, commenta Daario Naharis dès qu'il l'aperçut. Ç'a un cœur de femme et des pattes de poulet. Pas étonnant que ses fils se terrent derrière leurs murs. »

En tout cas, le héros ne se terra pas. Il franchit les portes de la ville revêtu d'une armure à écailles de cuivre et de jais, et les rayures roses et blanches du manteau de soie qui lui flottait aux épaules ornaient également les bardes de son destrier blanc. La lance entortillée de rose et de blanc qu'il portait n'avait pas moins de quatorze pieds de long, et ses cheveux étaient façonnés, choucroutés et laqués en forme de gigantesques cornes en volutes de bélier. Et d'aller venir en cet appareil au pied des murs de briques multicolores, mettant au défi les assiégeants d'envoyer un champion l'affronter en combat singulier.

Les sang-coureurs de Daenerys avaient tous les trois si follement envie d'y galoper qu'ils faillirent en venir aux mains. « Sang de mon sang, leur dit-elle, votre place est ici même, à mes côtés. Cet homme est une mouche bourdonnante et rien de plus. Ignorez-le, il sera bientôt renvolé. » Tout braves guerriers qu'ils étaient, Aggo, Jhogo et Rakharo avaient leur jeune âge contre eux, et elle avait en eux des auxiliaires trop précieux pour les laisser s'exposer en pure perte. La cohésion de son *khalasar*, c'est eux qui l'assuraient, et ils étaient aussi ses meilleurs éclaireurs.

« Sagement jugé, la complimenta ser Jorah, spectateur comme eux devant son pavillon. Laissons donc ce bouffon glapir et caracoler tout son soûl, il n'y gagnera finalement jamais qu'un cheval boiteux. Et il ne nous fait aucun mal.

— Si. » C'est Arstan Barbe-Blanche qui venait de s'inscrire en faux. « Les guerres ne se gagnent pas uniquement avec des piques et des épées, ser. Lorsque deux armées se rencontrent, elles peuvent bien être d'égale force, il en est une qui pliera et prendra la fuite, pendant que l'autre tiendra bon. Ce héros-là renforce le courage de ses propres hommes et sème le doute dans le cœur des nôtres. »

Ser Jorah émit un reniflement de mépris. « Et si d'aventure notre champion se trouvait défait, quel genre de semis cela donnerait-il ?

— Il ne remporte pas de victoires, celui qui appréhende la bataille, ser.

— Ce n'est pas de bataille que nous sommes en train de parler. Que ce bouffon tombe, et les portes de Meereen ne s'ouvriront pas pour autant. À quoi bon risquer une vie pour rien ?

— Pour l'honneur, je dirais.

— Assez, vous deux. » Elle avait son compte, et au-delà, d'ennuis qui la tracassaient sans qu'ils en rajoutent, avec leurs bisbilles. Les dangers qu'incarnait Meereen étant autrement sérieux qu'un héros rose et blanc beuglant des insultes, elle n'allait pas se laisser distraire par de pareilles futilités. Depuis Yunkaï, les effectifs de son ost se montaient à plus de quatre-vingt mille, mais avec là-dedans moins d'un quart de soldats. Les autres..., eh bien, les autres, ser Jorah les traitait de bouches-à-pattes, et le jour était imminent où la famine sévirait.

Les Grands Maîtres de Meereen s'étaient repliés au fur et à mesure qu'elle avançait, moissonnant le plus qu'ils pouvaient, brûlant ce qu'ils ne pouvaient moissonner. Champs incendiés, puits empoisonnés, voilà ce qui l'avait partout accueillie. Mais le pire de tout, c'est qu'ils avaient cloué un petit esclave sur chacune des bornes milliaires de la route côtière en provenance de Yunkaï, les y avaient cloués vivants, tripes à l'air et un bras constamment tendu pour indiquer la direction *Meereen*. Comme il conduisait l'avant-garde, Daario avait ordonné de retirer de là les gosses suppliciés pour en épargner le spectacle à Daenerys, mais elle, aussitôt informée du fait, avait exigé qu'ils y soient laissés. « Je *veux* les voir, avait-elle dit. Je veux voir chacun d'eux, je veux les compter, je veux contempler leurs visages. Et je veux me rappeler. »

Le temps d'atteindre Meereen, étalée sur la grève salée près de sa rivière, elle en avait dénombré cent soixante-trois. *Je veux cette ville, et je l'aurai*, s'était-elle juré tout autant de fois.

Ovationné du haut des murs par les défenseurs de Meereen, le héros rose et blanc provoqua les assiégeants une bonne heure d'affilée, les brocardant sur leurs attributs virils, ainsi que sur leurs mères et leurs femmes et leurs dieux. « Son nom est Oznak zo Pahl », apprit-elle de Brun Ben Prünh lorsque, en sa qualité de nouveau commandant des Puînés, celui-ci vint prendre part au conseil de guerre. Son élévation à ce poste, il ne la devait qu'au vote de ses pairs mercenaires. « J'ai servi de garde du corps à son oncle, autrefois, avant d'entrer dans les Puînés. Ces Grands Maîtres, quel tas d'asticots farcis. Leurs bonnes femmes étaient pas si pires, quoique ça vous coûtait la vie, loucher comme y fallait pas sur celle qu'y fallait pas. J'ai connu un type, un certain Scarb, que cet Oznak-là y a fait arracher le foie. Pour laver l'honneur d'une dame, à l'entendre, hein, que Scarb, y vous l'avait violée des yeux. Comment c'est que vous faites, vous, te demande un peu... ! pour violer une garce rien qu'avec des *yeux* ? Mais comme son oncle est le plus gros richard de Meereen, et que son père commande le Guet, m'a mieux valu filer comme un rat pour pas qu'y me tue aussi. »

Ils virent soudain Oznak zo Pahl sauter à bas de son destrier blanc, tripoter ses robes, extirper son membre et en diriger plus ou moins le jet vers le bosquet d'oliviers calcinés au milieu duquel se dressait le pavillon d'or de la reine. Il était encore en train de pisser quand Daario Naharis surgit au galop, son *arakh* au poing. « Votre Grâce désire-t-elle que j'y coupe ça pour le lui fourrer dans la bouche ? » En plein bleu de sa barbe en fourche étincelait l'or de sa dent.

« C'est sa ville que je désire, et non sa chétive virilité. » La moutarde lui montait au nez, tout de même. *Si je tolère cela plus longtemps, mon propre peuple me taxera de pusillanimité.* Mais qui envoyer ? Elle avait un aussi grand besoin de Daario que de ses sang-coureurs. Sans le flamboyant Tyroshi, elle ne disposerait d'aucune prise sur les Corbeaux Tornade qui pour bon nombre avaient été des partisans de Prendahl na Ghezn et de Sollir le Chauve.

En haut des remparts de Meereen, les huées ne s'étaient faites que plus vigoureuses, et voilà même que, prenant le relais du héros, des centaines de défenseurs manifestaient leur mépris des assiégeants en se mettant à pisser par-dessus le créneau. *C'est sur des esclaves qu'ils pissent, afin de nous montrer quel peu de peur nous leur inspirons*, songea-t-elle. *Jamais ils n'oseraient se conduire de la sorte si, devant leurs portes, c'était une armée dothraki qui campait.*

« Ce défi doit être relevé, répéta Arstan.

— Il va l'être, dit Daenerys, tandis que le héros rengainait son bien. Avertissez Belwas le Fort que j'ai besoin de lui. »

L'énorme eunuque basané fut trouvé bien peinard dans le pavillon, y dégustant une saucisse au frais. Il l'acheva en trois bouchées, torcha ses mains graisseuses sur ses culottes et dépêcha son vieil écuyer chercher l'*arakh* qu'il lui faisait affûter chaque matin puis bouchonner à l'huile rouge jusqu'à ce qu'il ait le poli lustré d'un miroir.

En recevant l'arme des mains d'Arstan Barbe-Blanche, Belwas le Fort en examina le fil avec une grimace, exhala un grognement, puis la reglissa dans son fourreau de cuir et boucla le baudrier sur ses prodigieux bourrelets. Arstan lui ayant également apporté son bouclier – un simple disque d'acier pas plus grand qu'un plat à tarte –, l'eunuque le prit dans sa main libre au lieu de l'enfiler à son avant-bras comme on faisait à Westeros. « Trouve-moi du foie et des oignons, Barbe-Blanche, ordonna-t-il. Pas pour maintenant, pour après. Tuer donne faim à Belwas le Fort. » Sans même attendre de réponse, il descendit lourdement du bosquet d'oliviers vers Oznak zo Pahl.

« Pourquoi celui-là, *Khaleesi* ? demanda Rakharo d'un ton rogue. Il est gras et bouché.

— Belwas le Fort s'est battu comme esclave aux arènes d'ici. Si le noble Oznak tombe sous les coups d'un tel adversaire, quel camouflet pour les Grands Maîtres, alors que s'il gagne..., eh bien, quelle misérable victoire pour un homme de si haut parage, Meereen n'aura nul lieu de s'en glorifier. » Sans compter que, contrairement à ser Jorah, Daario, Brun Ben et aux trois sang-coureurs, l'eunuque ne menait aucune troupe, ne dressait aucun plan de bataille et ne lui était, à elle, d'aucun conseil. *Il ne fait rien d'autre que fanfaronner, bâfrer, bassiner Barbe-Blanche.* De tous ses gens, Belwas était vraiment celui dont elle pouvait le mieux faire l'économie. Et il était temps qu'elle sache au juste de quel genre de protecteur l'avait dotée maître Illyrio.

La vue de Belwas s'avançant vers la ville déclencha dans les rangs de l'assiégeant un enthousiasme frénétique, tandis que les remparts et les tours de Meereen se répandaient en huées et en quolibets. Oznak zo Pahl se remit en selle et, lance à rayures bien verticale, attendit. Son destrier encensait, lui, avec impatience et creusait du sabot le sol sablonneux. Tout massif qu'il était, l'eunuque semblait petit, comparé au héros monté.

« Un chevalier digne de ce nom mettrait pied à terre », édicta Arstan.

Oznak zo Pahl abaissa sa lance et chargea.

Belwas s'immobilisa, jambes bien écartées, son petit bouclier rond dans une main, dans l'autre l'*arakh* courbe dont Arstan prenait tant de soin. Son énorme bedaine brune et sa poitrine flasque débordaient, nues, par-dessus l'écharpe de soie jaune qui ceignait ses reins, et il ne portait, en guise d'armure, que l'extravagant caraco de cuir clouté qui ne lui couvrait pas même les tétons. « Nous aurions dû l'équiper de maille, lâcha Daenerys, brusquement anxieuse.

— La maille ne servirait qu'à le ralentir, répliqua ser Jorah. On ne porte pas d'armure, dans les fosses à combats. Ce que vient voir la populace, c'est le sang. »

Les sabots de son destrier blanc soulevant des nuées de poussière, Oznak fondait comme la foudre sur Belwas le Fort, son manteau rose et blanc lui volant aux épaules. On aurait dit que Meereen tout entière l'encourageait de ses acclamations. Celles des assiégeants semblaient à côté maigres et rares ; les rangs d'Immaculés demeuraient muets, regards vides et faces de pierre. De pierre aurait pu être Belwas lui-même. Son large dos tout étriqué par la taille ridicule du caraco, il se dressait en plein sur la trajectoire du cheval. La lance d'Oznak l'ajustait au beau milieu du torse. Sa pointe d'acier scintillait aux rayons du soleil. *Il va se faire transpercer... !* songea Daenerys... au moment même où l'eunuque pirouettait de côté. Et, en moins d'un clin d'œil, le cavalier l'avait dépassé, voltait, relevait sa lance. Belwas n'avait même pas fait mine de vouloir frapper. Sur les remparts, les gens de Meereen gueulaient encore plus fort qu'avant. « Que fait-il là ? s'étonna-t-elle.

— Une démonstration pour la galerie », déclara ser Jorah.

Oznak fit décrire à son cheval un large cercle autour de Belwas puis, lui enfonçant ses éperons dans les flancs, chargea de nouveau. De nouveau,

Belwas attendit puis, en pirouettant, repoussa comme d'une pichenette la pointe de la lance. Et, tandis que le héros le dépassait, Daenerys l'entendit éclater d'un rire tonitruant dont la plaine se fit longuement l'écho. « La lance est trop longue, commenta ser Jorah. L'unique chose dont Belwas ait à s'occuper, c'est d'en éviter la pointe. Au lieu d'essayer de l'embrocher si joliment, l'autre bouffon devrait carrément lui passer sur le corps. »

À présent qu'Oznak zo Pahl chargeait pour la troisième fois, l'évidence frappa Daenerys : il le faisait de manière à *croiser* Belwas, ainsi que s'y serait pris un chevalier de Westeros vis-à-vis d'un concurrent de joute, au lieu de se ruer *sur* lui, comme un Dothraki pour renverser un ennemi. Quant au terrain plat, s'il permettait au destrier de reprendre pas mal de vitesse en quelques foulées, il permettait aussi à l'eunuque d'esquiver plus facilement l'encombrante lance de quatorze pieds.

Le héros rose et blanc de Meereen s'efforça cette fois d'anticiper la feinte de Belwas le Fort en déviant sa lance au dernier moment. Mais l'eunuque avait lui aussi anticipé la botte, et, au lieu de pirouetter, il se laissa si prestement tomber que la lance ne lui effleura pas même le crâne, roula sur lui-même, et voici que, tout à coup, son *arakh* se mit à décrire une parabole d'argent, le coursier poussa un hennissement strident, la lame venait de l'atteindre aux jambes, et il était en train de s'effondrer, et le héros de vider sa selle.

Une vague de silence balaya soudain les parapets de briques de Meereen. Et c'était à présent du camp de Daenerys que montaient les clameurs et les ovations.

Oznak eut assez de vivacité pour se dégager de sa monture et tirer l'épée avant que Belwas le Fort ne fût sur lui. Et l'acier se mit à chanter contre l'acier, trop rapide et rageur pour que Daenerys pût suivre les échanges, car le temps tout au plus de douze battements de cœur, et Belwas avait la poitrine en sang d'une estafilade sous les seins, cependant qu'Oznak zo Pahl se retrouvait avec un *arakh* planté juste à mi-distance entre ses cornes de bélier. L'eunuque libéra son arme et, en trois coups formidables, écourta le héros d'une bonne tête. Il brandit celle-ci bien haut, que Meereen en jouisse toute, et puis il l'envoya baller, rebondir et rouler dans le sable en direction des portes de la cité.

« Et voilà pour le héros de Meereen ! s'esclaffa Daario.

— Une victoire insignifiante, avertit ser Jorah. Nous n'allons pas vaincre Meereen en tuant ses défenseurs un par un.

— Non, concéda Daenerys. Mais celui-là, je suis ravie que nous l'ayons tué. »

Du haut des remparts, les arbalétriers prirent Belwas à partie, mais ou bien leur tir était trop court ou bien c'est le sol qui écopait de leurs carreaux. Tournant tranquillement le dos à cette averse de poinçons d'acier, l'eunuque baissa ses culottes, s'accroupit et se mit à chier en direction de la ville. Après s'être torché avec le manteau rose et blanc d'Oznak, il prit tout son temps pour dépouiller le cadavre de celui-ci puis pour mettre un terme à l'agonie de son cheval avant de retourner, d'un pas lourdement nonchalant, vers le bosquet d'oliviers.

Les assiégeants lui firent un accueil assourdissant dès qu'il pénétra dans le camp. Alors que les Dothrakis poussaient des cris et des hululements, les Immaculés faisaient un vacarme d'enfer en claquant leurs piques contre leurs boucliers. « Bien joué », lui dit ser Jorah, et Brun Ben, lui lançant une prune mûre : « À délice, délice et demi. » Même les camérières dothrakis y allèrent de leur encens. « Nous vous tresserions volontiers les cheveux pour y suspendre une clochette, Belwas le Fort, fit Jhiqui, mais vous n'avez pas de cheveux à tresser.

— Belwas le Fort n'a cure de clochettes et de tintements. » L'eunuque engloutit la prune de Brun Ben en quatre bouchées voraces et rejeta le noyau. « C'est de foie et d'oignons qu'a cure Belwas le Fort.

— Vous les aurez, dit Daenerys. Belwas le Fort est blessé. » Il avait la bedaine rouge du sang qui ruisselait de sa balafre sous les seins.

— Ce n'est rien. Je me laisse toujours entailler une fois par mon adversaire avant de le tuer. » Il administra une claque à sa bedaine ensanglantée. « Comptez les cicatrices de Belwas le Fort, et vous saurez combien de types il a tués. »

Mais une blessure analogue lui ayant fait perdre Khal Drogo, elle n'entendait pas voir négliger celle-ci. Elle expédia Missandei à la recherche d'un affranchi de Yunkaï réputé pour ses talents de guérisseur. Et Belwas eut beau brailler, beau geindre, elle le chapitra tant et si bien, jusqu'à le traiter de gros bébé chauve, qu'il finit par laisser l'homme étancher la plaie avec du vinaigre, la recoudre puis lui enserrer le torse dans des bandages imbibés de feuvin. Mais ce n'est qu'une fois tranquillisée de ce côté-là que Daenerys entraîna sous son pavillon capitaines et commandants pour tenir conseil avec eux.

« Il me faut absolument prendre cette ville », les avisa-t-elle en s'asseyant en tailleur sur une pile de coussins, ses dragons tous à portée de main. Irri et Jhiqui remplissaient les coupes. « Ses greniers sont pleins à craquer. Sur les terrasses de ses pyramides poussent à profusion figuiers, dattiers, oliviers, et ses caves regorgent de caques de poisson salé et de viande fumée.

— Et puis de coffres gras à lard d'or et d'argent..., sans compter les pierres précieuses, crut devoir spécifier Daario. N'oublions pas les pierres précieuses.

— J'ai jeté un coup d'œil aux murailles, du côté de la terre, intervint pour sa part ser Jorah Mormont, sans y repérer de point faible. En y mettant le temps, il nous serait possible de miner une tour et d'ouvrir la brèche, mais, pendant que l'on creuserait, nous mangerions quoi ? Nos réserves de vivres sont épuisées, ou très peu s'en faut.

— Pas de point faible dans les murailles *du côté de la terre* ? » fit Daenerys. Meeren se dressait sur une langue de pierre et de sable aventurée dans la baie des Serfs à l'embouchure de la brunâtre et langoureuse Skahazadhan. Son rempart nord longeait la berge de celle-ci, son rempart ouest la grève de celle-là. « Cela veut-il dire que nous pourrions attaquer à partir de la mer ou de la rivière ?

— Avec trois bateaux ? Il sera bon que le capitaine Groleo aille examiner d'un peu près les murs qui donnent sur la rivière, mais, à moins qu'ils ne tombent en ruine, je ne vois là qu'une chance de mort plus humide.

— Et si nous construisions des tours de siège ? Comme mon frère, Viserys, en évoquait dans ses récits, je sais que cela peut se faire.

— En bois, Votre Grâce, expliqua ser Jorah. Les négriers ont brûlé tous les arbres sur un rayon de vingt lieues. Sans bois, pas question d'avoir des trébuchets pour pilonner les murs, ni des échelles pour les franchir, ni des tours de siège, ni des tortues ni des béliers. Nous pouvons assurément démolir les portes à la hache, mais...

— Vous avez vu les têtes de bronze qu'ils ont au-dessus des portes ? lança Brun Ben Prünh. Ces rangées de têtes de harpies à la bouche ouverte ? Les gens de Meereen, ça leur permet de verser de l'huile bouillante, ces bouches qu'ils ont, et alors, c'est cuits sur place avec leur hache que vos types sont ! »

Daario Naharis faufila un sourire à Ver Gris. « C'est peut-être les Immaculés qui devraient manier les haches. D'après ce qu'on m'a dit, l'huile bouillante ne vous fait pas plus d'effet qu'un bain chaud.

— C'est faux. » Ver Gris ne retourna pas le sourire. « Ceux-là ne sentent pas les brûlures comme les hommes, mais ce genre d'huile aveugle et tue. Les Immaculés n'ont pas peur de mourir, toutefois. Donnez à ceux-là des béliers, et nous abattrons ces portes ou bien nous mourrons en nous y efforçant.

— Vous mourriez », dit Brun Ben. En prenant le commandement des Puînés, à Yunkaï, il s'était flatté d'être un vétéran, pour avoir pris part à une centaine de batailles..., quitte à ajouter : « Mais je ne prétendrai pas m'être vaillamment battu à toutes. Des mercenaires, y en a des chenus, y en a des téméraires, mais des mercenaires téméraires *et* chenus, y a pas. Vous mourriez, c'est tout. »

Devant s'avouer qu'il parlait d'or, Daenerys soupira. « Je n'ai pas la moindre intention de gaspiller les vies d'Immaculés, Ver Gris. Mais, j'y pense, affamer la ville, cela, peut-être que nous le pourrions, non... ? »

Ser Jorah n'eut pas l'air spécialement enchanté. « Nous serons morts de faim bien avant elle, Votre Grâce. Nous ne saurions nous procurer de nourriture, ici, ni de fourrage pour nos mules et pour nos chevaux. Et l'eau de cette rivière ne me plaît pas beaucoup non plus. Meereen chie d'autant plus allégrement dans la Skahazadhan qu'elle tire son eau potable de puits plus profonds. Des accès de fièvre maligne nous sont déjà signalés dans les camps, plus des symptômes de noire-jambe et trois cas de sang-flux. Ce qui ne fera que croître et embellir si nous restons. La marche a épuisé les esclaves.

— Affranchis, rectifia-t-elle. Ils ne sont plus esclaves.

— Libres ou pas, ils ont faim, et ils ne tarderont pas à tomber malades. Outre qu'elle a bien plus de provisions que nous, la ville peut se faire autant qu'elle veut ravitailler par mer. Vos trois bateaux ne sauraient suffire à la couper simultanément de la mer et de la rivière.

— En bref, ser Jorah, quel conseil donneriez-vous ?

— Vous n'allez pas aimer...

— Dites toujours.

— À votre bon plaisir. Je dis donc, laissez cette ville tranquille. Affranchir chacun des esclaves de ce monde-ci n'est pas en votre pouvoir, *Khaleesi*. C'est à Westeros que se joue votre guerre.

— Je n'ai pas oublié Westeros. » Elle en rêvait, certaines nuits, de cette contrée fabuleuse et qu'elle n'avait jamais vue. « Mais si je me laisse aussi aisément déconfire par les vieux murs en briques de Meereen, comment réussirai-je à m'emparer jamais des gigantesques châteaux de pierre de Westeros ?

— En faisant comme Aegon, répliqua ser Jorah. En les réduisant à merci par le feu. Lorsque nous atteindrons les Sept Couronnes, vos dragons seront adultes. Et nous aurons aussi les tours de siège et les trébuchets qui nous manquent ici..., mais longue va être la route au travers des Contrées de l'Été Constant, longue, exténuante et jonchée d'embûches que nous ignorons forcément. Vous avez fait halte à Astapor pour vous acheter une armée, pas pour entamer une guerre. Gardez vos piques et vos épées pour les Sept Couronnes, ma reine. Laissez Meereen aux Meereeniens, et marchez vers l'ouest, à destination de Pentos.

— En vaincue ? jeta-t-elle, hérissée.

— Couards qui courent à l'abri de grands murs se cacher, eux c'est, les vaincus, *Khaleesi* », déclara Ko Jhogo.

Ses autres sang-coureurs abondèrent. « Sang de mon sang, dit Rakharo, quand couards brûlent vivres et brûlent fourrage et courent se cacher, grands *khals* doivent se chercher ennemis plus braves. C'est connu.

— C'est connu, approuva Jhiqui, tout en poursuivant sa tâche d'échanson.

— Pas de moi. » Si grand cas qu'elle fît des avis de Mormont, Daenerys ne pouvait digérer l'idée de laisser Meereen indemne. Il lui était impossible d'oublier les gosses cloués sur les bornes, les oiseaux qui se disputaient leurs viscères, et leurs pauvres petits bras maigres indiquant la *bonne* direction. « Vous dites, ser Jorah, que nous sommes à court de vivres. Si je marche vers l'ouest, comment serai-je en mesure de nourrir mes affranchis ?

— Vous ne le serez pas. Je le déplore, *Khaleesi*. Ils devront se nourrir eux-mêmes ou subir la faim. Il en mourra pas mal au cours de la marche et pire que ça, oui. Ça ne sera pas drôle à voir, mais il n'y a pas moyen de les sauver. Il nous faut mettre le plus de distance possible entre nous et ces terres incendiées. »

Le sillage de cadavres qu'avait laissé la traversée du désert rouge était l'un des spectacles que Daenerys entendait ne plus jamais revoir. « Non, dit-elle.

Je ne ferai pas mourir mon peuple d'épuisement. » *Mes enfants.* « Il doit bien y avoir un moyen pour nous introduire dans cette ville.

— Un moyen, je connais. » Brun Ben Prünh caressa sa barbe mouchetée de gris et de blanc. « Les égouts.

— Les égouts ? Que voulez-vous dire ?

— Les grands égouts de briques qui déversent directement dans la Skahazadhan les immondices de la cité. Ils pourraient servir de voie d'accès, au moins pour quelques-uns. C'est comme ça que je me suis évadé de Meereen, quand Scarb a eu perdu sa tête. » Brun Ben fit une grimace. « L'odeur m'a jamais quitté. Y a des nuits que j'en rêve encore. »

Ser Jorah se montra sceptique. « Plus facile sortir qu'entrer, m'a tout l'air. Ces fameux égouts se déversent directement dans la rivière, vous dites ? Ça signifierait, alors, que leurs bouches s'ouvrent juste au bas des murs... ?

— Et fermées par des grilles de fer, admit Brun Ben, mais y en a de complètement pourries par la rouille, autrement je me serais noyé dans la merde. Une fois dedans, en plus qu'y a une longue grimpette, et puante, à se taper, et dans un noir de poix, c'est un dédale à se paumer pour l'éternité. Le purin vous y monte jamais plus bas qu'à la ceinture, et ça peut arriver que vous en avez par-dessus la tête, d'après les marques, j'ai vu, que ç'a laissées au mur. Puis y a des *choses*, en plus, là-bas dedans. Les rats les plus gros que vous avez jamais vus de votre vie. Et des trucs plus pires. Dégueulasse. »

Daario Naharis éclata de rire. « Aussi dégueulasse que toi quand t'es sorti rampant ? S'il se trouvait des types assez fous pour s'amuser à ça, l'odeur..., y aurait pas un négrier de Meereen pour pas les sentir, dès qu'ils émergeraient ! »

Brun Ben haussa les épaules. « Sa Grâce a demandé si y avait pas un moyen pour entrer, alors j'y ai dit, moi..., mais Ben Prühn y redescendra pas, dans leurs égouts, ça non, pas pour tout l'or des Sept Couronnes. Mais s'y en a d'autres que ç'amuse d'essayer, bienvenue à eux. »

Aggo, Jhogo et Ver Gris tentèrent tous à la fois de prendre la parole, mais Daenerys leva la main pour réclamer le silence. « Ces égouts ne me disent rien qui vaille. » Elle le savait, Ver Gris conduirait les Immaculés dans les égouts si elle le lui commandait, et ses sang-coureurs étaient eux-mêmes prêts à le faire. Mais cette besogne n'allait à aucun d'entre eux. Les Dothrakis étaient gens de cheval, et ce qui faisait la force des Immaculés, c'était leur discipline sur le champ de bataille. *Puis-je envoyer sur un espoir si maigre des hommes mourir dans le noir ?* « Il me faut prendre le temps de la réflexion. Vous pouvez regagner vos postes. »

Ses capitaines s'inclinèrent et la laissèrent en compagnie de ses femmes et de ses dragons. Mais, comme Brun Ben se retirait, Viserion déploya ses ailes crémeuses et, se portant vers lui d'un vol nonchalant, lui souffleta le visage au passage puis, lui atterrissant gauchement d'un seul pied sur la tête, se cramponna de l'autre à son épaule, émit un cri aigu puis reprit l'air. « Vous lui plaisez, Ben, commenta Daenerys.

— Et pour cause. » Il se mit à rire. « Je m'ai moi aussi ma goutte de sang de dragon, vous savez ?

— Vous ? » Elle n'en revenait pas. Prünh n'était jamais qu'un spadassin coureur de solde, un plaisant coquin. Il avait un large mufle basané, le nez cassé, la crinière grise et mousseuse, et sa mère dothraki lui avait légué de grands yeux noirs en amande. Il se vantait d'être originaire en partie de

Braavos, en partie des îles d'Été, en partie d'Ibben, en partie de Qohor, en partie de Dorne, en partie de Westeros et en partie dothraki, mais c'était la première fois qu'elle l'entendait mentionner une ascendance targaryenne. Elle darda sur lui un regard scrutateur et lâcha : « Comment cela se pourrait-il ?

— Eh bien, répondit Brun Ben, c'est qu'il y eut un bon vieux Prünh, dans les royaumes du Crépuscule, qui s'épousa une princesse dragon. Ma grand-maman m'a raconté ça. Il vivait à l'époque du roi Aegon.

— De quel roi Aegon ? demanda-t-elle. Westeros en a connu cinq. » Le fils de son frère aurait été le sixième, si les sbires de l'Usurpateur ne lui avaient fracassé le crâne contre un mur.

« Cinq, y a eu ? Ben, ça embrouille tout... Je pourrais pas vous dire le numéro, ma reine. Mais ce bon vieux Prünh, c'était un lord, et qu'a dû être un sacré luron, en son temps, même qu'il défrayait les caquets dans tout le pays. Parce que le fait est, sauf votre royal pardon, que le bougre, il s'avait une queue de six pieds de long. »

Les trois clochettes nouées dans sa tresse se mirent à tinter quand Daenerys éclata de rire. « Vous voulez dire pouces, j'imagine... !

— Pieds, maintint fermement Brun Ben. Si ç'avait été que des pouces, qui se soucierait encore d'en parler, Votre Grâce ? »

Elle se mit à glousser comme une petite fille. « Votre grand-mère affirmait-elle avoir vu ce prodige de ses propres yeux ?

— Jamais de la vie. La vieille sorcière était moitié d'Ibben et moitié de Qohor, et, comme elle a jamais mis le pied à Westeros, c'est mon grand-père qu'avait dû lui dire. Lui, des Dothrakis l'ont tué avant ma naissance.

— Et d'où votre grand-père tenait-il ce détail, lui ?

— Une de ces histoires qu'on vous conte au sein, j'irais parier. » Il haussa les épaules. « C'est tout ce que je sais sur Aegon le Sans-Numéro, j'ai peur, et sur les glorieux attributs du bon vieux lord Prünh. Ferais mieux d'aller m'occuper de mes petits Puînés.

— Allez », lança-t-elle en guise de congé.

Après qu'il se fut retiré, elle se laissa aller sur ses coussins. « Si tu étais grand, dit-elle à Drogon en lui grattouillant l'entre-cornes, je m'enlèverais d'un coup d'aile par-dessus ces murs, et cette harpie, je la réduirais à du mâchefer. » Il se passerait malheureusement des années avant que leur taille ne lui permît de chevaucher ses dragons. *Et quand ils l'auront, qui les montera ? Le dragon a trois têtes, mais je n'en ai qu'une.* La pensée de Daario l'effleura. *S'il y a jamais eu un homme capable de violer une femme rien que des yeux...*

La faute en était tout autant à elle, au demeurant. Elle ne se surprenait que trop, lors des conseils avec ses capitaines, à lorgner le Tyroshi à la dérobée, et il n'était pas si rare qu'elle se complût, la nuit, à se rappeler le flamboiement de sa dent d'or lorsqu'il souriait. Ça, et ses yeux. *Le bleu éclatant de ses yeux.* De Yunkaï à Meereen, en route, chaque soir, à l'heure où il venait lui faire son rapport, il lui avait apporté une fleur ou quelque brin de plante... afin de l'initier, disait-il, au pays. Vespe-osier, roses thé, menthe sauvage, blonde-à-dame, aspidis, bandier, harpie d'or... *Et il a aussi voulu m'épargner la vue de ces enfants morts.* Il n'aurait pas dû, mais cela partait d'une intention délicate. Puis il la faisait rire, Daario Naharis, là, ce qui n'arrivait jamais avec ser Jorah.

Elle essaya de se figurer ce que ça donnerait, si elle permettait à Daario de l'embrasser, de l'embrasser comme l'avait embrassée Jorah, sur le bateau. Rien que d'y penser l'échauffait et la perturbait, les deux à la fois. *Le risque est trop grand.* Le mercenaire tyroshi n'était pas un homme de cœur, elle n'avait besoin de personne pour s'en rendre compte. Sous ses grâces et ses airs blagueurs, il était dangereux, cruel même. À leur réveil, Sollir et Prendhal étaient ses acolytes et, le soir même, il faisait de leurs têtes un présent. *Cruel, Khal Drogo pouvait l'être aussi, et jamais il n'y eut d'homme plus dangereux.* Elle n'en était pas moins venue à l'aimer. *Et Daario, pourrais-je l'aimer ? Qu'est-ce que ça signifierait, si je le prenais dans mon lit ? Cela ferait-il de lui l'une des têtes du dragon ?* Ser Jorah en serait furieux, elle le savait, mais n'était-ce pas lui, justement, qui avait dit qu'elle devait avoir deux maris ? *Peut-être devrais-je les épouser tous deux, cela réglerait la question.*

Mais c'étaient là des pensées grotesques. Elle avait une ville à prendre, et ce n'était sûrement pas rêver de baisers, rêver des yeux bleus, si bleus, d'un vulgaire reître qui ouvrirait la brèche dans les remparts de Meereen. *Je suis le sang du dragon*, se morigéna-t-elle. Son esprit tournait en rond, tel un rat poursuivant sa queue. Souffrir une seconde de plus l'étouffante exiguïté de son pavillon lui devint impossible, subitement. *Je veux sentir le vent me fouetter le visage, il me faut respirer la mer.* « Missandei ? appela-t-elle. Fais seller mon argenté. Ainsi que ton propre cheval. »

La petite secrétaire s'inclina. « Aux ordres de Votre Grâce. Manderai-je à vos sang-coureurs d'avoir à vous garder ?

— Nous prendrons Arstan. Je n'ai pas l'intention de quitter les camps. » Des ennemis, elle n'en avait pas parmi ses enfants. Et le vieil écuyer ne l'excéderait pas de parlotes comme Belwas ou d'œillades comme Daario.

Le bosquet d'oliviers calcinés dans lequel avait été dressé son pavillon se trouvait au bord de la mer, entre le camp des Dothrakis et celui des Immaculés. Une fois leurs chevaux sellés, Daenerys et ses compagnons s'élancèrent le long du rivage, à l'opposé de la ville. En dépit de quoi elle sentait peser sur ses épaules les railleries de Meereen. Un simple coup d'œil par-dessus l'épaule, et elle la retrouva là, campée sous le soleil de l'après-midi qui faisait étinceler sa harpie de bronze au sommet de la Grande Pyramide. À l'intérieur des murs, les négriers n'allaient plus guère tarder à s'étendre, parés de leurs *tokars* à franges, et à se bourrer d'olives et d'agneau, de chiot pas-né, de loir au miel et autres succulences du même genre, tandis qu'au-dehors ses enfants à elle auraient faim. Un brusque accès de colère noire la secoua. *Je vous anéantirai !* jura-t-elle.

Comme ils longeaient la palissade et les fosses dont le camp des eunuques était entouré, elle entendit Ver Gris et ses sergents diriger les exercices au braquemart, à la pique et au bouclier d'une compagnie. Une autre compagnie se baignait dans la mer, simplement vêtue de pagnes en lin blanc. Ils se montraient d'une propreté méticuleuse, elle avait remarqué. Alors que certains des reîtres empestaient comme s'ils ne s'étaient ni lavés ni changés depuis que son père avait perdu le Trône de Fer, les Immaculés prenaient un bain chaque soir, lors même qu'ils avaient marché toute la journée. Et s'il n'y avait pas d'eau, leur toilette, ils la faisaient avec du sable, à la manière dothraki.

Sur son passage, les eunuques s'agenouillaient en portant à leurs seins leurs deux poings serrés. Elle les saluait à son tour. Avec la marée montante, les flots venaient écumer sous les sabots de son argenté. Au large se voyaient ses bateaux. D'abord le *Balerion*, connu précédemment sous le nom de *Saduleon*, toutes voiles ferlées. Puis, un peu plus loin, les galères *Meraxès* et *Vaghar*, anciennement *Joso pimpante* et *Soleil d'été*. En vérité, tous trois appartenaient à maître Illyrio, pas du tout à elle, mais à peine y avait-elle songé en décidant de les rebaptiser. D'après des dragons, voire mieux. Dans l'ancienne Valyria d'avant le Fléau, Balerion, Meraxès et Vaghar étaient en effet des dieux.

Au sud du royaume impeccable de palissades et de fosses et d'exercices et de baignades qu'était le camp des eunuques s'étendait, infiniment plus bruyant et chaotique, le campement des affranchis. Daenerys avait eu beau équiper de son mieux les anciens esclaves avec ce qu'avaient livré d'armes Astapor et Yunkaï, ser Jorah avait eu beau, lui, les organiser en quatre fortes unités de combat, personne ici ne s'exerçait, vit-elle. En revanche, une centaine de gens se pressaient autour d'un feu de bois flotté sur lequel rôtissait une carcasse de cheval. Et cette seule vue la fit se renfrogner, malgré le fumet qu'exhalait la viande, le grésillement que faisait la graisse, grâce à l'activité déployée par les tournebroches.

Des enfants couraient en riant, gambadant derrière leurs montures. En guise de salutations, les voix qui la hélaient de tous côtés faisaient un cafouillage de langues affreux. Certains des affranchis l'appelaient « Mère », d'autres mendiaient des faveurs ou des passe-droits. Il y en avait qui priaient des dieux étranges de la bénir, il y en avait qui lui demandaient au contraire de les bénir. Elle souriait aux uns, aux autres, de droite et de gauche, elle touchait les mains qu'on lui tendait, elle laissait ceux qui s'age-nouillaient lui toucher la jambe ou son étrier. Nombre d'entre eux croyaient que ça portait chance. *Si me toucher peut leur donner un peu plus de courage, eh bien, qu'ils me touchent*, songea-t-elle. *Nous avons encore de rudes épreuves devant nous...*

Elle s'était arrêtée pour causer avec une femme enceinte qui souhaitait que la Mère des Dragons nomme en personne l'enfant à naître quand une main se tendit et lui saisit le poignet gauche. Elle se tourna et aperçut un grand diable en haillons, le crâne rasé, le visage brûlé de soleil. « Pas si fort », commença-t-elle à dire, mais elle n'eut pas le temps d'achever qu'il l'avait prise à bras-le-corps et arra-chée de selle. Le sol accourut à sa rencontre, et le choc lui coupa le souffle, tandis que l'argenté hen-nissait et se cabrait. Abasourdie, elle roula sur le côté, s'appuya sur un coude, et...

... et c'est alors qu'elle vit l'épée.

« Te voilà donc, perfide truie... ! dit l'homme, je savais bien que tu viendrais un de ces jours te faire baiser les pieds ! » Il avait le crâne lisse comme un melon, son nez rouge pelait, mais cette voix et ces yeux vert pâle, elle connaissait. « Pour commencer, je vais te couper les nichons. » Elle eut vaguement conscience que Missandei appelait au secours. Un affranchi fit un pas en avant, mais rien qu'un. Une vive taillade, et il s'affalait à deux genoux, la figure en sang. Mero essuya l'épée sur ses chausses. « À qui le tour ?

— À moi. » Sautant de cheval, Arstan Barbe-Blan-che se dressait au-dessus de Daenerys, les deux mains reployées sur son grand bâton de ronce. La brise de mer taquinait ses cheveux neigeux.

« Tire-toi, pépé, dit Mero, avant que je te casse ta canne en deux et que je te la foute dans le... »

Le vieillard feignit de propulser l'une des extrémités de son bâton, la recula, tandis que l'autre fouettait l'espace à une vitesse que Daenerys n'aurait jamais crue possible. Le Bâtard du Titan chancela à reculons dans les vagues, la bouche en sang et crachant ses dents. Barbe-Blanche repoussa Daenerys derrière lui. Mero tenta de lui cingler le visage, mais il esquiva, leste comme un félin. Le bâton s'abattit sur les côtes de Mero, qui fut projeté en arrière. Arstan barbota de côté, para un coup en boucle, en évita un deuxième d'un entrechat, bloqua un demi-revers. Les mouvements se succédaient si vite qu'elle pouvait à peine les suivre de l'œil. Et Missandei l'aidait à se remettre debout quand retentit un *crrrrrac*. Le temps de penser que le bâton d'Arstan venait de se briser, et elle vit l'os déchiqueté qui jaillissait du mollet de Mero. Au cours de sa chute, le Bâtard du Titan réussit à se mettre en vrille et, par une extension désespérée, poussa une pointe droit au cœur du vieil homme. Lequel balaya la lame avec une désinvolture presque méprisante avant d'assener l'autre extrémité du bâton sur la tempe de son adversaire. Mero alla s'aplatir dans ses glouglous sanglants, et les vagues le recouvrirent puis, au bout d'un instant, les affranchis eux-mêmes, en une fantasia de poignards, de pierres et de poings furieux qui ne se relevaient que pour s'abattre de nouveau.

Daenerys se détourna, malade de dégoût. Sa peur était pire, à présent, qu'au moment de l'attentat perpétré contre elle. *Mais c'est qu'il m'aurait tuée...*

« Votre Grâce. » Arstan s'agenouilla. « Je suis un vieil homme, et humilié. Il n'aurait jamais dû pouvoir s'approcher au point de porter la main sur votre personne. Je me suis montré négligent. Je n'ai pas su le reconnaître, sans sa barbe et sans ses cheveux.

— Moi non plus. » Elle prit une profonde inspiration pour essayer d'arrêter sa tremblote. *Des ennemis partout.* « Reconduisez-moi à ma tente. S'il vous plaît. »

Lorsque arriva Mormont, elle s'était emmitouflée dans sa peau de lion et sirotait une coupe de vin aux épices. « Je suis allé examiner les murs qui surplombent la rivière, l'entreprit-il. Ils sont quelques pieds plus haut que les autres et tout aussi forts. Au surplus, les gens de Meereen ont amarré une douzaine de brûlots au bas des remparts, et... »

Elle le coupa. « Vous auriez pu m'avertir que le Bâtard du Titan vous avait échappé. »

Il fronça le sourcil. « Je n'ai pas vu la nécessité d'alarmer Votre Grâce. J'ai offert une récompense pour sa tête, et...

— Versez-la à Barbe-Blanche. Mero n'a cessé d'être des nôtres depuis Yunkaï. Il s'était rasé, tondu et, noyé dans la foule de nos affranchis, il guettait l'occasion de se venger. Arstan l'a tué. »

Ser Jorah appesantit sur le vieil homme un long regard scrutateur. « Un écuyer muni d'un bâton a réglé son compte à Mero de Braavos, c'est bien comme ça que ça s'est passé ?

— Toujours un bâton, confirma-t-elle, mais plus un écuyer. Mon bon plaisir est qu'Arstan soit fait chevalier, ser Jorah.

— *Non.* »

Ce refus clair et net était déjà plutôt une surprise. Mais plus surprenant, c'est qu'il émanait des deux hommes à la fois.

Ser Jorah tira son épée. « Le Bâtard du Titan était un sale morceau à se faire. Et un bon tueur. Qui es-tu, le vieux ?

« — Un meilleur chevalier que vous, ser, répondit froidement Arstan. »

Chevalier ? Elle ne savait plus où elle en était. « Vous vous prétendiez écuyer.

— Je l'étais, Votre Grâce. » Il mit un genou en terre. « Je le fus de lord Swann durant ma jeunesse, et c'est également en cette qualité qu'à la requête expresse de maître Illyrio j'ai servi Belwas le Fort. Mais, dans l'intervalle, Westeros m'a connu chevalier. Je ne vous ai pas dit de mensonges, ma reine. Mais, comme il est des vérités que j'ai gardées par-devers moi, je puis seulement, pour ce tort et pour tous les autres, vous conjurer de me pardonner.

— De quelles vérités s'agit-il ? » Elle n'aimait guère cela. « Vous allez me le dire. Immédiatement. »

Il inclina la tête. « À Qarth, lorsque vous m'avez demandé mon nom, j'ai répondu qu'on m'appelait Arstan. Ce n'était pas faux. Bien des gens l'avaient fait, effectivement, pendant que Belwas et moi parcourions l'est à votre recherche. Mais ce n'est pas mon véritable nom. »

Elle en éprouva plus d'embarras que de colère. *Il m'a jouée, exactement comme Jorah le subodorait, mais il vient de me sauver la vie.*

Mormont s'empourpra. « Mero s'était rasé la barbe..., alors que vous avez laissé pousser la vôtre, n'est-ce pas ? Et moi qui m'étonnais de vous trouver un air foutrement familier... !

— Vous le connaissez ? demanda-t-elle, absolument perdue.

— J'ai dû le voir dix ou douze fois..., de loin, le plus souvent, debout parmi ses frères ou à cheval dans un tournoi. Mais il n'est personne dans les Sept Couronnes qui n'ait connu Barristan le Hardi. » Il posa la pointe de son épée sur le cou du vieillard.

« Devant vous, *Khaleesi*, se tient agenouillé ser Barristan Selmy, lord Commandant de la garde Royale, qui jadis trahit votre maison pour servir l'Usurpateur, Robert Baratheon. »

Le vieux chevalier ne cilla même pas. « Au corbeau de trouver trop noire la corneille, et à *vous* de parler de traître.

— Dans quel but êtes-vous ici ? lui demanda-t-elle. Si Robert vous avait envoyé me tuer, pourquoi m'avoir sauvé la vie ? » *Il a servi l'Usurpateur. Il a trahi la mémoire de Rhaegar et, en l'abandonnant, condamné Viserys à vivre et mourir en exil. Et pourtant, s'il avait désiré ma mort, il lui suffisait de ne pas bouger, pas intervenir...* « J'exige à présent *toute* la vérité, sur votre honneur de chevalier. Êtes-vous l'homme de l'Usurpateur ou le mien ?

— Le vôtre, si vous voulez bien de moi. » Ser Barristan avait des larmes dans les yeux. « J'avais accepté le pardon de Robert, oui. Je l'ai servi, dans sa Garde et dans son Conseil. Servi, en compagnie du Régicide et d'autres presque aussi mauvais, qui déshonoraient le manteau blanc que je portais. Rien n'excusera cela. Je servirais peut-être encore à Port-Réal, j'ai honte à l'avouer, si l'ignoble marmot perché sur le Trône de Fer ne m'avait signifié mon congé. Mais lorsque, non content de m'avoir dépouillé du manteau dont le Taureau Blanc m'avait en personne drapé les épaules, il envoya le même jour des sbires m'assassiner, ce fut comme s'il venait d'arracher de mes yeux la taie qui m'aveuglait. Et je connus dès cet instant qu'il me fallait retrouver mon roi véritable afin de mourir à son service.

— Ce dernier vœu, je puis l'exaucer, dit sombrement ser Jorah.

— Paix, coupa Daenerys. Je veux l'entendre jusqu'au bout.

— Il se peut, reprit ser Barristan, que je mérite le châtiment des traîtres, mais, si tel est le cas, je devrais ne pas mourir seul. Avant de recevoir son pardon, j'ai combattu Robert au Trident, moi. Tandis que vous, Mormont, vous vous trouviez bien dans l'autre camp, lors de cette bataille, si je ne m'abuse ? » Il n'attendit pas de réponse. « Je suis au regret de vous avoir induite en erreur, Votre Grâce. C'était le seul moyen pour empêcher les Lannister d'apprendre que je vous avais ralliée. Vous êtes aussi surveillée que l'était votre frère. Lord Varys a fait des rapports des années durant sur les moindres faits et gestes de Viserys. Du temps où je siégeais au Conseil restreint, j'en ai entendu une bonne centaine. Et, à dater du jour où Khal Drogo vous prit pour femme, il se trouva un mouchard placé à vos côtés pour vendre vos secrets, pour troquer ses murmures contre l'or et les promesses de l'Araignée. »

Il ne peut vouloir dire que... « Vous vous trompez. » Daenerys reporta son regard sur Mormont. « Dites-lui qu'il se trompe. Que son mouchard est une chimère. Dites-le-lui, ser Jorah. Ensemble, nous avons traversé la mer Dothrak, et ensemble le désert rouge... » Son cœur s'affolait comme un oiseau en cage. « Dites-lui, ser Jorah. Dites-lui jusqu'où va son erreur.

— Les Autres t'emportent, Selmy. » Ser Jorah jeta violemment son épée sur le tapis. « Ce ne fut qu'au début, *Khaleesi*, avant que je n'en vienne à vous connaître, avant que l'amour ne me...

— *Ne prononcez pas ce mot-là !* » Elle s'éloigna vivement de lui. « *Comment avez-vous pu ?* Que vous avait promis l'Usurpateur ? De l'or, c'est ça, de l'or ? » Les Nonmourants l'avaient prévenue qu'elle serait encore trahie deux fois, l'une par cupidité, l'autre par amour. « Dites-moi donc ce qu'on vous promettait ?

— Varys prétendait... que je pourrais rentrer chez moi. » Il baissa la tête.

Et moi qui allais vous ramener chez vous ! Ses dragons perçurent sa fureur. Viserion poussa un rugissement, et de la fumée grise s'exhala de ses naseaux. Les noires ailes de Drogon flagellèrent l'air, et Rhaegal, se démanchant le col, vomit un jet de flammes. *Je devrais proférer le mot, je devrais les livrer tous les deux au feu.* N'y avait-il donc personne en qui elle pût se fier, personne à qui abandonner le soin de sa sécurité ? « Les chevaliers de Westeros sont-ils tous aussi déloyaux que vous deux ? Dehors, avant que mes dragons ne vous rôtissent tous les deux. Ça sent comment, le menteur rôti ? Aussi bon que les égouts de Brun Ben Prünh ? *Partez !* »

Ser Barristan se releva lentement, roidement. Il paraissait son âge pour la première fois. « Où Votre Grâce nous ordonne-t-Elle de nous exiler ?

— En enfer, servir le roi Robert. » Elle sentit des larmes brûlantes lui ruisseler le long des joues. Drogon se mit à piailler, queue fouettant avec véhémence. « Libre aux Autres de vous emporter tous les deux. » *Partez, partez au diable et à jamais, vous deux, que je revoie votre tête de traîtres une seule fois, et je vous la fais sauter des épaules.* Mais elle était incapable d'articuler un seul mot. *Ils m'ont trahie. Mais ils m'ont sauvée. Mais ils m'ont menti.* « Allez, vous... » *Mon ours, mon ours farouche et fort, que ferai-je sans lui ? Et ce vieil homme, l'ami de mon frère...* « Allez, allez donc... ! » *Où ?*

Et ce fut comme une illumination.

TYRION

Tyrion s'habilla dans le noir, l'oreille attentive au souffle égal de sa femme assoupie dans le lit conjugal. *Elle rêve*, songea-t-il en l'entendant murmurer quelque chose de sa voix douce – un nom peut-être, mais, si bas, il était impossible de rien affirmer – avant de se tourner vers son propre côté. En tant que mari et femme, ils dormaient ensemble, mais sans partager rien de plus. *Jusqu'à ses pleurs qu'elle garde pour elle seule...*

Il s'était attendu à une explosion de douleur et de colère, en lui apprenant la mort de son frère, mais elle était restée tellement impassible qu'il avait un moment redouté qu'elle n'ait pas compris. Ce n'est que plus tard, alors qu'un lourd vantail de chêne se trouvait entre eux, qu'il l'avait entendue sangloter. Sur le moment, il avait envisagé d'aller la rejoindre, d'aller lui offrir tout ce qu'il pourrait de réconfort. *Non*, avait-il dû se rappeler pour y renoncer, *ce n'est sûrement pas d'un Lannister qu'elle acceptera la moindre espèce de consolation.* Le plus qu'il pouvait faire pour elle était de la protéger contre les détails des noces pourpres, au fur et à mesure que, de plus en plus hideux, ceux-ci arrivaient des Jumeaux. Il n'était vraiment pas indispensable, jugeait-il, que Sansa sache à quel point le corps de son frère avait été réduit en pâtée, mutilé ; ni que l'on avait dénudé le cadavre de sa mère avant de le jeter dans la Verfurque, en une féroce parodie des coutumes funéraires de la maison Tully. La dernière chose dont elle eût besoin, c'était d'aliments supplémentaires pour ses cauchemars.

Cela ne suffisait pas, toutefois. Qu'il lui eût drapé les épaules dans son manteau en jurant de la protéger, c'était une facétie aussi débonnaire que la couronne plantée par les Frey sur la tête du loup-garou cousue sur la dépouille décapitée de Robb Stark, et Sansa l'avait aussi durement ressenti que possible. Vu la façon qu'elle avait de le regarder, vu la roideur avec laquelle elle grimpait dans leur lit... quand il se trouvait avec elle, non, pas une seconde il ne pouvait oublier qui il était, ni *ce qu'*il était. Pas plus qu'elle ne l'oubliait, elle. Elle continuait d'aller, la nuit, prier dans le bois sacré, et il se demandait si c'était sa mort à lui qu'elle réclamait avec tant de ferveur. Elle avait perdu son foyer, sa place en ce monde, et chacun des êtres en qui elle eût jamais eu confiance et qu'elle eût jamais aimés. *L'hiver vient*, prévenait la devise des Stark, et il était vraiment venu pour eux plus que de raison. *Quand en revanche c'est l'apogée de l'été pour la maison Lannister. Mais d'où vient alors que j'ai si foutrement froid ?*

Il enfila ses bottes, agrafa son manteau avec une broche en mufle léonin, puis se faufila dans le vestibule où brûlait une torche. Son mariage avait toujours eu ce résultat positif de lui permettre de quitter la citadelle de Maegor. Le seul fait qu'il fût désormais pourvu d'une femme et d'une maisonnée avait amené le seigneur son père à convenir que la bienséance exigeait un logis plus décent, et lord Gyles s'était vu brutalement dépouiller des appartements qu'il occupait tout en haut de l'hostel des Cuisines.

Des appartements non seulement spacieux mais splendides, avec chambre à coucher vaste, et loggia congrue, salle de bains, cabinet de toilette pour Sansa, petites chambres contiguës pour Pod et pour les caméristes. Il n'était jusqu'à la cellule de Bronn, sur l'escalier, qui n'eût une espèce de fenêtre. *Enfin, plutôt une archère, mais ça laisse entrer la lumière.* Les cuisines principales du château se trouvaient à vrai dire juste en face, de l'autre côté de la cour, mais Tyrion aimait cent mille fois mieux leur tapage et leurs exhalaisons que la cohabitation forcée de Maegor avec sa sœur. Moins il avait à supporter la vue de Cersei, plus il avait de chances d'être heureux.

De la cellule de Bella provenaient, quand il passa devant, les fameux ronflements dont se plaignait Shae. Le prix à payer, plutôt bon marché, trouva-t-il. C'était sur les conseils de Varys qu'il avait engagé la bonne femme ; ses antécédents d'ancienne gouvernante de la garçonnière de lord Renly en ville n'avaient pas dû manquer de la rendre aussi muette, aveugle et sourde que possible.

Après avoir allumé un bougeoir, il gagna l'escalier de service et se mit à descendre. Les étages en dessous du sien reposaient en silence, et il n'entendait que ses propres pas. Il descendit, descendit jusqu'au rez-de-chaussée puis au-delà, parvint enfin dans une cave sombre à voûte de pierre. Les différentes parties du château communiquaient généralement par des passages souterrains, et l'hostel des Cuisines ne faisait pas exception à la règle. Tyrion suivit un long corridor noir jusqu'à certaine porte familière qu'il poussa en habitué.

Au-delà du seuil l'attendaient les crânes de dragons, ainsi que Shae. « J'ai cru que m'sire m'avait oubliée. » Elle avait accroché sa robe à une dent noire presque aussi grande qu'elle et se dressait entre les mâchoires du dragon, nue. *Balerion*, songea-t-il. À moins que ce ne fût Vaghar ? Il n'y avait rien de plus similaire que deux crânes de dragons.

La voir, elle, suffit à le faire bander. « Sors de là.

— Non. » Elle lui sourit de son sourire le plus démoniaque. « M'sire va m'arracher aux mâchoires du dragon, je sais. » Mais il suffit qu'il se rapproche en se dandinant pour qu'elle se penche et souffle la flamme du bougeoir.

« Shae... » Il la toucha à l'aveuglette, mais elle pirouetta, se déroba.

« Te faut m'attraper. » Sa voix venait de la gauche. « M'sire a bien dû jouer à monstres et fillettes quand il était petit...

— Tu me traites de monstre ?

— Pas plus que moi de fillette. » Elle se trouvait derrière lui, pas de loup sur les dalles. « Faut quand même que tu m'attrapes. »

Ce qu'il fit, finalement, mais uniquement parce qu'elle voulut bien se laisser attraper. Encore était-il rouge et hors d'haleine à force de s'être empêtré dans les crânes de dragons lorsqu'elle se glissa dans ses bras. Mais tout cela fut oublié dès la seconde où il sentit se presser dans le noir contre son visage les petits seins, leurs tétons durcis lui frôler, caresser les lèvres, effleurer la cicatrice qui lui tenait désormais lieu de nez. Il l'étendit par terre. « Mon géant, souffla-t-elle quand il pénétra en elle. Mon géant est venu me sauver. »

Après, comme ils gisaient emmêlés parmi les crânes de dragons, que, reposant sa tête au contact de Shae, il respirait la douce odeur de propre émanant de sa chevelure, « Il faudrait rentrer, dit-il à contre-cœur. Il ne doit pas être bien loin de l'aube. Sansa va se réveiller.

— Tu devrais lui donner du vinsonge, répliqua Shae, comme lady Tanda fait avec Lollys. Une coupe avant qu'elle s'endorme, et on pourrait baiser dans le pieu à côté d'elle que ça la réveillerait pas. » Elle se mit à glousser. « Si on le faisait, une nuit, hein ? M'sire aimerait pas ça ? » Sa main lui chercha l'épaule et entreprit d'en pétrir les muscles. « T'as l'encolure dure comme des cailloux. Qu'est-ce qui va pas ? »

Bien qu'il ne pût pas seulement discerner les doigts qu'il se brandissait sous les yeux, Tyrion les utilisa quand même pour dénombrer toutes ses misères. « Ma femme. Ma sœur. Mon neveu. Mon père. Les Tyrell. » Il dut recourir à son autre main. « Varys. Pycelle. Littlefinger. La Vipère Rouge de Dorne. » Il en était à son dernier doigt. « La gueule qui me dévisage dans l'eau quand je fais ma toilette. »

Shae déposa un baiser sur son nez mutilé. « Une gueule brave. Une gueule bonne et gentille. Que je serais drôlement contente de voir, là, maintenant. »

Il y avait dans sa voix toute l'innocence, toute la tendresse du monde. *Tendresse ? Innocence ? Fou que tu es, c'est une putain, tout ce qu'elle sait des hommes, c'est leur bidule entre les jambes. Fou, fou.* « Grand bien te fasse. » Il se mit sur son séant. « Une longue journée nous attend, tous les deux. Tu n'aurais pas dû souffler ce bougeoir. Comment allons-nous faire, maintenant, pour retrouver nos frusques ? »

Elle se mit à rire. « Faudra peut-être qu'on y aille à poil. »

Et, si l'on nous voit, mon seigneur père te fera pendre. L'engagement de Shae comme servante de Sansa lui permettait à la rigueur d'être vu avec elle et pouvait justifier l'échange de quelques mots, mais il ne se leurrait pas pour autant sur leur sécurité. Varys l'avait bien mis en garde : « J'ai doté Shae d'antécédents fictifs, mais c'était à l'intention de Lollys et de lady Tanda. Votre sœur est d'un naturel moins crédule. Si jamais il advient qu'elle me demande ce que je sais...

— Vous lui servirez un mensonge de premier choix.

— Nenni. Je lui dirai que c'est une vulgaire gueuse à soldats dont vous avez fait l'acquisition la veille de la bataille sur la Verfurque et que vous avez ramenée à Port-Réal, en dépit des ordres exprès de messire votre père. Je ne mentirai pas à la reine.

— Vous lui avez déjà menti, auparavant. L'en informerai-je ? »

L'eunuque avait soupiré. « Voilà plus meurtrier qu'un coup de poignard, messire. Je vous ai loyalement servi, mais mon devoir est aussi de servir votre sœur lorsque je le puis. Combien de temps pensez-vous qu'elle me laisserait encore vivre si je ne lui étais plus en aucune manière d'aucune utilité ? Je n'ai pas de spadassin sans foi ni loi pour me protéger, pas de frère sans peur ni reproche pour me venger, je n'ai rien, moi, rien que quelques oisillons pour me pépier dans l'oreille. Et c'est avec ces pépiements qu'il me faut racheter jour après jour chaque jour ma vie.

— Pardonnez-moi si je ne pleure sur votre sort.

— Requête accordée, mais à vous de me pardonner si je ne pleure point sur le sort de Shae. Je le confesse, je ne conçois pas ce qu'elle peut bien avoir pour amener un homme de votre intelligence à se comporter aussi bêtement.

— Il vous serait possible de le concevoir si vous n'étiez eunuque.

— Parce que c'est pour ça ? Un homme peut

avoir soit de la cervelle, soit un bout de viande entre les pattes, mais pas les deux ? » Il se mit à ricaner. « Peut-être, alors, devrais-je me féliciter que l'on m'ait châtré. »

L'Araignée disait vrai. Tout en tâtonnant dans les ténèbres hantées par les dragons pour retrouver ses sous-vêtements, Tyrion se sentait accablé. Les risques qu'il prenait lui mettaient les nerfs à fleur de peau, et des remords le tourmentaient aussi. *Les Autres emportent mes remords !* songea-t-il en enfilant sa tunique par-dessus sa tête. *De quoi devrais-je me sentir coupable ? Ma femme se refuse à avoir le moindre commerce avec moi, et tout spécialement avec la partie de mon être qui manifeste la vouloir.* Peut-être qu'il fallait lui *dire*, à propos de Shae. Il n'y avait pas de quoi en faire un plat, il n'était quand même pas le premier homme à entretenir une concubine. Son propre – oh, si propre... ! – père n'avait-il pas pourvu Sansa d'un frère bâtard, hein ? Et puis elle serait sans doute enchantée, non ? d'apprendre qu'il baisait Shae, dans la mesure où ça lui épargnait le dégoût d'être touchée par lui.

Non, je n'ose pas. Serments ou pas, il ne pouvait faire confiance à sa femme. Si vierge qu'elle fût entre les cuisses, elle avait une innocence pour le moins douteuse en matière de trahison ; n'est-ce pas elle qui, naguère, était allée déballer à Cersei les plans de son propre père ? Et garder des secrets, les gamines de son âge n'avaient d'ailleurs pas spécialement la réputation de savoir le faire.

Non, l'unique remède assuré consistait à se défaire de Shae. *Je pourrais toujours l'envoyer à Chataya*, se dit-il, non sans répugnance. Dans le bordel de Chataya, elle aurait toutes les soieries, toutes les pierreries qu'elle désirerait, et comme protecteurs la fine fleur du meilleur monde. De quoi mener une existence infiniment plus satisfaisante que celle d'où lui-même l'avait tirée.

Ou bien, si elle en avait assez de gagner son pain sur le dos, il pourrait encore lui arranger un mariage. *Bronn, peut-être ?* Le reître n'avait jamais rechigné à saucer l'assiette de son maître, et elle aurait en lui, maintenant qu'il était chevalier, un parti vraiment inespéré. *Ou ser Tallad ?* Celui-là, Tyrion l'avait surpris, et plus d'une fois, à contempler Shae d'un air mélancolique. *Pourquoi pas ? Il est grand, fort, pas désagréable à regarder, de pied en cap le jeune chevalier doué.* Évidemment, il ne la connaissait que sous les espèces d'une ravissante soubrette au service d'une dame du château. *S'il l'épousait puis venait à apprendre qu'elle était une putain...*

« Où t'es, m'sire ? Les dragons t'ont croqué ?

— Non. Ici. » Il tâta un crâne de dragon. « J'ai bien trouvé une chaussure, mais j'ai l'impression qu'elle t'appartient.

— M'sire est d'un solennel, bouh... J'y ai déplu ?

— Non, fit-il d'un ton par trop sec. Tu me plais toujours. » *Et c'est par là que nous sommes en danger.* Il pouvait lui arriver de rêver qu'il la renvoyait, des fois comme celle-ci, mais jamais ça ne durait beaucoup. Il la vit vaguement, dans l'obscurité, enfiler un bas de laine sur sa jambe fine. *J'y vois.* Une vague lueur suintait dans la cave par chacun des longs soupiraux qui s'alignaient presque au ras de la voûte. Les crânes des dragons targaryens émergeaient des ténèbres environnantes, noirs sur gris. « Le jour vient trop tôt. » Un nouveau jour. Une nouvelle année. Un nouveau siècle. *J'ai survécu à la Verfurque et à la Néra, je peux foutrement bien survivre aux noces du roi Joffrey.*

Shae rafla sa robe, toujours accrochée sur la dent de dragon, et se l'enfila par-dessus la tête. « Je vais monter la première. Bella va vouloir que je l'aide pour l'eau du bain. » Elle se baissa pour lui donner un dernier baiser, sur le front. « Mon géant Lannister. Je t'aime tellement. »

Et je t'aime aussi, ma toute douce. Elle pouvait bien être une putain, elle méritait mieux que ce qu'il avait à lui donner. *Je la marierai à ser Tallad. Il a l'air d'un homme comme il faut. Puis il est grand...*

SANSA

C'était un rêve si délicieux..., songea-t-elle dans son demi-sommeil. Elle s'était vue de retour à Winterfell, et courant avec sa Lady dans le bois sacré. Son père se trouvait là, et ses frères aussi, tous sains et saufs, chaleureux. *Que ne suffit-il, hélas, de rêver les choses pour qu'elles soient...*

Elle rejeta les couvertures. *Je dois me montrer brave.* Bientôt allaient s'achever ses tourments, d'une manière ou d'une autre. *Si Lady se trouvait là, je ne serais pas effrayée.* Mais Lady était morte, et Robb, Bran, Rickon, Arya, Père, Mère et même septa Mordane. *Tous morts, excepté moi.* Seule au monde elle était, désormais.

Messire son époux ne se trouvait pas à ses côtés, mais elle en avait l'habitude. Il était un mauvais dormeur et se levait souvent avant le point du jour. D'ordinaire, elle le découvrait dans la loggia, courbé près d'une chandelle et perdu dans quelque vieux rouleau, quelque bouquin relié de cuir. Parfois, l'odeur du pain matinal qu'on sortait du four l'attirait aux cuisines, parfois il montait au jardin de la terrasse ou descendait errer comme une âme en peine à la promenade du Traître.

Elle repoussa les volets et frissonna lorsque la chair de poule lui courut le long des bras. Des nuages se massaient vers l'est, transpercés de traits lumineux. *On dirait deux énormes châteaux en suspens dans le ciel du matin.* Elle y discernait des murailles de pierre éboulées, des barbacanes, de puissants donjons. Des bannières vaporeuses ondoyaient en haut de leurs tours et s'effilochaient vers les étoiles qui pâlissaient à toute vitesse. Le soleil émergeait par-derrière, et elle regarda ses châteaux passer du noir au gris puis à des milliers de nuances de rose et d'écarlate et d'or. Le vent ne tarda guère à les fondre l'un dans l'autre, et, au lieu de deux, il finit par ne plus y en avoir qu'un seul.

Elle entendit la porte s'ouvrir. Ses femmes entrèrent, apportant l'eau bouillante pour son bain. Elles étaient toutes les deux nouvelles à son service. Tyrion accusait leurs devancières de n'avoir jamais été que des espionnes à la solde de Cersei, emploi dont elle-même les avait toujours soupçonnées. « Venez voir, dit-elle. Il y a un château dans le ciel. »

Elles s'approchèrent pour jeter un œil. « Il est en or. » Shae avait le cheveu noir, court, l'œil hardi. Quitte à accomplir correctement chacune des tâches dont on la chargeait, il lui arrivait de darder sur sa maîtresse des regards d'une rare insolence. « Un château tout en or, voilà une chose que j'aimerais voir.

— Un château, ça ? » Bella dut loucher. « Cette tour-là se déglingue, m'a l'air. C'est que des ruines, un fait. »

Sansa n'avait aucune envie qu'on lui parle de tours branlantes et de châteaux détruits. Elle referma les volets et dit : « Nous sommes attendus au petit déjeuner de la reine. Messire mon époux se trouve dans la loggia ?

— Non, m'dame, répondit Bella. Je ne l'ai pas vu.

— Se pourrait qu'il est allé voir son père, déclara

Shae. Se pourrait que la Main du Roi a eu besoin de ses conseils. »

Bella fit la moue. « Vaudrait mieux vous mettre dans la baignoire avant que votre eau soye trop refroidie, lady Sansa. »

Sansa laissa Shae lui retirer sa chemise par-dessus la tête et grimpa dans le grand cuvier de bois. Elle fut tentée de demander une coupe de vin pour calmer ses nerfs. Le mariage devait avoir lieu à midi dans le Grand Septuaire de Baelor, à l'autre bout de la ville. Et, le soir venu, le festin se tiendrait dans la salle du Trône, avec un millier d'invités, soixante-dix-sept plats, chanteurs, jongleurs et baladins. Mais d'abord il fallait subir le petit déjeuner réservé, dans le Bal de la Reine, aux Lannister, aux mâles Tyrell – les dames Tyrell déjeuneraient, elles, avec Margaery – et à une centaine hétéroclite de chevaliers et de hobereaux. *Ils ont fait de moi une Lannister*, songea-t-elle avec amertume.

Bella expédia Shae quérir d'autres brocs d'eau bouillante pendant qu'elle-même laverait le dos de leur maîtresse. « Vous êtes toute tremblante, m'dame.

— C'est l'eau qui n'est pas suffisamment chaude », mentit Sansa.

Ses femmes étaient en train de l'habiller quand Tyrion fit son apparition, Podrick Payne à la traîne. « Vous êtes adorable, Sansa. » Il se tourna vers son écuyer. « Pod, sois assez bon pour me verser une coupe de vin.

— Il y aura du vin au déjeuner, messire, objecta Sansa.

— Il y a du vin ici. Vous n'escomptez pas me voir affronter ma sœur à jeun, sûrement ? Nous entamons un nouveau siècle, madame. La trois centième année depuis la conquête d'Aegon. » Le nain reçut des mains de Pod une coupe de rouge et la leva bien haut. « À Aegon. Quel veinard. Deux sœurs, deux épouses et trois gros dragons, quel homme pourrait demander davantage ? » Il s'essuya la bouche d'un revers de main.

Les effets du Lutin, remarqua Sansa, étaient aussi malpropres et fripés que s'il avait dormi tout habillé. « Vous allez changer de tenue, messire ? Votre doublet neuf est très beau.

— Le *doublet* n'est pas mal, oui. » Tyrion reposa la coupe. « Viens, Pod, voyons voir s'il nous est possible de découvrir des falbalas qui me fassent paraître un peu moins nabot. Je serais trop fâché de mortifier madame ma femme. »

Lorsqu'il reparut, peu après, il était à peu près présentable et même un rien plus grand. Podrick Payne s'était changé aussi, et il avait presque l'air d'un authentique écuyer, pour une fois, malgré l'assez gros bouton rouge au coin du nez qui gâtait l'effet de ses somptueux atours violet, blanc et or. *Il est d'une telle timidité...* Elle s'était d'abord défiée de lui ; il était un Payne, un cousin de ser Ilyn Payne, le bourreau de Père. Mais elle n'avait pas été longue à se rendre compte qu'il avait aussi peur d'elle qu'elle de son parent. Chaque fois qu'elle lui adressait la parole, il optait aussitôt pour le cramoisi le plus alarmant.

« Le violet, l'or et le blanc seraient-ils les couleurs de la maison Payne, Podrick ? s'enquit-elle d'un ton poli.

— Non. Je veux dire, oui. » Il piqua son fard. « Les couleurs. Nos armes sont blanc et violet. En damier. Madame. Avec des pièces d'or. Dans les carreaux. Violet et blanc. Les deux. » Elle avait des pieds qui le fascinaient, manifestement.

« Il y a toute une histoire, à propos de ces fameuses pièces, intervint Tyrion. Pod la confessera sans nul doute un de ces jours à vos orteils. Seulement, pour l'heure, nous sommes attendus au Bal de la Reine. Nous y allons ? »

Sansa fut tentée de se récuser. *Je pourrais lui dire que j'ai mal au ventre, ou que mes règles viennent de débuter.* Elle ne désirait rien tant que d'aller se refourrer au lit, courtines bien fermées. *Je dois me montrer brave, comme Robb*, se dit-elle, tout en prenant avec raideur le bras de son seigneur et maître.

Au Bal de la Reine, ils déjeunèrent de pain d'épices aux mûres et aux noix, de jambon, de lard fumé, de friture de goujons panés, de poires d'automne et d'une spécialité dornienne composée de fromage, d'oignons et d'œufs durs hachés braisés avec des piments de feu. « Rien de tel qu'un petit déjeuner solide pour vous aiguiser l'appétit en vue d'un gueuleton de soixante-dix-sept plats », commenta Tyrion quand on eut rempli leurs assiettes. Afin de faciliter la descente, il y avait là des cruchons de lait, des pichets d'hydromel et des carafes d'un vin léger, mordoré, moelleux. Des musiciens flânaient entre les tables en jouant qui du crincrin, qui de la flûte et qui de la cornemuse, tandis qu'à califourchon sur son balai de bruyère ser Dontos caracolait à travers la salle et que Lunarion s'enflait les joues de pets salaces et chantait sur les invités des couplets pas piqués des vers.

Si Tyrion, remarqua Sansa, ne touchait guère à la nourriture, en revanche il entonnait coupe sur coupe. Pour sa part, elle goûta des œufs à la dornienne, mais le peu qu'elle en prit suffit à lui incendier la bouche, et elle fit, sinon, tout juste mine de grignoter fruit, friture et pâtisseries. Et, pour peu que Joffrey jetât les yeux sur elle, cela lui mettait les tripes dans un tel émoi qu'elle avait l'impression d'avoir avalé une chauve-souris.

Après qu'on eut desservi, la reine présenta solennellement à Joff le manteau d'épouse dont il aurait à draper les épaules de Margaery. « C'est le manteau que je portais le jour où Robert me prit pour sa reine, et c'est aussi celui-là même que portait ma mère, lady Joanna, quand on la maria au seigneur mon père. » Sansa trouva qu'il avait l'air usé jusqu'à la corde, à la vérité, mais peut-être était-ce d'avoir tant servi.

Là-dessus survint le moment des présents. Il était de tradition, dans le Bief, que chacun des fiancés en reçoive, le matin des noces, à titre personnel, alors que ceux qu'on leur offrait le lendemain s'adressaient cette fois au couple.

De Jalabhar Xho, Joffrey reçut un grand arc de bois doré et un carquois de longues flèches empennées de plumes écarlates et vertes ; de lady Tanda, des bottes souples de cheval ; de ser Kevan, une selle de joute magnifique en cuir rouge ; une broche d'or rouge ouvragée en forme de scorpion, du prince Oberyn de Dorne ; des éperons d'argent, de ser Addam Marpheux ; de lord Mathis Rowan, un pavillon de tournoi en soie rouge. Lord Paxter Redwyne exhiba la belle maquette en bois de la galère de deux cents rames actuellement en chantier à La Treille. « S'il agrée à Votre Majesté, dit-il, on l'appellera *la Bravoure du roi Joffrey* », et Joffrey daigna trouver la chose à son gré. « J'en ferai mon navire amiral quand j'appareillerai pour aller à Peyredragon tuer mon félon d'oncle Stannis », déclara-t-il.

Il fait son gracieux souverain, aujourd'hui. Quand ça lui chantait, Joffrey pouvait se montrer tout à fait affable, Sansa ne l'ignorait pas, mais ça lui chantait apparemment de moins en moins souvent. De fait, toutes ses grâces s'évanouirent instantanément quand Tyrion vint lui remettre leur propre cadeau : les *Vies de quatre Rois*, vénérable in folio relié de cuir et somptueusement enluminé. Il le feuilleta de manière à ne pas marquer la moindre espèce d'intérêt. « C'est quoi, ça, Oncle ? »

Un livre. Les remuait-il, Joffrey, ses grosses limaces de lèvres, lorsqu'il lisait ? se demanda-t-elle.

« L'histoire des règnes de Daeron le Jeune Dragon, de Baelor le Bienheureux, d'Aegon l'Indigne et de Daeron le Bon par le Grand Mestre Kaeth, répondit son petit époux.

— Un ouvrage que se devraient de lire tous les rois, Sire, dit ser Kevan.

— Mon père n'avait pas de temps pour les bouquins. » Joffrey balança le volume sur la table. « Si vous lisiez moins, Oncle Lutin, peut-être que lady Sansa aurait maintenant un lardon dans le tiroir. » Il se mit à rire... et, quand le roi rit, la cour ne manque pas de se tordre de rire. « Ne soyez pas triste, Sansa, dès que j'aurai engrossé la reine Margaery, je viendrai faire un tour dans votre chambre et je montrerai à ma virgule d'oncle comment s'y prendre. »

Sansa s'empourpra. Effarée de ce qu'il allait riposter, elle jeta un coup d'œil fébrile à Tyrion. Cet incident risquait de prendre une aussi fâcheuse tournure que celui du coucher, le soir de leurs propres noces. Mais, pour une fois, le nain paraissait plus enclin à se gorger de vin qu'à dégorger quelque impertinence.

Lord Mace Tyrell s'avança pour sa propre offrande : un calice d'or, haut de trois pieds, muni d'anses tarabiscotées, rutilant de gemmes et qui comportait sept faces. « Sept faces, expliqua le père de la future, pour les sept couronnes du royaume de Votre Majesté. » Et sur ce de faire valoir comme quoi chacune d'entre elles arborait l'emblème d'une grande maison : lion de rubis, rose d'émeraude, cerf d'onyx, truite d'argent, faucon de jade bleu, soleil d'opale et loup-garou de perle.

« Superbe, comme coupe..., s'extasia Joffrey, mais il va nous falloir faire sauter le loup et le remplacer par un encornet, m'est avis. »

Sansa feignit de n'avoir pas entendu.

« Nous boirons à longs traits durant le festin, beau-père, Margaery et moi. » Joffrey éleva le calice au-dessus de sa tête pour le faire admirer de toute l'assistance.

« Ce satané machin est aussi grand que moi, maugréa Tyrion à mi-voix. Une demi-coupe, et Joff tombera ivre mort. »

Tant mieux, songea-t-elle. *Peut-être qu'il se rompra le cou.*

Lord Tywin avait attendu de manière à ne venir que bon dernier remettre son propre présent : une épée. Le fourreau en était de merisier, d'or, et de maroquin rouge clouté de mufles léonins d'or. Ces derniers avaient des prunelles de rubis, remarqua Sansa. Le silence se fit dans la salle de bal quand Joffrey dégaina la lame et la brandit au-dessus de sa tête. Le grand jour fit chatoyer des veines noires et rouges au cœur de l'acier.

« Magnifique, déclara Mathis Rowan.

— Digne d'être chantée, Sire, dit lord Redwyne.

— Une épée *royale* », conclut ser Kevan Lannister.

La mine que faisait le roi Joffrey était celle d'un homme qui brûle de tuer quelqu'un, là, sur-le-champ. Tellement excité, qu'il était... Il flagella l'air et se mit à rire. « Une grande épée doit avoir un grand nom, messires ! Comment vais-je l'appeler ? »

Sansa se rappela Dent-de-Lion, l'épée qu'Arya avait jetée dans le Trident, et Mangecœur, celle qu'il l'avait contrainte à baiser avant la bataille. Allait-il exiger de Margaery qu'elle baise celle-ci ? se demanda-t-elle.

Les convives s'étaient mis à glapir toutes sortes de noms pour la nouvelle arme. Joffrey en avait déjà récusé une bonne douzaine quand il en entendit un qui le charma. « *Pleurs-de-Veuve* ! piailla-t-il, oui ! puis elle va faire pas mal de veuves, aussi ! » Il cingla de nouveau le vide. « Et puis, quand j'affronterai mon oncle Stannis, elle la lui brisera net, son épée magique, en deux ! » Il hasarda une taillade qui força ser Balon Swann à se reculer précipitamment, et ce d'un air qui déclencha l'hilarité de toute la salle.

« Que Votre Majesté prenne garde, avertit ser Addam Marpheux. Rien ne résiste au tranchant de l'acier valyrien.

— Me rappelle. » À deux mains, Joffrey abattit sauvagement Pleurs-de-Veuve sur le livre que Tyrion lui avait offert. Le coup fendit la reliure de cuir massif. « Tranchant ! Je vous l'ai dit, ça me connaît, moi, l'acier valyrien. » Une demi-douzaine de coups supplémentaires furent nécessaires pour achever de trancher l'épais in-folio, et, cela fait, le marmot était hors d'haleine. Sansa perçut les violents efforts que faisait son mari pour vaincre sa fureur, tandis que ser Osmund Potaunoir glapissait : « Les dieux me préservent que vous tourniez jamais ce maudit rasoir contre moi, Sire !

— Tâchez de ne jamais m'en fournir motif, ser. » Avec la pointe de l'épée, Joffrey envoya valser d'une chiquenaude un fragment des *Vies de quatre Rois* qui traînait sur la table puis remit Pleurs-de-Veuve dans son fourreau.

« Sire..., intervint ser Garlan Tyrell. Peut-être Votre Majesté l'ignorait-Elle, mais il n'existait dans tout Westeros que quatre exemplaires de ce livre, illuminés de la main même de Kaeth.

— Eh bien, maintenant, ça fait trois. » Joffrey déboucla son ancien baudrier pour ceindre le nouveau. « Vous et lady Sansa me devez un présent plus présentable, Oncle Lutin. Celui-ci est tout en miettes. »

Tyrion dévisageait fixement son neveu de ses yeux vairons. « Peut-être un poignard, Sire. Qui soit assorti avec votre épée. Un poignard de ce même acier valyrien merveilleux..., disons avec un manche en os de dragon ? »

Joffrey lui décocha un regard aigu. « Vous... – oui, un poignard assorti avec mon épée, bon. » Il hocha la tête. « Le... En or, le manche, serti de rubis. C'est trop ordinaire, l'os de dragon. »

— Il en sera selon le bon plaisir de Votre Majesté. » Tyrion lampa une nouvelle coupe de vin. Il ne tenait pas plus compte de Sansa que s'il s'était trouvé tout seul, là-bas, dans sa loggia. Et néanmoins, le moment venu de partir pour la cérémonie, il la prit par la main.

Comme ils traversaient la cour, le prince Oberyn de Dorne se porta à leur hauteur, sa brune maîtresse à son bras. Sansa jeta un coup d'œil curieux sur celle-ci qui, toute maunée, toute fille-mère qu'elle était (le prince avait eu d'elle deux bâtardes), ne craignait pas de regarder la reine elle-même les yeux dans les yeux. D'après les commérages de Shae, cette Ellaria vénérait une déesse de l'amour lysienne. « Elle était presque une putain quand il l'a ramassée, m'dame, avait soufflé la camérière, et vous la v'là pas loin princesse, comme qui dirait. » Sansa la voyait d'un peu près pour la première fois.

Elle n'est pas véritablement belle, songea-t-elle, *mais elle a quelque chose qui attire l'œil.*

« J'ai eu jadis l'immense privilège de voir l'exemplaire des *Vies de quatre Rois* que possède la Citadelle, disait cependant le prince Oberyn à Tyrion. C'était un enchantement que d'en contempler les enluminures, mais j'ai trouvé Kaeth un peu trop gentil pour le roi Viserys. »

Le nain darda sur lui un regard acéré. « Trop gentil ? Il réduit honteusement Viserys à pis que la portion congrue, selon moi. Son ouvrage aurait dû s'intituler *Vies de* cinq *Rois*. »

Le prince se mit à rire. « Viserys n'a pas dû régner plus d'une quinzaine de jours !

— Il régna plus d'un an », dit Tyrion.

Oberyn y alla d'un haussement d'épaules. « Un an ou une quinzaine, qu'est-ce que ça peut faire ? Il empoisonna son propre neveu pour s'adjuger le trône et puis ne fit rien, une fois dessus.

— Baelor se fit mourir de faim lui-même, à force de jeûnes, dit Tyrion. Son oncle lui fut une Main aussi loyale et dévouée qu'à son prédécesseur, le Jeune Dragon. Il eut beau ne régner qu'un an, Viserys gouverna trois lustres, pendant que Daeron guerroyait et que Baelor priait. » Il prit un air revêche. « Et quand bien même il aurait supprimé son neveu, vous iriez l'en blâmer, vous ? Il fallait bien quelqu'un pour sauver le royaume des extravagances de Baelor. »

Sansa fut scandalisée. « Mais Baelor le Bienheureux fut un grand roi ! Qui non seulement se rendit aux Osseux nu-pieds pour faire la paix avec Dorne, mais qui vola à la rescousse du Chevalier-dragon dans la fosse aux serpents. Même qu'à le voir tellement pur et tellement saint les vipères se refusèrent à le piquer... »

Le prince Oberyn sourit. « Si vous étiez une vipère, madame, auriez-vous envie de mordre une trique exsangue comme Baelor le Bienheureux ? Je préférerais quant à moi réserver mes crocs en faveur d'un être plus juteux...

— Mon prince vous taquine, lady Sansa, fit Ellaria Sand. Les septons et les chanteurs se plaisent à conter que les serpents ne mordirent point Baelor, mais la vérité est très différente. Il reçut une cinquantaine de morsures, et il aurait dû en mourir.

— L'eût-il fait que Viserys aurait régné une douzaine d'années, dit Tyrion, et les Sept Couronnes ne s'en seraient que mieux portées. D'aucuns estiment que tout ce venin avait quelque peu dérangé l'esprit de Baelor.

— Oui, acquiesça le prince Oberyn, mais je n'ai pas vu de serpents dans votre Donjon Rouge. Comment vous expliquez-vous, dès lors, le cas de Joffrey ?

— J'aime mieux pas. » Tyrion s'inclina avec raideur. « Si vous voulez bien nous excuser. Notre litière attend. » Il aida Sansa à s'y installer, s'y hissa lui-même à sa suite vaille que vaille. « Faites-moi la grâce de fermer les rideaux, madame, si vous voulez bien.

— Est-ce absolument nécessaire, messire ? » Elle n'avait aucune envie de se retrouver confinée là-dedans. « Il fait si beau...

— Les bonnes gens de Port-Réal risquent de bombarder la litière avec des ordures s'ils m'y aperçoivent. Soyez bonne pour nous deux, madame. Fermez les rideaux. »

Elle obtempéra, puis ils demeurèrent un long moment sur place, dans une atmosphère que la chaleur rendait de plus en plus étouffante. « Je suis désolée pour votre livre, messire, se contraignit-elle à dire enfin.

— C'était le livre de Joffrey. Il aurait pu y apprendre une ou deux choses, s'il l'avait lu. » Il parlait d'un ton distrait. « J'aurais dû m'en douter. J'aurais dû voir... un tas de choses.

— Peut-être que le poignard lui plaira davantage. » À la grimace que fit le nain, sa cicatrice se contracta, se tordit. « Il a mérité un poignard, c'est ça, dites-le ? » Par bonheur, il ne lui laissa pas le loisir de répondre. « À Winterfell, Joff s'était disputé avec votre frère Robb. Y avait-il aussi, dites-moi, de l'antipathie entre lui et Bran ?

— Bran ? » La question la sidéra. « Avant sa chute, vous voulez dire ? » Il lui fallut faire un gros effort pour y repenser. C'était déjà si loin, tout ça... « Bran était un enfant délicieux. Tout le monde l'aimait. Lui et Tommen se battaient avec des épées de bois, je me souviens, mais par jeu, c'est tout. »

Tyrion retomba dans un morne mutisme. Sansa entendit au loin ferrailler des chaînes. On était en train de lever la herse. Un instant plus tard retentit un cri, et leur litière s'ébranla en tanguant. Privée de décor mouvant, Sansa s'abîma délibérément dans la contemplation de ses mains jointes. Les prunelles dépareillées que son mari faisait peser sur elle lui causaient un malaise extrême. *Pourquoi me regarde-t-il de cette façon ?*

« Vous aimiez vos frères, tout à fait comme j'aime le mien. »

Est-ce une chausse-trape Lannister pour me convaincre de félonie ? « Mes frères étaient des traîtres, et ils sont descendus dans la tombe des traîtres. C'est trahir que d'aimer des traîtres. »

Son petit mari s'ébroua. « Robb avait pris les armes contre son roi légitime. Au regard de la loi, cela faisait de lui un traître. Les autres sont morts trop jeunes pour avoir su ce qu'est la trahison. » Il se frotta le nez. « Sansa, savez-vous ce qui est arrivé à Bran, à Winterfell ?

— Bran est tombé. Il était toujours en train d'escalader des trucs, et il a fini par tomber. Nous avions toujours eu peur que ça lui arrive. Et Theon Greyjoy l'a assassiné, mais ça, c'est plus tard que ça s'est passé.

— Theon Greyjoy. » Tyrion soupira. « Madame votre mère, un jour, m'a accusé..., bref, je ne vais pas vous assommer avec ces vilains détails. Elle m'accusait à tort. Je n'ai jamais fait de mal à votre frère Bran. Et je n'ai aucunement l'intention non plus de vous en faire à vous. »

Que cherche-t-il à me faire dire ? « Il m'est agréable de le savoir, messire. » Il désirait obtenir d'elle quelque chose, mais elle ne comprenait pas quoi. *Il a l'air d'un gosse affamé, mais je n'ai rien à lui donner pour le rassasier. Pourquoi ne me laisse-t-il pas tranquille ?*

Tyrion s'était encore une fois remis à frotter son trognon couturé de nez. Une affreuse manie qui ne servait qu'à vous attirer l'œil sur son affreuse trogne. « Vous ne m'avez jamais demandé de quelle manière était mort Robb, ou votre mère.

— Je... j'aimerais mieux ne pas savoir. Cela me donnerait de mauvais rêves.

— Alors, je n'en dirai pas davantage.

— C'est... c'est aimable à vous.

— Oh oui, fit-il. Je suis l'amabilité même. Et pour ce qui est des mauvais rêves, je connais. »

TYRION

Le nouveau diadème offert par Père à la Foi se haussait en gloire de cristal et d'or à des altitudes deux fois plus altières que celui que la populace avait saccagé. Il s'en échappait des flopées de diaprures et de chatoiements chaque fois que le Grand Septon branlait si peu que ce fût du chef, et ce qui forçait l'émerveillement de Tyrion, c'est que le prélat parvînt à porter un machin si lourd. Quant à Joffrey et Margaery, même lui devait confesser que là, debout côte à côte entre les statues dorées colossales du Père et de la Mère, ils formaient un couple royal.

La future était adorable, toute froufroutante de soie ivoire et de dentelles de Myr, avec ses jupes chamarrées de motifs floraux rehaussés de semis de perles. En sa qualité de veuve de Renly, elle aurait dû porter les couleurs Baratheon, noir et or, mais c'est en damoiselle Tyrell qu'elle se présentait, vêtue d'un manteau virginal jonché de centaines de roses de brocart d'or sur fond de velours vert. Il se demanda si, vierge, elle l'était véritablement. *Non que Joffrey risque fort de faire la différence...*

Pour la splendeur, le roi égalait presque sa promise, en doublet rose thé sous un manteau de velours écarlate intense frappé du cerf et du lion. La couronne avait l'air, or sur or, faite pour les boucles qu'elle ceignait. *Et c'est moi, cette putain de couronne, qui l'ai sauvée pour lui.* Tyrion se dandina d'un pied sur l'autre, incommodé. Il n'arrivait pas à tenir en place. *Trop bu.* Il aurait dû songer à se soulager avant leur départ du Donjon Rouge. La nuit blanche qu'il avait passée avec Shae se faisait également sentir, mais si une envie le tenaillait plus que toute autre au monde, c'était celle d'étrangler son putain de royal neveu.

« *Ça me connaît, moi, l'acier valyrien* », s'était vanté le mioche. Les septons n'arrêtaient pas de vous seriner la rengaine sur le Père d'En-Haut qui nous juge tous. *S'il avait seulement la bonté de chavirer, le Père, et d'écrabouiller Joff, là, comme un fouille-merde, bon, peut-être que j'y croirais.*

Il aurait dû piger tout ça depuis longtemps. Homme à envoyer quelqu'un d'autre tuer à sa place, Jaime ? Jamais de la vie ! Et Cersei était trop maligne, elle, pour utiliser un poignard grâce auquel on pourrait remonter jusqu'à elle, alors que Joff, en petit salopard arrogant vicelard bouché qu'il était...

Le souvenir lui revint de ce matin froid où, descendant l'escalier si raide, à l'extérieur de la bibliothèque de Winterfell, il était tombé sur le prince en train de blaguer avec le Limier à propos de loups à éliminer. *Envoyer un chien s'en charger, il disait.* N'empêche que même Joffrey n'était pas bête au point de donner l'ordre à Sandor Clegane d'assassiner un fils d'Eddard Stark ; le Limier serait allé de ce pas voir Cersei. Le mioche avait plutôt dû recruter son tueur dans la ragoûtante racaille de francs-coureurs, de parasites et de trafiquants qui n'avait cessé de venir tout du long jusqu'au nord s'agglutiner au cortège royal. *Quelque imbécile vérolé tout prêt à risquer sa vie pour une faveur princière et quelques liards.* Tyrion se demanda qui pouvait bien avoir eu l'idée d'attendre pour égorger Bran que Robert eût quitté Winterfell. *Joff, selon toute probabilité. Sans doute aura-t-il vu là le comble de l'astuce.*

Son poignard personnel avait, crut se rappeler Tyrion, des pierreries sur le pommeau et des incrustations d'or sur la lame. Au moins n'avait-il pas poussé la stupidité jusqu'à faire servir celui-là. Il était allé piocher parmi ceux de son père. Il lui aurait certes suffi d'en demander un, n'importe lequel, pour qu'avec l'aveugle prodigalité qui le caractérisait celui-ci le lui donne…, mais Tyrion le soupçonnait de l'avoir tout bonnement fauché. Robert s'était fait suivre à Winterfell d'une foultitude de chevaliers et de domestiques, d'une roulotte monumentale et de tout un fourbi de bagages. Il ne faisait guère de doute que quelque serviteur zélé s'était assuré d'embarquer tout l'arsenal du roi, pour le cas où il prendrait fantaisie à Sa Majesté d'arborer telle ou telle dague.

Le choix de Joff s'était porté sur un beau joujou tout simplet. Point de rinceaux d'or ni de pierreries sur la garde, non plus que de niellures d'argent sur la lame. Robert ne s'en servait jamais, il avait même probablement oublié qu'il le possédait. Mais l'acier valyrien avait un de ces tranchants…, un tranchant mortel, idéal pour ouvrir en un clin d'œil, d'un petit coup preste, peau, chair, muscles, là. « Ça me connaît, moi, l'acier valyrien »…. Mais c'était exactement la preuve du contraire, non ? Sans quoi jamais il n'aurait commis la folie de jeter son dévolu sur le poignard de Littlefinger… !

Restait que le *pourquoi* se dérobait encore. *Par pure cruauté, peut-être ?* À cet égard, son neveu était abondamment pourvu. Le mieux à quoi Tyrion pouvait prétendre était ou de ne pas dégueuler son trop-plein de vin, ou de ne pas se compisser les chausses, à la rigueur aucun des deux. La torture le rendait de plus en plus fébrile. Il aurait mieux fait de tenir sa langue, au cours du petit déjeuner. *Maintenant, le mioche sait que je sais. Ma grande gueule me perdra, tudieu !*

Les sept vœux furent prononcés, les sept bénédictions implorées, les sept promesses échangées. Une fois chantée l'hymne d'hyménée, une fois demeuré sans réponse l'appel à contestation, l'heure enfin survint de procéder au changement de manteaux. Tyrion se tortilla d'une jambe torse sur l'autre pour tenter d'y voir entre Père et Oncle Kevan. *Si les dieux ont quelque équité, Joffrey devrait nous cochonner ça.* Il se garda soigneusement de croiser les yeux de Sansa, de peur que dans les siens ne se lût toute sa rancune. *Vous auriez quand même pu vous agenouiller, maudite ! Ça vous aurait fait si foutrement mal, ployer vos inflexibles genoux Stark, pour me conserver un rien de dignité ?*

Pendant que Mace Tyrell dépouillait tendrement sa fille de son manteau de vierge, Joffrey recevait des mains de son frère Tommen le manteau d'épouse et le dépliait en le secouant d'un geste théâtral. Le royal mioche étant, à treize ans, aussi grand que l'épouse à seize, point ne lui fallut grimper sur le dos d'un fol. Il enveloppa Margaery d'écarlate et or, s'inclina pour le lui agrafer au col, et c'en fut fait, facile comme bonjour, elle était passée de la protection de son père à celle de son mari. *Mais qui la protégera de son mari ?* Tyrion jeta un coup d'œil vers le chevalier des Fleurs, debout, là-bas, parmi ses pairs de la Garde. *Feriez bien de tenir votre épée constamment affûtée, ser Loras.*

Après avoir repris en écho d'un ton claironnant la formule sacramentelle : « Par ce baiser, je vous engage mon amour », Joffrey attira Margaery contre lui et l'embrassa longuement, d'un baiser vorace. Et c'est dans une nouvelle bacchanale d'irisations que, de sous son diadème, le Grand Septon proclama que dorénavant Joffrey, des maisons Baratheon et Lannister, et Margaery, de la maison Tyrell, ne feraient qu'une seule chair, un seul cœur et une seule âme.

Bon, voilà qui est terminé. Maintenant, dare-dare au putain de château, que je pisse un coup.

En armure d'écailles blanche et manteau neigeux, ser Loras et ser Meryn prirent la tête de la procession pour la sortie du septuaire. Puis venait le prince Tommen, muni d'une corbeille de pétales de rose dont il jonchait le sol devant le roi et la reine. Derrière ceux-ci marchaient la reine Cersei et lord Tyrell, suivis par la mère de l'épousée, bras dessus bras dessous avec lord Tywin. La reine des Épines trottinait à leur suite, agrippée d'une main au bras de ser Kevan, de l'autre à sa canne, et talonnée par ses gardes jumeaux, prêts à prévenir sa chute éventuelle. Là-dessus s'avançaient ser Garlan Tyrell et dame sa femme, et c'était enfin leur tour à eux deux.

« Madame. » Tyrion présenta son bras, Sansa s'en empara consciencieusement, mais avec une roideur à laquelle il fut sensible, et sans seulement abaisser une fois son regard sur lui tandis qu'ils redescendaient la nef.

Ils n'avaient pas encore atteint les portes que déjà les assourdissaient les acclamations du dehors. La populace aimait Margaery si furieusement qu'elle était même disposée à aimer de nouveau Joffrey. C'est que Margaery avait appartenu à Renly, n'est-ce pas, à ce jeune et beau prince tellement aimant, tellement proche, hein, des petites gens qu'il était revenu de l'au-delà spécialement pour les sauver. Et puis Margaery, ils l'identifiaient, les crétins, aux prodigalités de Hautjardin, à tous ces vivres qui affluaient du sud par la route de la Rose. Sans se rappeler, semblait-il, que, pour commencer, la route de la Rose, qui l'avait *fermée*, suscitant par là la putain de famine, sinon Mace Tyrell ?

À l'extérieur les saisit un petit air frisquet d'automne. « J'ai bien cru que jamais nous n'en réchapperions », plaisanta Tyrion.

Sansa ne put faire autrement, cette fois, que de le regarder. « Je..., oui, messire. Comme vous dites. » Elle avait l'air triste. « C'était une si belle cérémonie, pourtant... »

Ce que ne fut certes pas la nôtre. « Longuette, je dirais. J'ai besoin de rentrer au château pisser un bon coup. » Il se frotta son trognon de nez. « Que ne me suis-je affecté quelque mission qui m'envoie au diable ! Le plus malin, ç'a bien été Littlefinger. »

Entourés de la garde Royale, Joffrey et Margaery se tenaient sur le parvis qui dominait la vaste place de marbre. Ser Addam et ses manteaux d'or contenaient la foule, sous l'œil bienveillant de la statue du roi Baelor le Bienheureux. Bon gré mal gré, Tyrion dut se mettre à la queue pour la corvée des félicitations. Il baisa les doigts de Margaery et lui souhaita toutes les félicités possibles, ce qui ne l'attarda guère car, par chance, on se piétinait derrière pour lui succéder.

La litière étant restée en plein soleil, il y faisait très chaud, derrière les rideaux. Comme une saccade signalait qu'on se mettait en mouvement, Tyrion s'appuya sur un coude alors que Sansa se remettait à contempler ses mains. *Elle est tout aussi ravissante que la petite Tyrell.* Ses cheveux étaient d'un opulent auburn d'automne, ses yeux d'un bleu Tully profond. Les chagrins lui avaient donné un air vulnérable et tourmenté qui ne parvenait qu'à la rendre si possible encore plus belle. Il brûlait de la rejoindre et de la forcer sous son armure de bonnes manières. Est-ce ce désir qui l'incita à parler ? Ou bien simplement le besoin de se distraire de sa vessie pleine ?

« Il m'est venu la pensée qu'une fois les routes redevenues sûres nous pourrions partir en voyage pour Castral Roc. » *Loin de Joff et de ma sœur.* Plus il ruminait l'attentat de Joffrey contre les *Vies de quatre Rois*, plus il en était préoccupé. *Il y avait un message, là-dessous, oh oui...* « Ce serait un plaisir pour moi que de vous montrer la galerie d'Or et la Bouche du Lion, et puis la salle des Héros dans laquelle nous jouions, enfants, Jaime et moi. Le bruit de tonnerre que fait la mer en se ruant dessous... »

Elle leva lentement la tête. Il comprit ce qu'elle voyait : le renflement bestial du front, le moignon boursouflé de nez, la cicatrice rose en biais, les yeux vairons. Grands, bleus, vides étaient ses yeux à elle. « J'irai partout où souhaitera que j'aille messire mon époux.

— J'avais espéré que cela vous serait agréable, madame.

— Il me sera agréable d'être agréable à messire mon seigneur et maître. »

Ses lèvres se pincèrent. *Quelle pathétique virgule d'homme tu fais. Tu te figurais peut-être que tes bafouillages sur la Bouche du Lion lui arracheraient un sourire ? As-tu jamais arraché un sourire à une femme autrement qu'à prix d'or ?* « Non, c'était une idée grotesque. Il faut être un Lannister pour aimer le Roc.

— Oui, messire. Votre servante. »

La bougraille beuglait tout autour le nom de Joffrey. *Dans trois ans, ce cruel mioche sera un homme, gouvernant à sa seule guise..., et tout nain pas totalement débile aura quitté les parages de Port-Réal.* Pour Villevieille, peut-être. Ou même pour les cités libres. Il avait toujours eu terriblement envie de voir le Titan de Braavos. *Peut-être plairait-il à Sansa, lui.* Gentiment, il se mit à parler de Braavos, et il se heurta à un mur de politesse morne, aussi glacial et impitoyable que celui qu'il avait naguère arpenté dans le Nord. Il en fut accablé. Tout autant qu'alors.

Le reste du trajet s'écoula en silence. Au bout d'un moment, Tyrion s'était surpris à souhaiter que Sansa dise quelque chose, n'importe quoi, la plus insignifiante des platitudes, mais elle ne desserra pas seulement les dents. Lorsque leur litière fit halte dans la cour du château, il abandonna le soin de l'aider à descendre à l'un des palefreniers. « On comptera sur notre présence au banquet dans une heure d'ici, madame. Je vous rejoindrai sous peu. » Ses jambes ankylosées lui rendaient la marche pénible. Il entendit Margaery qui riait, là-bas, d'un rire essoufflé pendant que Joffrey l'enlevait de selle. *Il sera aussi grand et fort que Jaime, un jour*, songea-t-il, *et je serai toujours un nain, moi, sous ses pieds. Et il risque fort, un jour, de me raccourcir encore davantage...*

Il se réfugia dans un cabinet d'aisances et poussa un soupir de gratitude en se soulageant de son vin du matin. Il y avait des fois, comme ça, où c'était presque aussi bon de pisser que de s'envoyer une femme, et c'était le cas, là. Que ne pouvait-il se soulager de ses doutes et de ses remords même avec moitié moins de facilité... !

Podrick Payne l'attendait sur le seuil de ses appartements. « J'ai sorti votre doublet neuf. Pas ici. Sur votre lit. Dans la chambre à coucher.

— Effectivement, c'est bien la pièce où nous avons le lit. » Sansa devait y être, en train de s'habiller pour la fête. *Shae aussi.* « Du vin, Pod. »

Il s'assit pour le siroter dans l'embrasure de la fenêtre, avec vue plongeante sur le capharnaüm des cuisines. Le soleil n'avait pas encore touché le haut des remparts, mais déjà s'exhalaient l'odeur du pain au four et le fumet des viandes en train de rôtir. Le flot des convives ne tarderait pas à inonder la salle du trône, tout aux plaisirs qu'ils escomptaient d'une soirée pareille qui, par ses splendeurs et ses chants, visait non seulement à célébrer l'union de Castral Roc et de Hautjardin mais à claironner leur puissance et leur richesse à quiconque serait encore tenté de contester la suprématie de Joffrey.

Mais qui serait encore assez fou pour s'aventurer à contester la suprématie de Joffrey, après ce qui était arrivé à Stannis Baratheon et à Robb Stark ? La lutte avait beau se poursuivre dans le Conflans, de tous côtés se resserraient les nœuds coulants. Ser Gregor Clegane avait franchi le Trident, pris le gué des rubis, récupéré Harrenhal presque sans difficulté. Salvemer s'était rendu à Walder Frey le Noir, lord Randyll Tarly tenait Viergétang, Sombreval et la route Royale. Dans l'ouest, ser Daven Lannister avait opéré sa jonction avec ser Forley Prestre à la Dent d'Or pour marcher contre Vivesaigues, où devait les retrouver ser Ryman Frey, parti des Jumeaux avec deux mille piques. Et Paxter Redwyne affirmait que sa flotte serait bientôt prête à appareiller de La Treille pour entreprendre sa longue navigation autour de Dorne et via les Degrés de Pierre. Les pirates lysiens de Stannis se retrouveraient dès lors à un contre dix. Le conflit que les mestres appelaient déjà guerre des Cinq Rois était en somme près de s'achever. On avait même entendu Mace

Tyrell déplorer que lord Tywin ne lui eût pas laissé de victoire à remporter.

« Messire ? » Pod se trouvait devant lui. « Vous changerez-vous ? J'ai sorti le doublet. Sur votre lit. Pour la fête.

— Fête ? repartit aigrement Tyrion. Quelle fête ?

— La fête des noces. » Le sarcasme lui avait échappé, naturellement. « Le roi Joffrey et lady Margaery. La reine Margaery, je veux dire. »

Tyrion résolut d'être très très ivre, cette nuit-là. « Très bien, jeune Podrick, allons donc me faire festif. »

Shae coiffait Sansa quand ils entrèrent dans la chambre. *La joie et le chagrin*, songea-t-il en les voyant ensemble. *Le rire et les pleurs*. Sansa portait une robe de satin argent bordé de vair dont les manches à crevés traînaient presque jusqu'à terre, doublées de feutre violet tendre. Shae lui avait artistement disposé les cheveux dans une fine résille d'argent qu'émaillait le délicat scintillement de pierres violet sombre. Jamais Tyrion ne l'avait vue si adorable, malgré l'affliction dont elle chargeait ses longues manches de satin. « Lady Sansa, lui dit-il, vous serez la belle des belles, ce soir, dans la salle.

— Messire est trop indulgent.

— Madame, fit Shae d'un ton suppliant, je ne pourrais pas venir servir à table ? Ça me plairait tellement, moi, voir les pigeons s'envoler de la tourte... ! »

Sansa la considéra d'un œil dubitatif. « La reine a choisi tous ceux qui serviront.

— Et la salle ne sera déjà que trop bondée. » Tyrion eut du mal à ravaler son exaspération. « Il y aura du reste des musiciens qui parcourront tout le château, et des tables disposées dans le poste extérieur, avec à boire et à manger pour tout le monde. »

Il inspecta son doublet neuf en velours écarlate, avec rembourrage aux épaules et manches bouffantes à crevés sur du satin blanc. *Belle fringue. Qui n'a besoin que d'un bel homme pour la porter.* « Holà, Pod, aide-moi à enfiler ça. »

Tout en s'habillant, il s'offrit une autre coupe de vin, puis il prit sa femme par le bras et l'emmena de l'hostel des Cuisines se mêler au fleuve de soie, de satin, de velours qui déferlait vers la salle du Trône. Certains des convives étaient déjà entrés repérer leur banc et leur place. Les autres grouillaient devant les portes, à jouir de la chaleur peu banale, en cette saison, de l'après-midi. Tyrion fit faire à Sansa le tour de la cour, afin d'accomplir les plus inévitables de leurs obligations mondaines.

Elle s'en tire à la perfection, songea-t-il en l'écoutant assurer lord Gyles que sa toux s'était améliorée, complimenter sur sa robe Elinor Tyrell, questionner Jalabhar Xho sur les us et coutumes nuptiaux des îles d'Été. Oncle Kevan avait fait descendre son ser Lancel de fils, qui sortait de son lit pour la première fois depuis la bataille. *Il a une mine épouvantable.* Il était maigre comme un clou, le cousin, et ses cheveux étaient devenus tout blancs et cassants. Sans son père à ses côtés pour le soutenir, il se serait sûrement effondré. Mais, lorsque Sansa vanta sa vaillance et se prétendit charmée de constater qu'il reprenait des forces, tous deux se mirent à rayonner. *Elle aurait fait une excellente reine et une épouse encore plus excellente pour Joffrey s'il avait eu l'esprit de se mettre à l'aimer.* Mais son neveu était-il capable d'aimer quiconque ? se demandat-il.

« Vous êtes exquise, mon enfant, dit à Sansa lady Olenna Tyrell qui leur fonçait dessus, de son pas chancelant, drapée dans des brocarts d'or qui risquaient fort de peser plus qu'elle. Mais le vent vous a décoiffée. » La petite vieille tendit la main, asticota les mèches folles qu'elle refoula sous la résille avant de la réajuster. « La nouvelle de vos nouveaux deuils m'a bien affligée, dit-elle tout en tiraillant, tripotant. Votre frère était un terrible traître, je sais bien, mais si nous nous mettons à les tuer durant des noces, les hommes auront encore plus peur du mariage qu'ils ne le font présentement. » Elle se mit à sourire. « Je suis bien aise d'annoncer que je repars pour Hautjardin dès après-demain. J'en ai tout à fait assez de cette cité fétide, merci beaucoup. Peut-être vous plairait-il de m'accompagner pour un petit séjour, pendant que les hommes vont faire leur petite guerre ? Ma Margaery va me manquer si mortellement, et toutes ses adorables dames aussi. Votre compagnie me serait une si douce consolation.

— Vous êtes trop bonne, madame, répondit Sansa, mais ma place est avec messire mon époux. »

Lady Olenna gratifia Tyrion d'une risette édentée, ridée. « Oh ? Pardonnez à une vieille femme écervelée, messire, je ne voulais pas vous voler votre adorable épouse. J'étais persuadée que vous partiriez à la tête d'un ost Lannister contre quelque odieux ennemi.

— Un ost de cerfs et de dragons. Le Grand Argentier doit rester à la cour pour s'assurer que toutes les armées reçoivent leur solde.

— Bien sûr. Des dragons et des cerfs, c'est très malin, ça. Les liards du nain d'ailleurs aussi. J'ai entendu parler de ces liards du nain. Les collecter doit être, je n'en doute pas, une de ces corvées..., cela fait *frémir*... !

— Je laisse à d'autres le soin de les collecter, madame.

— Ah bon, vraiment ? J'aurais pensé que vous auriez envie de vous en charger personnellement. À présent, nous ne saurions plus tolérer qu'on floue la Couronne de ses liards du nain. N'est-ce pas ?

— Les dieux nous préservent. » Tyrion commençait à se demander si lord Luthor Tyrell ne s'était pas délibérément précipité du haut de cette falaise, avec son cheval. « Si vous voulez bien nous excuser, lady Olenna, il serait temps que nous gagnions nos places.

— Comme moi-même. Soixante-dix-sept plats, si je ne m'abuse. Ne trouvez-vous pas cela quelque peu *excessif*, messire ? Je n'avalerai pas plus de trois ou quatre bouchées pour ma part, mais vous et moi sommes tout petits, n'est-ce pas ? » Elle tapota de nouveau les cheveux de Sansa, puis reprit : « Eh bien soit, adieu, mon enfant, tâchez donc d'être plus joyeuse. Mais voyez-moi ça, où sont passés mes gardes ? Dextre, Senestre, où êtes-vous ? Venez m'aider à gagner l'estrade ! »

Bien que l'on fût encore à une heure du crépuscule, la salle du Trône flamboyait déjà de toutes ses torchères. Les invités se tenaient debout le long des tables tandis que les hérauts proclamaient les patronymes et titres des seigneurs et des dames qui faisaient leur entrée puis auxquels des pages à la livrée du roi faisaient remonter la large allée centrale. Dans la tribune, au-dessus, se pressaient des musiciens, tambours, cors, cordes et cornemuses et flûtes.

Serrant fermement le bras de Sansa, Tyrion subit l'épreuve en chaloupant terriblement sous les regards pesants de l'assistance qu'affriandaient les stigmates du nouveau désastre qui l'avait rendu plus hideux encore qu'auparavant. *Eh bien, qu'ils regardent*, songea-t-il lorsqu'il se jucha enfin d'un sautillement sur son siège, *qu'ils regardent et chuchotent jusqu'à ce qu'ils en aient leur claque, moi, je ne vais pas me cacher, pas pour eux.* La reine des Épines étant entrée juste derrière à tout petits pas traînassants, qui des deux avait la palme du burlesque, se demanda-t-il, de lui aux côtés de Sansa ou de cette menue momie flanquée de ses gardes jumeaux de sept pieds de haut ?

Joffrey et Margaery pénétrèrent dans la salle du trône montés sur une paire de palefrois blancs. Des volées de pages couraient devant eux, éparpillant des pétales de rose sur leur passage. Eux aussi s'étaient changés pour le festin. Joffrey portait un haut de chausses à rayures écarlates et noires et un doublet de brocart d'or à boutons d'onyx et manches de satin noir. En place de sa tenue sage et modeste du septuaire, Margaery en avait revêtu une de beaucoup plus suggestive en lampas vert d'eau dont le corsage étroitement lacé découvrait ses épaules et la naissance de ses petits seins. Ses cheveux bruns soyeux cascadaient en toute liberté sur la blancheur de ses épaules et presque jusqu'à la ceinture le long de son dos. Une mince couronne d'or lui ceignait le front. Elle souriait d'un air timide et doux. *Un beau brin de fille*, songea Tyrion, *et un meilleur partage que n'en mérite mon neveu.*

La Garde les escorta jusqu'à l'estrade qu'occupaient les places d'honneur, à l'ombre même du trône de Fer, drapé pour la circonstance de longues banderoles de soie à l'or Baratheon, à l'écarlate Lannister et au vert Tyrell. Cersei prit Margaery dans ses bras et la baisa sur les deux joues. Lord Tywin fit de même, puis ser Kevan et ser Lancel. Joffrey reçut pour sa part les embrassades affectueuses de son beau-père et de ses deux nouveaux frères, Loras et Garlan. Nul ne sembla spécialement pressé de bécoter Tyrion. Quand le roi et la reine eurent pris leurs sièges respectifs, le Grand Septon se leva pour entonner une prière. *Au moins ne la débite-t-il pas aussi vilainement que la dernière fois*, se consola Tyrion.

Sansa et lui s'étaient vus reléguer assez loin sur la droite du roi, aux côtés de ser Garlan Tyrell et de sa lady Leonette de femme. Une douzaine de convives les séparaient de Joffrey, distance que, plus sourcilleux, Tyrion n'eût pas manqué de juger insultante, lui qui tout récemment encore était la Main du Roi, mais, pour être tout à fait content, il aurait préféré s'en voir séparé par une centaine.

« Qu'on emplisse les coupes ! » proclama le roi sitôt que les dieux eurent obtenu leur dû. Son échanson vida toute une carafe de La Treille rouge sombre dans le calice d'or offert en présent de noces le matin même par lord Tyrell. Joffrey dut s'y prendre à deux mains pour le soulever. « *À la santé de mon épouse la reine !*

— *Margaery !* lui mugit la salle en retour. *Margaery ! Margaery ! À la santé de la reine !* » Un millier de coupes s'entrechoquèrent bruyamment, et le festin des noces débuta dès lors bel et bien. Tyrion Lannister se mit à boire comme un chacun, fit cul sec sur ce premier toast et, à peine rassis, signifia par gestes son désir d'être resservi.

Présenté dans des bols dorés, le premier plat fut une soupe onctueuse de champignons et d'escargots au beurre. D'autant plus aise de manger qu'il avait à peine touché au petit déjeuner et que le vin lui était déjà monté à la tête, Tyrion termina la sienne en un rien de temps. *Et d'un, plus que soixante-seize. Soixante-dix-sept plats..., quand la ville est pleine de gosses qui meurent de faim et de types qui tueraient pour un radis. Ils aimeraient peut-être un peu moins les Tyrell s'ils nous voyaient en ce moment même.*

Sansa goûta une cuillerée de soupe et repoussa son bol. « Pas à votre gré, madame ? s'enquit Tyrion.

— Il va y avoir tant de choses, messire. Je n'ai qu'un petit estomac. » Elle tripota nerveusement ses cheveux et jeta un coup d'œil vers la partie de la table où se trouvaient Joffrey et sa Tyrell de reine. *Se pourrait-il qu'elle regrette de n'être pas à la place de Margaery ?* Tyrion se rembrunit. *Même un marmot aurait plus de jugeote.* Il se détourna, dans l'espoir de quelque distraction, mais, de toutes parts, ses regards ne tombaient que sur des femmes, des femmes du monde élégantes, belles, heureuses et qui appartenaient à d'autres. Margaery, bien sûr, avec son doux sourire, et à qui Joffrey faisait de-ci de-là partager le contenu du gigantesque calice à sept faces. Lady Alerie, sa mère, toujours avenante et altière avec ses cheveux d'argent, près de Mace Tyrell. Les trois petites cousines de la reine, aussi vives que des oiseaux. L'épouse myrote de lord Merryweather, avec sa crinière noire et ses grands yeux de jais langoureux. Ellaria Sand riant à belles dents, parmi les Dorniens (ils avaient leur table à eux, au bas de l'estrade, en place on ne peut plus honorifique, mais Cersei les avait casés aussi loin des Tyrell que le permettait la largeur de la salle), riant d'un mot que venait de lui dire la Vipère Rouge.

Et il y en avait une, presque au bas bout de la troisième table, à gauche..., une Fossovoie par son mariage, présuma-t-il, qui était grosse. Sa beauté délicate n'était nullement altérée par le ballonnement de sa taille, pas plus que ne l'étaient sa bonne humeur et son bel appétit. Le mari piquait dans sa propre assiette pour lui donner la becquée, ils buvaient tous deux à la même coupe et se bécotaient aussi fréquemment qu'à l'improviste. Et lui, chaque fois, posait une main légère sur l'énorme ventre en un geste à la fois protecteur et câlin.

Devant ce spectacle, Tyrion se demanda comment réagirait Sansa s'il s'inclinait, là, vers elle et l'embrassait. *Par un mouvement de recul, c'est pis que probable.* À moins qu'elle ne pousse la bravoure jusqu'à le souffrir sans broncher. *Elle est la conscience même ou rien du tout, l'épouse que j'ai là.* Qu'il lui annonçât vouloir la dépuceler, tiens, ce soir même, eh bien, c'est en conscience aussi qu'elle le souffrirait, et sans pleurnicher plus qu'il ne se devait.

Il réclama du vin. Le temps de l'obtenir, on servait le deuxième plat, un friand de porc aux œufs et aux pignons. Sansa ne grignota qu'une bouchée du sien, pendant que les hérauts appelaient en lice le premier des sept chanteurs.

Barbu de gris, Hamish le Harpiste annonça qu'il allait « offrir aux dieux et aux hommes la primeur d'une chanson inédite dans les Sept Couronnes » et qui s'intitulait *La Chevauchée de lord Renly*, dit-il.

Il laissa courir ses doigts sur les cordes de la grande harpe, et des accords suaves emplirent la salle.

« *Du haut de son trône d'os, le Seigneur de la Mort,*

entonna-t-il,

Jeta les yeux sur le seigneur assassiné »,

et de poursuivre en narrant comment, taraudé par le remords d'avoir essayé d'usurper la couronne de son neveu, Renly, défiant le Seigneur de la Mort lui-même, avait osé refranchir la frontière et retourner chez les vivants défendre le royaume contre son frère.

Et c'est pour ce genre de couillonnades que le pauvre Symon s'est terminé en pot-au-feu, rêvassa

409

Tyrion. La reine Margaery y alla de sa larme à l'œil, vers la fin, quand l'ombre ailée du brave sire d'Accalmie vola voler à Hautjardin une dernière image du visage de sa bien-aimée. « Renly Baratheon ne s'est jamais de sa vie repenti de rien, dit le Lutin à Sansa, mais ou bien je me trompe fort ou bien c'est un luth doré qu'Hamish vient de se gagner. »

Le Harpiste les régala aussi de plusieurs chansons familières. Si *Rose d'or* s'adressait manifestement aux Tyrell, de même *Les Pluies de Castamere* visaient-elles à flagorner Père. *Jouvencelle, Mère et Aïeule* enchanta le Grand Septon, et *Dame ma Mie* charma toutes les fillettes à cœur romanesque et sans doute aussi quelques garçonnets. Tyrion n'écouta que d'une demi-oreille, occupé qu'il était à tâter de beignets de maïs, de petits pains d'avoine chauds fourrés de morceaux d'oranges, de dattes et de pommes, ou à ronger une côtelette de sanglier.

Par la suite s'enchevêtrèrent une infinité de plats et de divertissements qui s'échelonnaient à l'envi comme des balises sur des flots de bière et de vin. Hamish s'étant retiré, sa succession fut assurée par un vieil ours assez petit qui dansa gauchement au son du tambour et de la musette pendant que les convives dégustaient de la truite aux amandes pilées. Lunarion grimpa sur ses échasses et se mit à poursuivre tout autour des tables le fou burlesquement obèse de lord Tyrell, Beurbosses, alors que seigneurs et dames savouraient du héron rôti et des tourtes au fromage et à l'oignon. Une troupe d'acrobates originaires de Pentos exécutèrent qui des roues, qui des tours d'équilibre et des jongleries d'assiettes avec les pieds, d'autres se montant mutuellement sur les épaules pour former une pyramide. Leurs exploits eurent pour accompagnement du crabe poché à l'orientale, avec des épices effroyables, des tranchoirs emplis de ragoût de mouton mijoté aux carottes et aux oignons dans du lait d'amandes, des croûtes au poisson qui sortaient à l'instant du four, et servies si chaudes que l'on s'y brûlait les doigts.

Là-dessus, les hérauts convoquèrent un nouveau chanteur, Collio Quaynish de Tyrosh, qui avait une barbe vermillon et un accent aussi ridicule que l'avait annoncé Symon. Il débuta par sa version personnelle de *La Danse des Dragons*, qui se chantait plutôt en principe à deux voix, l'une masculine, l'autre féminine. Tyrion la supporta de bout en bout grâce à la conjugaison d'une perdrix au miel de gingembre et de maintes coupes de vin. L'auditoire aurait peut-être été davantage séduit par une ballade lancinante où deux amants de Valyria se mouraient durant le Fléau si Collio ne l'avait chantée en haut valyrien, langue que la plupart des hôtes ne parlaient pas. Mais les couplets paillards de *Bessa la serveuse* rallièrent tous les suffrages. Des paons faisaient tout juste leur apparition, rôtis dans leurs plumes et fourrés de dattes, quand Collio manda un tambour et, après s'être incliné bien bas devant lord Tywin, attaqua *Les Pluies de Castamere*.

S'il me faut essuyer sept leçons de cette rengaine, je peux descendre à Culpucier présenter mes plates excuses au fricot. Tyrion se tourna vers sa femme. « Alors, lequel a votre préférence ? »

Elle papillota. « Messire ?

— Les chanteurs. Lequel a votre préférence ?

— Je... je suis navrée, messire. Je n'écoutais pas. »

Elle ne mangeait pas, non plus. « Sansa..., quelque chose qui ne va pas ? » Il avait parlé sans réfléchir et eut sur-le-champ conscience de sa sottise.

On lui a assassiné tous les siens, on l'a mariée à moi, et je demande si quelque chose ne va pas !

« Non, messire. » Elle détourna son regard de lui pour feindre – assez mal – de trouver captivant Lunarion qui bombardait ser Dontos de dattes.

Quatre maîtres pyromants ne suscitèrent des fauves de feu que pour les pousser à s'entre-déchirer à belles griffes pendant que les serviteurs emplissaient à la louche des bols de blandissoire, une mixture de bouillon de bœuf et de vin bouilli sucrée au miel et parsemée d'amandes blanchies et de blanc de chapon. À quoi succédèrent des joueurs de cornemuse ambulants, des chiens savants, des avaleurs de sabres, des pois au beurre, du hachis de noix, des aiguillettes de cygne pochées dans une sauce aux pêches et au safran. (« Plus jamais de cygne », maugréa Tyrion, à qui venait de revenir le souper chez sa sœur, la veille de la bataille.) Un jongleur fit virevolter une demi-douzaine de haches et d'épées tandis que circulaient entre les tables des brochetées de boudin grésillant, coïncidence que Tyrion jugea quelque peu pertinente, incidemment, sinon peut-être du meilleur goût.

Les hérauts sonnèrent de la trompette. « Aspirant lui-même au luth d'or, cria l'un d'eux, voici Galyeon de Cuy. »

Galyeon était un grand escogriffe à barbe noire, crâne chauve et poitrail en fût dont la voix retentissante emplissait les quatre coins de la salle du Trône. Il n'amenait pas moins de six instrumentistes pour l'accompagner. « Gentes dames et nobles seigneurs, je ne vous chanterai ce soir qu'une seule chanson, annonça-t-il. C'est la chanson de la Néra, qui conte comment fut sauvé un royaume. » Le tambour débuta par des battues d'une lenteur lugubre.

« *Au sommet de sa tour*, commença Galyeon, *il broyait du noir,*
Noir sire d'un château noir comme la nuit.
— *Noir était son poil et noire son âme* »,
chantèrent à l'unisson les autres musiciens. Une flûte fit son entrée.

« *À se repaître d'humeur assassine et d'envie,*
Remplissant à ras bord sa coupe de dépit, reprit Galyeon.
"Mon frère avait sous ses lois sept couronnes,
dit-il à sa mégère de moitié,
Ce qui fut sien, je vais le prendre et faire mien,
Réservant à son fils la pointe de ma dague."
— *Un jouvenceau tout bouclé d'or et brave*,
chantèrent ses acolytes, alors qu'une harpe, un violon se mettaient à jouer.
— Si je redeviens jamais Main, déclara Tyrion d'une voix trop forte, mon premier acte sera de pendre tous les chanteurs. »
Sa voisine lady Leonette émit un rire léger, et ser Garlan se pencha pour glisser : « Même inchantés, de hauts faits restent de hauts faits.

— *Le noir sire assembla ses légions, qui, telles des nuées*
De corbeaux, lui vinrent grouiller à l'entour,
Et ils s'embarquèrent, assoiffés de sang, pour aller...

— ... du pauvre Tyrion bousiller le nez », termina Tyrion.
Lady Leonette se mit à glousser. « Vous devriez vous faire chanteur, messire ! Vous rimez aussi bien que ce Galyeon.
— Non, madame, dit ser Garlan. Messire Lannis-

ter est né pour accomplir de grands exploits, pas pour les chanter. N'eussent été sa chaîne et son feu grégeois, l'ennemi traversait la rivière. Et si ses sauvages n'avaient tué la plupart des éclaireurs de lord Stannis, jamais nous n'aurions été en mesure de prendre celui-ci au dépourvu. »

Ces quelques mots enflèrent Tyrion d'une gratitude tellement inepte qu'il s'en retrouva comme lénifié pendant que Galyeon n'en finissait pas de débiter ses couplets sur la bravoure du jouvenceau roi et de sa reine en or de mère.

« Elle n'a rien fait de tel ! lâcha tout à coup Sansa.

— N'ajoutez jamais foi aux balivernes des chansons, madame. » Tyrion somma un serviteur d'avoir à remplir leurs coupes.

Il fit bientôt nuit noire derrière les hautes verrières, et Galyeon chantait toujours. Les soixante-dix-sept strophes que comportait *seulement* sa chanson semblaient être un millier plutôt. *Une pour chacun des convives ici présents.* De peur de succomber à la tentation de se bourrer les oreilles de champignons, Tyrion imbiba vers après vers de vin les quelque vingt dernières. À la vérité, lorsque le chanteur eut enfin remballé ses courbettes, certains se trouvaient déjà suffisamment ivres pour entreprendre d'offrir en toute candeur des numéros comiques de leur façon. Le Grand Mestre Pycelle se mit à pioncer pendant que des danseurs des îles d'Été pirouettaient et tourbillonnaient dans des robes de plumes éclatantes et de soieries fumées. On apportait des tournedos d'élan farcis de bleu fait quand l'un des chevaliers de lord Rowan s'avisa de poignarder un Dornien. Les manteaux d'or les embarquèrent tous deux, le premier pourrir au fond d'un cachot, le second se faire recoudre par mestre Ballabar.

Tyrion s'amusait à triturer une lichée de fromage

de tête au sucre et parfumé de cinname, de girofle et de lait d'amandes quand le roi Joffrey bondit soudain sur ses pieds. « *Faites entrer mes royaux joueurs !* » vociféra-t-il, pâteux d'ivresse, en battant des mains.

Mon neveu est plus soûl que moi, songea Tyrion, tandis que les manteaux d'or ouvraient toutes grandes les portes au bas bout de la salle. De la place qu'il occupait, seul se distinguait le haut des lances rayées brandies par les deux cavaliers qui entraient côte à côte. Des vagues de rires suivaient leur progression dans l'allée centrale. *Ils doivent monter des poneys*, venait-il de conclure, ... quand il les eut, là, sous les yeux.

C'étaient deux nains. L'un chevauchait un vilain chien gris, long de pattes et lourd de mâchoires. L'autre une colossale truie tachetée. Les armures de bois peint qu'ils portaient claquaient et cliquetaient au gré du tape-cul que faisaient en selle les deux chevaliers miniatures. Leurs boucliers étaient plus grands qu'eux, et ils se démenaient vaillamment contre leurs lances démesurées pour n'avancer que cahin-caha, oscillant de-ci, oscillant de-là, tout en soulevant des bourrasques hilares. Tout revêtu d'or, l'un arborait un cerf noir sur son bouclier ; l'autre, en gris et blanc, avait pour emblème un loup. Leurs montures avaient des bardes à l'avenant.

D'un coup d'œil, Tyrion parcourut l'estrade et sa cargaison de rieurs. Joffrey, cramoisi, et qui s'étouffait. Tommen, qui faisait *hou hou* tout en tressautant sur son siège. Cersei, qui gloussait poliment sous cape. Et jusqu'à lord Tywin, qui semblait vaguement amusé. De tous les occupants de la table haute, il n'y avait à ne pas sourire que Sansa Stark. Il aurait pu l'aimer rien que pour cela, mais la vérité vraie, c'est qu'elle avait les yeux perdus au loin, qu'elle avait tout l'air de n'avoir pas même aperçu les cavaliers grotesques qui lui fonçaient sus.

Les nains n'ont rien à se reprocher, décida Tyrion. *Leur numéro fini, je les complimenterai et leur donnerai une bourse d'argent bien dodue. Quitte à découvrir, demain, qui nous a monté ce charmant divertissement et à lui apprêter des remerciements d'un tout autre genre.*

Lorsque les nains chevaliers tirèrent sur les rênes, au bas de l'estrade, afin de saluer le roi, celui au loup laissa tomber son bouclier. Comme il se penchait pour tâcher de le récupérer, celui au cerf perdit le contrôle de sa lourde lance et la lui assena en travers des reins, le faisant choir de sa truie et lâcher sa lance qui bascula puis fit *badaboum* sur le crâne de l'agresseur. Tous deux se retrouvèrent à terre, tout enchevêtrés. Une fois relevés, ils essayèrent tous deux d'enfourcher le chien. S'ensuivirent force injures et horions. Finalement, ils grimpèrent en selle, mais à l'envers, et non sans avoir pris chacun la monture de l'autre et le bouclier qui n'y correspondait pas.

Il leur fallut un bout de temps pour rectifier le tir mais, cela fait, ils gagnèrent à francs éperons les deux extrémités opposées de la salle et y firent demi-tour avant de se ruer à la rencontre l'un de l'autre. Et, à les voir s'écrabouiller à grand fracas parmi des volées d'échardes, nobles seigneurs et gentes dames de s'esbaudir, pouffer, quand la lance du chevalier loup frappant le heaume du chevalier cerf lui fit sauter proprement la tête. Laquelle prit l'air et, pissant le sang tout au long de sa trajectoire virevoltante, atterrit dans le sein de lord Gyles. Le nain décapité s'abattit sur les tables, bras fouettant l'air. Des chiens se mirent à aboyer, des femmes à piauler, et Lunarion perpétra l'exploit de tanguer dangereusement d'avant en arrière en haut de ses échasses jusqu'à ce que du heaume fracassé lord Gyles n'extirpe que la chair rouge et dégouttante d'une pastèque et qu'au même instant le museau du chevalier au cerf émerge de son armure, faisant à nouveau crouler la salle sous les rires. Les deux nains attendirent que ceux-ci s'éteignent et, tout en se tournant autour et en échangeant des insultes hautes en couleur, ils s'apprêtaient à se séparer en vue d'un nouvel assaut quand le chien désarçonna son cavalier pour enfourcher la truie, qui se mit à glapir de détresse, tandis que les convives braillaient, eux, leur joie, joie qui ne connut surtout plus de bornes quand le chevalier au cerf se jucha d'un bond sur le chevalier au loup et, dépouillant ses braies de bois, lui gratifia les bas morceaux de saccades épileptiques.

« Je me rends ! Je me rends ! piaillait celui du dessous. Brave ser, déposez l'épée !

— Je le ferais, je le ferais, si seulement vous cessiez de branler le fourreau ! » rétorquait celui du dessus, au grand bonheur de l'assistance entière.

Joffrey recrachait du vin par les deux narines. Il bondit sur ses pieds, haletant, manqua renverser l'immense calice à deux anses. « Un champion, hurla-t-il. Nous avons un champion ! » Le silence commença à se faire dans la salle lorsqu'on s'aperçut que le roi parlait. Les nains dénouèrent leur étreinte, escomptant sans doute les remerciements de Sa Majesté. « Pas un *authentique* champion, toutefois, poursuivit Joff. Un authentique champion défait *tous* ses compétiteurs. » Le roi se percha sur la table. « Mais quel autre compétiteur va donc défier notre petit champion ? » Avec un sourire de jubilation, il se tourna vers Tyrion. « *Oncle !* C'est bien vous qui allez défendre l'honneur de mon royaume, n'est-ce pas ? Libre à vous de monter la truie ! »

Les rires lui déferlèrent dessus comme un raz de marée. Sans se rappeler qu'il s'était levé ni qu'il avait escaladé son siège, Tyrion Lannister se retrouva brusquement debout sur la table. Des flamboiements de torches et des physionomies sournoises, à cette image floue se réduisait la salle. Il convulsa ses traits en la plus hideuse dérision de sourire qu'eussent jamais vue les Sept Couronnes. « Sire, lança-t-il, je monterai la truie..., mais à la condition expresse que vous monterez le chien ! »

Joff se renfrogna, déconcerté. « Moi ? Je n'ai rien d'un nain. Pourquoi moi ? »

Droit dans la nasse, Joff. « Hé, mais parce que vous êtes le seul homme de l'assistance que je sois certain de battre ! »

Il n'aurait su dire ce qui lui parut le plus délectable, du silence une seconde scandalisé, des rafales de rires qui s'ensuivirent ou de la fureur aveugle qui défigurait son neveu. D'un bond, il retrouva le plancher de l'estrade, fort satisfait, et lorsqu'il jeta un regard en arrière, ser Osmund et ser Meryn aidaient Joff à redescendre également. Puis, remarquant que Cersei le foudroyait des yeux, il lui expédia un baiser.

Ce fut un soulagement que les musiciens se remettent à jouer. Les petits jouteurs sortirent, emmenant la truie et le chien, les convives retournèrent à leurs tranchoirs de fromage de tête, et Tyrion réclama une coupe de vin de plus. Mais, tout à coup, il sentit se poser sur sa manche la main de ser Garlan. « Attention, messire, prévint le chevalier. Le roi. »

Tyrion pivota sur son siège. Joffrey était presque sur lui, cramoisi, titubant, du vin débordait de l'immense calice d'or qu'il trimbalait à deux mains. « Sire », fut tout ce qu'il eut le temps de dire avant que le roi ne le lui retourne sur la tête. Cela lui fit l'effet d'un torrent rouge qui, lui trempant les cheveux, submergeait son visage, lui piquait les yeux, incendiait sa blessure, inondait ses joues et imbibait le velours de son doublet neuf. « À ton goût, Lutin ? » le moqua Joffrey.

Les yeux en feu, Tyrion se tamponna la figure d'un revers de manche et, clignant les paupières, essaya de recouvrer une vision nette du monde. « C'est en avoir mal agi, Sire, entendit-il ser Garlan déclarer posément.

— Nullement, ser Garlan. » Tyrion ne tenait pas à voir l'incident tourner encore plus mal ici, maintenant, au vu et au su de la moitié du royaume. « Ce n'est pas le premier roi venu qui songerait à honorer un humble sujet en le servant avec sa propre coupe. Dommage que le vin se soit renversé.

— Il ne *s'est pas* renversé ! se récria Joffrey, trop goujat pour saisir la perche obligeamment tendue. Et je n'avais cure non plus de vous *servir*. »

La reine Margaery fit une apparition subite à ses côtés. « Mon doux sire, pria-t-elle, venez, regagnez votre place, un nouveau chanteur est là qui attend.

— Alaric d'Eysen, précisa lady Olenna Tyrell qui, appuyée sur sa canne, ne parut pas plus remarquer que ne l'avait fait sa petite-fille le nain dans sa mare de vin. J'espère tellement qu'il va nous jouer *Les Pluies de Castamere*. Ça doit bien faire une heure que j'ai oublié à quoi ressemble cette chanson.

— Et il y a un toast que ser Addam souhaiterait porter, reprit Margaery. S'il vous plaît, Sire.

« — Je n'ai pas de vin, regimba Joffrey. Comment boire un toast si je n'ai pas de vin ? À vous de me servir, Oncle Lutin. Puisque vous refusez de jouter, vous me tiendrez lieu d'échanson.

— Ce serait un très grand honneur pour moi.

— *L'intention n'était pas d'en faire un honneur !* criailla Joffrey. Baissez-vous et ramassez mon calice. » Tyrion se mit en devoir d'obéir mais, comme il tendait la main vers une anse, Joff lui expédia le calice dans les jambes d'un coup de pied. « Ramassez-*le !* Seriez-vous aussi gauche que vous êtes moche ? » Il fallut ramper sous la table à la recherche de l'objet. « Bien, maintenant, remplissez-le de vin. » Il fallut demander une carafe à une servante. Transvaser le vin qui, finalement, ne montait qu'aux trois quarts. Le présenter. « Non, à genoux, nain. » Tyrion s'agenouilla, souleva la pesante coupe en se demandant s'il n'allait pas écoper d'une nouvelle douche. Mais Joffrey, d'une seule main, s'empara du calice, y but une longue rasade et le reposa sur la table. « Vous pouvez à présent vous relever, Oncle. »

Saisi de crampes aux jambes au moment même où il s'efforçait de se redresser, il faillit s'étaler, dut se ragripper à un siège pour affermir son équilibre. Ser Garlan lui prêta sa main. Joffrey rigola, et Cersei aussi. Puis d'autres. Il ne put voir qui mais les entendit.

« Sire. » La voix de lord Tywin était d'une impeccable correction. « On apporte la tourte. Il faut votre épée.

— La tourte ? » Joffrey prit sa reine par la main. « Venez, madame, c'est la tourte. »

Les invités saluèrent, debout, par des ovations, des applaudissements, des fracas de coupes entrechoquées l'entrée solennelle de l'énorme tourte qui remontait toute l'allée centrale, roulée par une

420

demi-douzaine de cuisiniers radieux. Elle avait quelque sept pieds de diamètre, la pâte brun doré du dernier croustillant, et de l'intérieur provenaient des caquets vagues et des piétinements.

Tyrion se renfonça dans son fauteuil. Pour que sa journée fût complète, il n'avait plus rien d'autre à désirer qu'un bon colombin sur la gueule. Le vin avait aussi bien transpercé ses dessous que son doublet, et il y sentait barboter sa peau. Se changer n'aurait pas été du luxe, mais nul n'était autorisé à quitter la fête avant que n'ait sonné l'heure de célébrer le coucher. Laquelle devait être encore distante, estima-t-il, d'une bonne vingtaine de plats, sinon trente.

La rencontre du roi, de sa reine et de la tourte eut lieu au pied de l'estrade. Comme Joffrey tirait l'épée, Margaery lui posa la main sur le bras pour arrêter son geste. « Pleurs-de-Veuve n'avait pas pour vocation de trancher des tourtes.

— Exact. » Joffrey haussa la voix. « Ser Ilyn, votre épée ! »

Des ombres amassées à l'arrière de la salle se détacha sur-le-champ la silhouette d'Ilyn Payne. *Le spectre au banquet*, songea Tyrion sans lâcher des yeux la Justice du Roi qui s'avançait, décharné, sinistre. Il était trop jeune pour avoir connu ser Ilyn avant que celui-ci ne perde sa langue. *Il aurait été un autre homme, à l'époque, mais le silence fait désormais partie intégrante de sa personne tout autant que ces yeux creux, que cette chemise de maille rouillée, et que l'estramaçon qui lui barre le dos.*

Ser Ilyn s'inclina devant le roi et la reine, porta la main par-dessus l'épaule et tira six longs pieds d'argent ciselé rutilant de runes. Il s'agenouilla pour présenter l'énorme lame à Joffrey, garde en avant ; des points d'un rouge flamboyant scintillèrent sur le pommeau, taillé dans du verredragon et qui affectait l'effigie souriante d'un crâne aux yeux de rubis.

Sansa s'agita sur son siège. « Quelle épée est-ce là ? »

Les yeux de Tyrion lui piquaient encore à cause du vin. Il les fit cligner, regarda de nouveau. L'estramaçon de ser Ilyn avait beau être aussi large et long que Glace, il brillait par trop comme de l'argent ; l'acier valyrien se distinguait, lui, par un aspect fumé dans l'âme et par un je ne sais quoi pour ainsi dire d'ombrageux. Sansa lui empoigna le bras. « L'épée de mon père..., qu'en a fait ser Ilyn ? »

J'aurais dû réexpédier Glace à Robb Stark, songea Tyrion. Il jeta un coup d'œil du côté de son père, mais le regard de lord Tywin était attaché sur le roi.

Joffrey et Margaery joignirent leurs mains pour brandir l'épée puis l'abattre ensemble en lui faisant décrire une parabole argentée. À peine la croûte se fut-elle disloquée que des colombes s'en échappèrent en un tumultueux tourbillon de plumes blanches, s'éparpillèrent de tous côtés, tire-d'aile affolé vers les fenêtres et la charpente. Les bancs rugirent, émerveillés, tandis que, dans la tribune, musettes et violons commençaient à jouer un air gaillard. Joff prit sa femme dans ses bras et se mit à la faire tourner gaiement.

On déposa devant Tyrion une tranche de tourte au pigeon fumante qu'on lui nappa d'une cuillerée de crème au citron. Les pigeons étaient bel et bien cuits, *là-dedans*, mais il ne se sentit pas plus de goût pour eux que pour leurs collègues blancs qui voletaient partout dans la salle. Sansa non plus n'y touchait pas. « Vous êtes mortellement pâle, madame, fit-il. Il vous faut une goulée d'air frais comme il me faut un autre doublet. » Il se leva, lui offrit sa main. « Venez. »

Mais ils n'eurent pas le loisir d'opérer leur retraite que Joffrey fondit à nouveau sur eux. « Oncle, où allez-vous donc ? Vous oubliez que vous êtes mon échanson ?

— J'ai besoin de changer de tenue, Sire. Avec votre permission.

— Non. Il me plaît de vous voir tel que vous voici. Servez-moi mon vin. »

Le calice royal se trouvait toujours sur la table à l'endroit où il l'avait laissé. Tyrion fut obligé de regrimper sur son siège pour le saisir. Joffrey le lui arracha des mains et y but de longues lampées, à grands coups de glotte et le menton ruisselant de pourpre. « Messire, dit Margaery, nous devrions regagner nos places. Lord Buckler souhaite nous porter un toast.

— Mon oncle n'a pas mangé sa tourte au pigeon. » Le calice dans une main, Joffrey abattit l'autre sur la portion de Tyrion. « Ça porte malheur, ne pas manger de la tourte », rouscailla-t-il en s'enfournant une énorme bouchée de pigeon rouge de piments. « Voyez-moi si c'est bon, ça ! » s'escana-t-il dans une averse de miettes et de postillons tout en se servant une autre poignée. « Mais sec. Faut mouiller la descente. » Il reprit une gorgée de vin, nouvelle quinte, mais plus violente. « Veux voir, *heuh*, vous voir, *heuh*, monter cette, *heuh heuh*, truie, Oncle. Veux... » Le reste se perdit dans un irrépressible accès de toux.

Margaery le regarda d'un air inquiet. « Sire ?

— C'est, *heuh*, la tourte, rien du – *heuh*, tourte. » Il reprit du vin, le tenta du moins, mais le recracha tout lorsqu'une nouvelle crise le plia en deux. Il était en train de devenir tout rouge. « Peux, *heuh*, pas, *heuh heuh heuh heuh*... » Le calice lui tomba des mains, et du vin rouge sombre ruissela sur l'estrade.

« Il est en train de s'étouffer », hoqueta la reine Margaery.

Sa grand-mère se porta auprès d'elle. « Le pauvre..., à l'aide ! glapit la reine des Épines d'une voix dix fois plus haute qu'elle. Eh bien, *bougres* d'ânes ! vous allez béer là longtemps, tous ? *à l'aide !* votre roi ! »

Ser Garlan repoussa Tyrion de côté et se mit à marteler le dos de Joffrey. Ser Osmund Potaunoir lui arracha son col. Un son terriblement aigu, terriblement frêle s'échappait du gosier du mioche, le son que ferait un homme en tâchant d'aspirer une rivière à travers un roseau ; puis ça s'arrêta, et l'effet fut plus effroyable encore. « Retournez-le ! aboya Mace Tyrell à l'adresse de personne et de tout le monde. Tête en bas, et secouez-le par les chevilles ! » Une autre voix criait : « De l'eau, donnez-lui *de l'eau !* » Le Grand Septon se mit à prier tout haut. Le Grand Mestre Pycelle réclamait à grands cris de l'aide pour retourner chez lui chercher ses potions. Joffrey se mit à se griffer la gorge, et ses ongles à creuser dans la chair des ornières sanglantes. Sous la peau, les muscles saillaient, aussi rigides que de la pierre. Le prince Tommen criait et pleurait.

Il va mourir, comprit tout à coup Tyrion. Il se sentait étrangement calme, en dépit du pandémonium qui faisait rage tout autour de lui. On s'était à présent remis à administrer à Joffrey des claques dans le dos, mais sa figure n'en devenait que plus noire. Des chiens aboyaient, des enfants vagissaient, des hommes se gueulaient réciproquement de vains conseils. La moitié des convives étaient debout, certains se bousculant pour mieux voir, d'autres se précipitant vers les portes, animés par un seul désir, être au diable le plus tôt possible.

Pendant que ser Meryn lui ouvrait la bouche de vive force pour lui enfoncer une cuillère au fond du gosier, les yeux du mioche croisèrent ceux de Tyrion. *Il a les yeux de Jaime.* Hormis qu'il n'avait jamais lu pareille panique dans les yeux de Jaime. *Il n'a que treize ans.* En tâchant de parler, Joffrey faisait entendre un cliquetis sec. Ses yeux s'exorbitaient, blancs de terreur, et il leva une main... pour toucher son oncle, ou pour désigner... *Est-ce mon pardon qu'il quémande, ou bien se figure-t-il que je peux le sauver ?*

« Noooon... ! gémit Cersei, aidez-le, Père, aidez-le, quelqu'un, n'importe, aidez-le, mon fils, mon fils... »

Tyrion se surprit à penser à Robb Stark. *Mon propre mariage a meilleure mine, tout compte fait.* Il chercha à voir comment Sansa prenait la chose, mais il régnait dans la salle une confusion si totale qu'il ne lui fut pas possible de la repérer. En revanche, ses yeux tombèrent sur le calice nuptial, oublié par terre. Il alla le ramasser. Au fond se trouvaient encore deux doigts de vin violet sombre. Il les considéra un moment puis les versa sur le plancher.

Margaery Tyrell pleurnichait dans les bras de sa grand-mère qui répétait : « Courage, courage. » La plupart des musiciens s'étaient envolés, mais un dernier flûtiste s'attardait dans la tribune à jouer un air funèbre. À l'arrière de la salle du Trône, des bagarres avaient éclaté tout autour des portes, et les invités s'y piétinaient à qui mieux mieux. Les manteaux d'or de ser Addam entrèrent rétablir l'ordre. Des convives se ruaient tête baissée dans la nuit, certains chialant, certains titubant et dégueulant, d'autres blêmes de trouille. L'idée qu'il serait éventuellement judicieux de se retirer lui-même ne se présenta que de manière très tardive à l'esprit de Tyrion.

Au cri strident que poussa Cersei, il sut que c'était fini.

Je devrais m'en aller. Tout de suite. Au lieu de quoi c'est vers elle qu'il chaloupa.

Assise dans une mare de vin, elle berçait le corps de son fils. Dans sa robe toute déchirée, toute maculée, elle était d'une pâleur crayeuse. Un chien noir étique s'approcha d'elle et, l'échine basse, flaira le cadavre. « Le petit nous a quittés, Cersei », dit lord Tywin. Il lui posa sa main gantée sur l'épaule, pendant que l'un de ses gardes chassait le chien. « Lâche-le, maintenant. Laisse-le s'en aller. » Elle n'entendit pas. Il ne fallut pas moins de deux membres de la Garde pour lui dénouer les doigts jusqu'à ce que la dépouille mortelle de Sa Majesté Joffrey Baratheon glisse, inerte et flasque, au sol.

Le Grand Septon s'agenouilla auprès du défunt. « Père d'En-Haut, juge notre bon roi Joffrey en toute équité », commença-t-il à psalmodier, entamant par là les prières des morts. Margaery Tyrell se mit à sangloter, et Tyrion entendit lady Alerie, sa mère, dire : « Il s'est étouffé, ma chérie. Étouffé avec la tourte. Tu n'y es absolument pour rien. Il s'est étouffé. Nous l'avons tous vu.

— Il ne s'est pas étouffé. » La voix de Cersei était aussi tranchante que l'épée de ser Ilyn. « Mon fils est mort empoisonné. » Elle en appela du regard aux chevaliers blancs qui se tenaient autour d'elle, impuissants. « Gardes du Roi, faites votre devoir.

— Madame ? souffla ser Loras Tyrell d'un air dubitatif.

— Arrêtez mon frère, commanda-t-elle. C'est lui le coupable, le nain. Lui et sa petite femme. Ils ont assassiné mon fils. Votre roi. *Emparez-vous d'eux !* Emparez-vous de tous les deux ! »

SANSA

À l'autre bout de la cité, quelque part, une cloche se mit à sonner.

Sansa avait l'impression de flotter dans un rêve. « Joffrey est mort », annonça-t-elle aux arbres pour voir si cela la réveillerait.

Mort, il ne l'était pas encore lorsqu'elle avait quitté la salle du Trône. Mais il se trouvait à genoux, se griffant la gorge et se déchirant lui-même la peau dans ses efforts désespérés pour respirer. Un spectacle trop épouvantable à regarder. Aussi s'en était-elle détournée, sanglotante, avant de prendre la fuite. Lady Tanda avait fait pareil. « Vous avez bon cœur, madame, lui avait-elle dit. Ce n'est pas toutes les filles qui pleureraient si fort pour un homme qui, après les avoir répudiées, les aurait mariées à un nain. »

Bon cœur. J'ai bon cœur. Un rire hystérique menaça de la secouer, mais elle le ravala. Les cloches sonnaient, lentes et funèbres. Sonnaient, sonnaient, sonnaient. Elles avaient sonné de même pour le roi Robert. Joffrey était mort, il était mort, il était mort, mort, mort. Pourquoi pleurait-elle, alors qu'elle avait envie de danser ? Étaient-ce des larmes de joie ?

Elle trouva ses vêtements là où elle les avait cachés, deux nuits plus tôt. Sans soubrettes pour l'aider, elle mit plus de temps qu'il n'était nécessaire à défaire le laçage de sa robe. Elle avait les mains étrangement gauches, et pourtant elle avait moins peur qu'elle n'aurait dû. « Les dieux sont cruels, de le prendre si jeune et si beau, durant le festin de ses propres noces », avait encore dit lady Tanda.

Les dieux sont justes, songea Sansa. C'était durant un festin de noces que Robb avait péri, lui aussi. C'était pour Robb qu'elle pleurait. *Pour lui et pour Margaery.* Pauvre Margaery, deux fois mariée, deux fois veuve. Sansa retira son bras d'une manche, fit glisser sa robe et se tortilla pour s'en dégager. Elle la roula en boule et la fourra dans le creux d'un chêne, secoua celle qu'elle venait d'en tirer. *Habillez-vous chaudement*, lui avait enjoint ser Dontos, *et ne vous habillez qu'en sombre.* Faute de noir, elle avait opté pour une robe en gros lainage brun. Le corsage en était cependant tout brodé de perles d'eau douce. *Le manteau les dissimulera.* Il était, lui, vert sombre, et muni d'un vaste capuchon. Elle enfila la robe par-dessus sa tête, endossa le manteau mais sans en rabattre encore le capuchon. Restait à remplacer ses escarpins par des chaussures simples et solides, à talons plats et bouts carrés. *Les dieux ont exaucé ma prière*, songea-t-elle. Elle éprouvait un tel sentiment de torpeur, d'irréalité. *Ma peau s'est métamorphosée en porcelaine, en ivoire, en acier.* Ses mains n'étaient plus capables que de gestes raides, aussi maladroits que si jamais elles n'avaient, avant, libéré ses cheveux. Un instant, elle en vint à souhaiter que Shae fût là pour lui retirer la résille.

Dès qu'elle y fut parvenue, ses longues boucles auburn lui cascadèrent sur les épaules et dans le dos. Au bout de ses doigts scintillaient doucement l'argent des mailles arachnéennes et les pierreries qui paraissaient noires, au clair de la lune. *Des améthystes noires d'Asshaï.* Il en manquait une. Sansa leva la résille pour l'examiner de plus près. Dans l'alvéole d'argent délaissée par la pierre se voyait une trace sombre.

Une terreur subite envahit Sansa. Son cœur se mit à lui marteler les côtes, et elle en eut le souffle coupé, un moment. *Pourquoi m'affoler de la sorte ? Il ne s'agit que d'une améthyste, d'une améthyste noire d'Asshaï, et de rien de plus... Elle devait être un peu lâche dans la monture, voilà tout. Elle était lâche, elle est tombée, et elle se trouve à présent quelque part dans la salle du Trône ou dans la cour, par terre, à moins...*

Ser Dontos avait dit que la résille était magique, et qu'elle saurait la ramener chez elle, à Winterfell. Il fallait à tout prix, disait-il, la porter ce soir, pour le festin des noces de Joffrey. Les fils d'argent lui emprisonnaient durement les jointures. Son pouce allait et venait sur l'emplacement désormais vacant de la pierre. Elle tenta d'arrêter, mais ses doigts ne lui appartenaient plus. Son pouce était invinciblement attiré par le trou comme l'est la langue par la dent perdue. *Magique de quelle façon ?* Le roi était mort, le cruel roi qu'elle avait pris pour son prince charmant cent ans, mille ans plus tôt. Et si Dontos en avait menti quant à la résille, en avait-il menti quant au reste aussi ? *Que deviendrai-je s'il ne vient pas ? Que deviendrai-je si le navire n'existe pas, ni la barque sur la rivière, si l'évasion n'est qu'une chimère ?* Qu'adviendrait-il d'elle, alors ?

Un léger bruissement de feuilles l'ayant alertée, elle se dépêcha d'enfouir la parure au fin fond de la poche de son manteau. « Qui va là ? » cria-t-elle, et : « Qui vive ? » Les cloches sonnaient la descente au tombeau de Joffrey, et le bois sacré avait, dans le noir, un aspect sinistre.

« Moi. » Il sortit en trébuchant du couvert des arbres, ivre à tomber. Il lui saisit le bras pour rattraper son équilibre. « Chère Jonquil, je suis là. Votre Florian est là, n'ayez crainte. »

Elle se dégagea, révulsée du contact. « Vous aviez dit que je devais porter la résille. La résille d'argent avec... – c'est quoi, ces pierres ?

— Des améthystes. Des améthystes noires d'Asshaï, madame.

— Ce ne sont pas des améthystes. N'est-ce pas ? *N'est-ce pas ?* Vous en avez menti.

— Des améthystes noires, je vous jure, maintint-il. Elles avaient des vertus magiques.

— Elles avaient des vertus *meurtrières*, oui !

— Tout doux, madame, tout doux. Pas du tout meurtrières. Il s'est étouffé avec sa tourte au pigeon. » Dontos émit un gloussement. « Oh, succulente succulente tourte ! Gemmes et argent, c'est tout ce que c'était, rien d'autre qu'argent, gemmes et vertus magiques. »

Les cloches sonnaient, et le vent faisait un bruit analogue à celui que... – qu'il avait fait, *lui*, quand il s'efforçait en vain de respirer. « Vous l'avez empoisonné. C'est ça. Vous avez pris une pierre dans mes cheveux...

— Chut, ou vous causerez notre perte ! Je n'ai rien fait. Venez, nous devons partir, ils vont se mettre à votre recherche. Votre mari a été arrêté.

— Tyrion ? lâcha-t-elle, sidérée.

— Vous avez un autre mari ? Le Lutin, le nain d'oncle, la reine croit que c'est lui, le coupable. » Il lui prit la main, l'entraîna. « Par ici, nous devons partir, vite, maintenant, n'ayez pas peur. »

Elle le suivit sans résister. Joffrey s'était dit un jour

incapable de *supporter les pleurs des bonnes fem-mes...*, ou quelque chose d'approchant. Maintenant, sa mère était la seule bonne femme à pleurer. Il arrivait aux farfadets, des fois, dans les histoires de Vieille Nan, de fabriquer des objets magiques per-mettant aux souhaits de se réaliser. *Ai-je souhaité sa mort ?* se demanda-t-elle, avant de se rappeler qu'elle était trop vieille pour croire aux farfadets. « *Tyrion* l'aurait empoisonné ? » Que le nain détestât son neveu, ça, elle le savait. Se pouvait-il vraiment qu'il l'eût tué ? *Était-il au courant, pour ma résille ? pour les améthystes noires ? C'est lui qui servait à boire à Joffrey...* Comment pouvait-on faire s'étouf-fer quelqu'un en lui mettant une améthyste dans son vin ? *Si Tyrion a commis ce crime, on va s'ima-giner que j'y ai trempé, moi aussi*, se dit-elle avec une bouffée de peur. Cela n'allait-il pas de soi ? N'étaient-ils pas mari et femme, et Joffrey ne lui avait-il pas tué son père avant de se railler d'elle au sujet de la mort de Robb ? *Une seule âme, un seul cœur, une seule chair...*

« Silence, à présent, ma chérie, dit Dontos. Une fois hors du bois sacré, nous ne devons plus faire le moindre bruit. Relevez votre capuchon et cachez bien votre visage. » Sansa acquiesça d'un simple hochement et obtempéra.

Il était si soûl qu'elle devait parfois lui prêter son bras pour l'empêcher de tomber. Les cloches s'étaient mises à sonner dans toute la ville, et leur nombre ne cessait de croître. Elle gardait la tête soigneusement baissée et se maintenait toujours dans l'ombre sur les talons de Dontos. On descen-dait les marches serpentines quand il s'affaissa sur les genoux et se mit à dégobiller. *Mon pauvre Flo-rian*, songea-t-elle, tandis qu'il se torchait la bouche avec le pan de sa manche. *En sombre*, avait-il dit, mais dans l'ouverture de son manteau à capuche marron s'apercevait son ancien surcot à rayures horizontales rouges et roses sous chef noir aux trois couronnes d'or – les armes de la maison Hollard. « Pourquoi portez-vous ce surcot ? Joffrey vous a décrété de mort si jamais l'on vous surprenait vêtu derechef en chevalier, et il... – oh... » Rien de ce qu'avait pu décréter Joffrey n'avait plus d'importance.

« J'ai tenu à être en chevalier. Pour cette aventure-ci du moins. » Il se remit vivement sur ses pieds puis lui prit le bras. « Venez. Silence, maintenant, pas de questions. »

Ils continuèrent à descendre les serpentines, traversèrent une courette en contrebas. Ser Dontos poussa une lourde porte et alluma un rat-de-cave. Ils se trouvaient dans une interminable galerie le long des murs de laquelle étaient alignées, noires et poussiéreuses, des armures vides à heaumes crêtés d'écailles retombant à la queue-leu-leu jusque dans le dos. Au fur et à mesure de leur passage précipité, la loupiote faisait se tordre et s'étirer les ombres de chaque écaille. *Voici que les chevaliers creux se métamorphosent en dragons*, songea-t-elle.

Un nouvel escalier les mena devant une porte de chêne bardé de fer. « De l'énergie, maintenant, ma Jonquil, vous y êtes presque. » Une fois qu'il eut soulevé la barre et tiré le vantail, un courant d'air froid cingla le visage de Sansa. Le temps de parcourir les douze pieds d'épaisseur du mur, et elle se retrouva en dehors du château, debout au bord d'une falaise. En dessous, c'était la rivière, au-dessus le ciel, tous deux aussi noirs l'un que l'autre.

« Il nous faut descendre, dit ser Dontos. En bas,

un homme nous attend pour nous emmener dans sa barque jusqu'au bateau.

— Je vais tomber. » Bran était bien tombé, lui qui adorait grimper.

« Non, vous ne tomberez pas. Il y a une espèce d'échelle, une espèce d'échelle secrète, creusée dans la pierre. Tenez, là, vous n'avez qu'à toucher, madame. » Il l'invita à s'agenouiller comme lui, à se pencher par-dessus bord et à tâtonner du bout des doigts jusqu'à ce qu'elle découvre une prise taillée pour eux dans la face même de l'à-pic. « Presque aussi pratique que des barreaux. »

Ça n'en faisait pas moins une longue équipée. « Je ne *pourrai* pas.

— Vous devez.

— Il n'y a pas d'autre chemin ?

— C'est le chemin. Il ne devrait pas être si pénible pour une jeune fille solide comme vous l'êtes. Cramponnez-vous bien sans jamais regarder vers le bas, et vous y serez en un rien de temps. » Il avait les yeux tout brillants. « Ivre et gras et vieux comme l'est votre pauvre Florian, c'est lui qui devrait avoir peur. Je ne tenais même pas en selle, vous vous rappelez ? C'est comme ça que ça a commencé, nous deux. J'étais soûl et je tombais de mon cheval, et Joffrey voulait ma tête d'idiot, mais vous m'avez sauvé. Vous m'avez *sauvé*, ma chérie. »

Il pleure, comprit-elle. « Et maintenant, c'est à vous que je vais devoir mon salut.

— Uniquement si vous y allez. Sinon, je nous ai tués tous les deux. »

C'est lui, le coupable, songea-t-elle. *C'est lui, l'assassin de Joffrey.* Elle était obligée d'y aller, tant pour lui que pour elle-même. « Vous passez devant, ser. » S'il *tombait*, elle n'avait pas envie qu'il lui tombe sur la tête et la précipite avec lui s'écraser en bas.

« Vos désirs sont des ordres, madame. » Il lui colla un patin gluant puis balança gauchement ses jambes dans le vide à la recherche d'une encoche pour les pieds. « Laissez-moi prendre un peu d'avance puis suivez-moi. Vous viendrez, maintenant ? Jurez-le-moi.

— Je viendrai », promit-elle.

Ser Dontos disparut. Elle l'entendait néanmoins souffler comme un bœuf, là-dessous. Elle tendit l'oreille vers le glas qui sonnait toujours, en compta les battements. À dix, elle entreprit précautionneusement de se risquer par-dessus bord, tâtonna du bout des orteils jusqu'à ce qu'un point d'appui s'offre à eux. Les murailles du château la surplombaient de toute leur masse, et elle n'eut un moment pas de plus vif désir que de tout planter là pour regagner à toutes jambes ses appartements douillets du Donjon Rouge. *Sois brave*, se ressaisit-elle. *Sois brave comme une dame de chanson.*

Elle n'osait regarder vers le bas. Elle gardait les yeux attachés sur la falaise, droit devant elle, attentive à ne s'aventurer plus loin qu'une fois assurée de ses prises sur la pierre froide et raboteuse. Elle sentait parfois ses doigts glisser, et les encoches qui leur étaient destinées ne lui paraissaient pas aussi régulièrement espacées qu'elle l'eût souhaité. Les cloches n'arrêtaient pas de sonner. Elle n'était pas encore à mi-chemin que les tremblements de ses bras lui prédirent trop clairement qu'elle allait tomber. *Un pas de plus*, s'enjoignit-elle, *un pas de plus*. Il fallait continuer coûte que coûte à bouger. Qu'elle s'arrête, et jamais elle ne redémarrerait, l'aube la trouverait encore agrippée à la falaise, pétrifiée de peur. *Un pas de plus, et un pas de plus...*

Le sol la prit au dépourvu. Elle trébucha, tomba, le cœur affolé, roula sur le dos, et lorsque, levant les yeux, elle vit d'où elle arrivait, la tête se mit à lui tourner et ses ongles à griffer la terre convulsivement. *J'ai réussi ! J'ai réussi, je ne suis pas tombée, j'ai fait la descente et, maintenant, je vais rentrer à la maison !*

Ser Dontos l'aida à se relever. « Par ici. Silence, à présent, silence, silence. » Il avançait en se maintenant dans l'ombre la plus épaisse, au pied de la falaise. Par chance, ils n'eurent pas à aller bien loin. À une cinquantaine de pas vers l'aval, un homme était assis dans une petite barque à demi dissimulée derrière les vestiges carbonisés d'une grande galère qui s'était échouée là. Dontos s'en approcha, hors d'haleine, cahin-caha. « Oswell ?

— Pas de noms, dit l'homme. Montez. » Recroquevillé sur les rames, un vieil homme, élancé et dégingandé, à longs cheveux blancs et grand nez crochu, les yeux ombragés par un capuchon. « À bord, maniez-vous, marmonna-t-il. Faut qu'on se tire. »

Aussitôt qu'ils eurent embarqué sans encombre tous deux, le type au capuchon s'empressa d'attaquer l'eau et, faisant force de rames, de gagner le courant. Derrière, les cloches sonnaient plus que jamais la disparition du mioche royal. Tout entière était pour eux la noire Néra.

Au rythme lent, régulier des rames, ils traçaient leur chemin vers l'aval, glissant au-dessus de galères sombrées, passant auprès de mâts brisés, de coques incendiées, de voilures en loques. Leurs tolets étant emmaillotés de chiffons, ils ne faisaient pour ainsi dire pas un bruit. Une brume légère montait des eaux. Sansa discerna, par-dessus, la silhouette crénelée de l'une des tours à treuil du Lutin, mais, comme on avait baissé la chaîne gigantesque, ils franchirent sans difficulté la zone où des centaines d'hommes avaient péri brûlés. Le rivage s'amenuisa, le brouillard se fit plus dense, et le tumulte des cloches en vint à s'estomper progressivement. Finalement, les lumières elles-mêmes devinrent invisibles, perdues là-bas, quelque part, derrière. Ils avaient désormais atteint la baie de la Néra, et, bien que le monde se fût réduit aux nappes de brouillard courant sur la noirceur des flots, leur silencieux compagnon continuait de s'arc-bouter sur les rames. « Il nous faut encore aller beaucoup plus loin ? demanda Sansa.

— La ferme. » Tout vieux qu'il pouvait bien être, le rameur était plus costaud qu'il n'en avait l'air, et sa voix était virulente. Il y avait quelque chose d'étrangement familier dans ses traits, mais Sansa n'arrivait pas à définir ce que c'était.

« Pas loin. » Ser Dontos lui prit la main et la frictionna gentiment. « Votre ami est là, tout près, qui vous attend.

— *La ferme !* gronda de nouveau le rameur. Le son porte, sur l'eau, ser Bouffon. »

Abasourdie, Sansa se mordit la lèvre et se pelotonna dans le silence. L'autre ramait, ramait, ramait.

Un tout premier indice d'aube se devinait vaguement vers l'est quand Sansa finit par apercevoir, devant, dans les ténèbres, une silhouette fantomatique – celle d'une galère marchande qui, voiles ferlées, n'utilisait qu'un banc de nage pour se déplacer doucement. Peu à peu, l'approche lui permit d'en distinguer la figure de proue, un triton couronné d'or soufflant dans un buccin de mer. Puis elle entendit crier quelque chose, et la galère s'immobilisa en se balançant lentement.

Comme ils venaient se ranger le long de son flanc, la galère déroula par-dessus son bastingage une échelle de corde. Le rameur rentra ses rames et aida Sansa à se lever. « Debout, main'nant. Vas-y, petite, t'y voilà. » Elle le remercia pour son amabilité, mais n'en reçut pour toute réponse qu'un grognement. Il fut beaucoup plus facile d'escalader l'échelle de corde que ce ne l'avait été de descendre toute la falaise. Le dénommé Oswell la suivit de près, tandis que ser Dontos demeurait dans la barque.

Deux marins se tenaient près du bastingage pour l'aider à passer sur le pont. Elle tremblait de pied en cap. « Elle a froid », entendit-elle quelqu'un dire. Quelqu'un qui se dépouilla de son manteau pour lui en draper les épaules. « Là, cela va-t-il mieux, madame ? Soyez en paix, le pire est passé, fini. »

Elle connaissait cette voix... *Mais il est dans le Val*, songea-t-elle. À côté de lui se tenait ser Lothor Brune, une torche au poing.

« Lord Petyr, appela ser Dontos de la barque, il va falloir que je rentre avant qu'on ne s'avise de ma disparition. »

Petyr Baelish posa une main sur le bastingage. « Mais, auparavant, c'est votre salaire que vous voulez. C'était bien dix mille dragons, n'est-ce pas ?

— Dix mille. » Dontos se frotta la bouche d'un revers de main. « Comme promis par vous, messire.

— La récompense, ser Lothor. »

Lothor Brune abaissa la torche. Trois hommes s'avancèrent jusqu'au plat-bord, levèrent leurs arbalètes et tirèrent. Un carreau prit Dontos en pleine poitrine, alors qu'il avait le nez en l'air, lui défonçant la couronne gauche de son surcot. Les autres lui ravagèrent la gorge et le ventre. Et tout s'était passé si vite que ni lui ni Sansa n'avaient eu seulement le temps de pousser un cri. Après quoi Lothor Brune jeta la torche sur le cadavre, et lorsque la galère appareilla, déjà flambait bravement la barque.

« Vous l'avez *tué*... » Agrippée à la rambarde, Sansa se détourna pour vomir. N'avait-elle échappé aux Lannister que pour tomber dans un piège encore pire ?

« C'est du gâchis, madame, murmura Littlefinger, que de vous chagriner pour un pareil individu. Il n'était qu'un poivrot, et l'ami de personne.

— Mais il m'avait *sauvée*.

— Il vous avait vendue contre la promesse de dix mille dragons. Votre disparition ne manquera pas de vous rendre suspecte en ce qui concerne la mort de Joffrey. Les manteaux d'or vont se mettre en chasse, et l'eunuque va faire tinter sa bourse. Dontos..., eh bien, vous l'avez entendu. Il vous avait vendue à prix d'or et, sitôt bu cet or, il vous aurait à nouveau vendue. Un sac de dragons peut acheter le silence d'un homme pour quelque temps, mais c'est pour toujours que l'achète un carreau bien placé. » Il sourit d'un air triste. « C'est à ma requête qu'il a fait tout ce qu'il a fait. Je n'osais vous prendre ouvertement sous ma protection. Quand j'ai appris de quelle manière vous l'aviez sauvé, lui, lors du tournoi de Joffrey, j'ai su qu'il ferait un homme de paille idéal. »

Elle en avait des nausées. « Il disait qu'il était mon Florian.

— Vous rappelleriez-vous, d'aventure, ce que je vous ai dit, le fameux jour où votre père occupait le Trône de Fer ? »

Le moment lui revint dans toute sa verdeur. « Vous m'avez dit que la vie n'était pas une chanson. Que je l'apprendrais un jour ou l'autre, à mes cruels dépens. » Elle sentit ses yeux se mouiller de larmes, mais quant à trancher si c'était sur ser Dontos qu'elle pleurait, sur Joff, sur Tyrion ou sur elle-même, elle en aurait été incapable. « Tout ne serait-il *que* mensonges, toujours et à jamais, partout, les êtres comme les choses ?

— Presque tous les êtres. Excepté vous et moi, naturellement. » Il sourit. « *Rendez-vous au bois sacré cette nuit même, si vous souhaitez rentrer chez vous.*

— Le billet..., c'était vous ?

— Il fallait que ce soit le bois sacré. Aucun autre coin du Donjon Rouge n'est à l'abri des petits oiseaux de l'eunuque... – de ses petits rats, plutôt, comme je préfère les appeler. Il y a des arbres, dans le bois sacré, au lieu de murs. Le ciel, au lieu de plafond. Des racines et de la terre et des cailloux, au lieu de je ne sais quel dallage ou plancher. Les rats n'y ont pas d'endroit où grouiller. Il leur faut des planques, aux rats, sans quoi la première épée venue risque de les embrocher. » Lord Petyr lui prit le bras. « Permettez-moi de vous conduire à votre cabine. Vous avez eu une journée longue et éprouvante, je le sais. Vous devez être lasse. »

Déjà la petite barque n'était guère plus, derrière eux, qu'une virgule de flammes et de fumée, presque imperceptible dans l'immensité de la mer et du petit jour. Il n'y avait pas de retour possible, la seule route à suivre se trouvait désormais devant. « Très lasse », admit-elle.

Tout en la menant vers l'entrepont, il reprit : « Parlez-moi de la fête. La reine s'était donné tellement de mal. Les chanteurs, les jongleurs, l'ours dansant... Au fait, mes nains jouteurs ont-ils été du goût de messire votre petit époux ?

— Ils étaient à vous ?

— Il m'a fallu les envoyer chercher à Braavos et les cacher dans un bordel jusqu'au mariage. Il n'y a que le tracas qui ait excédé la dépense. Il est étonnamment difficile de cacher un nain, et Joffrey... – un roi, ça peut toujours se conduire à l'abreuvoir mais, avec Joffrey, il fallait pas mal faire d'éclaboussures et barboter dans l'eau avant qu'il se rende compte qu'elle était potable. Quand je lui touchai mot de ma petite surprise, Sa Majesté me répondit : "Et pourquoi donc aurais-je envie d'horribles nains pour mes festivités ? Je déteste les nains !" Ce qui me contraignit à le prendre aux épaules et à lui souffler : "Pas aussi fort que les détestera votre oncle..." »

Le pont roulait sous les pieds de Sansa, lui donnant l'impression que le monde lui-même était à son tour atteint d'instabilité. « On soupçonne Tyrion d'avoir empoisonné Joffrey. On l'aurait arrêté, d'après ce que disait ser Dontos. »

Littlefinger se mit à sourire. « Le veuvage vous ira bien, Sansa. » Elle eut le ventre retourné par cette pensée. Il se pourrait, ainsi, qu'elle n'ait plus jamais à partager sa couche avec Tyrion. C'était *bien* là ce qu'elle avait toujours désiré..., non ?

La cabine était basse et exiguë, mais on avait rendu l'étroite couchette plus confortable en la recouvrant d'un matelas de plume, et on avait amoncelé dessus d'épaisses fourrures. « Vous y serez un peu à l'étroit, bien sûr, mais pas trop mal, j'espère. » Littlefinger désigna un coffre en bois de cèdre, sous le hublot. « Vous y trouverez de quoi vous changer. Des robes, des dessous, des bas chauds, un manteau. Uniquement de la laine et du lin, j'ai peur. Indignes d'une jeune fille aussi belle, mais toujours contribueront-ils à vous tenir propre et au sec jusqu'à ce que nous soyons en mesure de vous trouver quelque chose de plus raffiné. »

Il tenait tout cela prêt à m'accueillir. « Messire, je... – je ne comprends pas... Joffrey vous avait donné Harrenhal et vous avait fait lord souverain du Trident..., pourquoi... ?

— Pourquoi diable est-ce que j'aurais voulu sa mort ? » Il haussa les épaules. « Je n'avais aucun mobile. Au surplus, je me trouve à mille lieues d'ici, dans le Val. Arrangez-vous toujours pour embrouiller vos adversaires. S'ils ne savent jamais avec certitude qui vous êtes ou ce que vous voulez, ils sont incapables de concevoir ce que vous risquez de faire le coup d'après. La meilleure façon, parfois, de les déconcerter consiste à accomplir des gestes qui n'ont aucun but, voire même à paraître œuvrer contre vos propres intérêts. Souvenez-vous de cela, Sansa, quand vous en viendrez à jouer le jeu.

— Le... – quel jeu ?

— L'unique jeu. Le jeu des trônes. » Il lui repoussa du front une mèche folle. « Vous êtes assez vieille pour apprendre que votre mère et moi étions plus qu'amis. Il fut un temps où Cat incarnait tout ce que je désirais en ce monde. Où j'avais l'audace de rêver à l'existence que nous pourrions nous créer, aux enfants qu'elle me donnerait..., mais elle était une damoiselle de Vivesaigues et la fille d'Hoster Tully. *Famille, Honneur, Devoir*, Sansa. *Famille, Honneur, Devoir* signifiait que jamais je ne pourrais obtenir sa main. Mais elle m'accorda quelque chose d'infiniment plus précieux, elle me fit présent de ce qu'une femme ne peut offrir qu'une seule fois. Comment aurais-je pu dès lors tourner le dos à sa fille ? Dans un monde meilleur que celui-ci, vous auriez pu être la mienne et non celle d'Eddard Stark. Ma fille loyale et affectueuse... Rejetez Joffrey de vos pensées, ma petite chérie. Et Dontos et Tyrion, tous tant qu'ils sont. Plus jamais ils ne vous importune-

REMERCIEMENTS

Si les briques ne sont pas bien faites, le mur s'effondre.

Les dimensions du mur que je suis en train d'édifier sont si formidables qu'elles réclament quantité de briques. La chance veut que je connaisse quantité de briquetiers, sans compter toutes sortes d'autres experts précieux.

Qu'il me soit une fois de plus permis d'exprimer mes remerciements et ma gratitude à ces bons amis qui me prêtent avec tant de générosité leur compétence (voire, parfois, leurs propres *livres*) pour que mes briques soient aussi plaisantes que solides – à mon archimestre Sage Walker, à mon surintendant Carl Keim, à Melinda Snodgrass, mon grand écuyer.

Et, comme toujours, à Parris.

Au-delà du Mur

♦ – Château
◊ – Fort en ruines

Contrées de l'Éternel Hiver
(non cartographiées)

Places fortes de la Garde de Nuit

1. Fort Couchant le Pont
2. Tour Ombreuse
3. La Vigie
4. Griposte
5. La Roque
6. Mont-Frimas
7. Glacière
8. Fort Nox
9. Noirlac
10. Porte Reine
11. Châteaunoir
12. Chêne Égide
13. Sylve-Étang
14. Sablé
15. La Givrée
16. Longtertre
17. Torchères
18. Verposte
19. Fort Levant

Thenn

MER GRELOTTE

Durlieu

La Laiteuse

CES CROOGIVRÉ

Col Museux

L'Épois

Poing des Premiers Hommes

Cap Storrold

Manoir de Craster

L'Arbre blanc

LE MUR

CES GORGES

1 2 3 4 5 6 7 8 9 10 11 12 13 14 15 16 17 18 19

LE DON-BRAN

BAIE DES PHOQUES

SKAGOS

BAIE DES GLACES

Reine Couronne

LE NEUFDON

Route Royale

Carte par James Sinclair

6894

Composition PCA
Achevé d'imprimer en Slovaquie
par Novoprint SLK
le 22 juillet 2014.
EAN 9782290333518
1er dépôt légal dans la collection : février 2004

Éditions J'ai lu
87, quai Panhard-et-Levassor, 75013 Paris
Diffusion France et étranger : Flammarion